MARTHA GRIMES

Américaine, Martha Grimes est née à Pittsburgh, dans l'Ohio. Après des études de lettres à l'université du Maryland, elle a suivi le très réputé atelier d'écriture de l'université d'Iowa. Docteur ès lettres, elle a longtemps enseigné l'anglais avant de se consacrer à plein temps à l'écriture.

Dès *L'énigme de Rackmoor*, son premier roman paru en 1990, ses enquêtes policières portent la griffe du commissaire Richard Jury et de son complice Melrose Plant. À l'exception de *Jetée sous la lune* (1994) et du *Meurtre du lac* (1999), on les retrouve dans tous ses romans, parmi lesquels *Le mystère de Tarn House* (1994), *La nuit des chasseurs* (1996), et *L'énigme du parc* (2000). Outre son sens très fin de la psychologie, son habileté à recréer l'atmosphère propre aux romans policiers britanniques « classiques » lui a valu d'être admirée de part et d'autre de l'Atlantique.

Martha Grimes partage actuellement son temps entre les États-Unis et l'Angleterre où de nombreux séjours sont nécessaires à ses repérages.

L'AUBERGE
DE JÉRUSALEM

MARTHA GRIMES

L'AUBERGE DE JÉRUSALEM

Le Code de la propriété intellectuelle n'autorisant, aux termes de l'article L. 122-5 (2° et 3° a), d'une part, que les « copies ou reproductions strictement réservées à l'usage privé du copiste et non destinées à une utilisation collective » et, d'autre part, que les analyses et les courtes citations dans un but d'exemple et d'illustration, « toute représentation ou reproduction intégrale ou partielle faite sans le consentement de l'auteur ou de ses ayants droit ou ayants cause est illicite » (art. L. 122-4).

Cette représentation ou reproduction, par quelque procédé que ce soit, constituerait donc une contrefaçon sanctionnée par les articles L. 335-2 et suivants du Code de la propriété intellectuelle.

© 1984 by Martha Grimes.
Édition originale : Little, Brown and Company.
© Presses de la Cité, 1991, pour la traduction française.

PRESSES DE LA CITÉ

Titre original :
Jerusalem Inn

Traduit par Dominique Wattwiller

© 1984 by Martha Grimes.
Édition originale : Little, Brown and Company.
© Presses de la Cité 1992 pour la traduction française.

ISBN 2-266-12634-2

A Pamela, amie paradigmatique.

Les rois mages

Loin là-bas, loin à l'est, je les vois en esprit
Arriver chaque année à cet endroit sacré,
Avec dans leurs bras lourds ce qu'ils doivent trouver
Et dans leurs yeux de feu ce qu'ils vont affronter.

En silence ils avancent, fermes et immuables,
Telles des statues de porcelaine incrustées d'or;
Leurs habits chatoyants et purs rehaussent encore
La noblesse et la paix de leurs traits vénérables.

Jamais ils ne varient; ni la paix ni la guerre
Ne viennent perturber le long pèlerinage
Qui fait d'eux ce qu'ils sont. Le signe qui les guide
Ne promet d'autre avenir que leur nom.

Edgar Bowers

Sœur! O ma sœur! Voilà la cause de tout!
Que nous tombions par ambition, meurtre ou luxure,
Tel le diamant nous nous coupons à notre propre nature.

La duchesse de Malfi

I

Le manoir d'Old Hall

1

Rencontre dans un cimetière. C'est en ces termes qu'il évoquerait l'événement par la suite, et cela sans ironie aucune. Car un cimetière n'était pas vraiment un lieu propice à l'éclosion de relations durables.

Neige recouvrant le cadran solaire. Moineaux se querellant dans les haies. Chat noir trônant dans le bassin vide où venait se désaltérer la gent ailée. Bribes de souvenirs. Miroir brisé. *Ça porte malheur, Jury.*

C'est par un après-midi venteux de décembre, cinq jours seulement avant Noël, que Jury – planté devant les grilles du manoir d'Old Hall – assista aux âpres discussions d'un couple de moineaux embusqué dans une haie voisine. Les oiseaux, dont l'un tentait de s'enfuir suivi de près par son congénère, se pourchassaient en piaillant d'arbre en arbre. Le plus vigoureux avait réussi à cribler de coups de bec la gorge de l'autre, qui saignait abondamment. Jury avait beau être habitué à la violence, il n'en fut pas moins choqué. Et pourtant, n'était-ce pas toujours et partout la même histoire? Il suivit les moineaux des yeux, les regardant se pourchasser de branche en branche puis se poser à ses pieds. Il esquissa un geste afin de les séparer, mais ils s'envolèrent et s'enfuirent à tire-d'aile.

Le manoir étant fermé, il en fut réduit à arpenter le vieux village de Washington sous une averse de neige fondue. Pour tout arranger, il était trois heures de l'après-midi, et les pubs étaient fermés. Au détour d'une ruelle pentue, il tomba sur l'église. *Alors, Jury, on s'apitoie sur son sort? Pas de parents, pas d'amis, pas de femme, pas... C'est Noël, tout de même,* lui souffla son moi optimiste.

Ce déprimant soliloque se poursuivit – à l'instar de l'aigre querelle des moineaux – alors qu'il poussait la lourde porte de l'édifice. A peine eut-il posé le pied à l'intérieur qu'il comprit que son arrivée jetait la perturbation dans la nef où se célébrait un baptême. Le prêtre qui officiait continua de psalmodier paisiblement, mais les parents du nouveau-né tournèrent vers l'intrus des visages courroucés cependant que le bébé se mettait à pleurer.

Espèce de crétin! gronda son moi ronchon. Jury fit mine d'étudier le panneau accroché près de l'entrée, s'efforçant de faire croire à ces braves gens que son salut dépendait des avis et annonces qui y étaient punaisés. Puis, avec un abrupt hochement de tête dans le vide *(Ils se fichent pas mal de toi, balourd!)*, il tourna les talons et s'en fut comme il était venu.

Son moi grincheux – qui ressemblait décidément beaucoup au moineau querelleur aperçu dans le jardin du manoir – l'accompagna jusque dans le cimetière de l'église. Perché sur son épaule, il entreprit de lui réduire l'oreille en bouillie à coups de bec rageurs, lui ressassant que personne ne l'avait forcé à accepter l'invitation geignarde de sa cousine. *(On ne te voit jamais, Richard...)* Newcastle-upon-Tyne. Quel endroit sinistre en hiver. *Une petite promenade au milieu des tombes, c'est exactement ce qu'il te faut, Jury... Et sous la neige, encore...* Car la neige s'était remise à tomber.

C'est alors qu'il la vit, penchée au-dessus d'une pierre tombale, avec ses mèches de cheveux bruns qui s'étaient échappées de sous la capuche de sa cape et étaient collées par la neige et la pluie. Les vieux saules avaient répandu des traînées de feuilles gorgées d'eau sur le sentier. La mousse tapissait les pierres. L'inconnue et lui exceptés, il n'y avait personne.

Elle se tenait rigoureusement immobile à quelque distance de lui. Ainsi penchée au-dessus de la pierre tombale, elle lui rappela un de ces monuments grandeur nature, présents même dans les cimetières les plus modestes, qui sont chargés – le plus souvent à l'aide d'accessoires tels que capuchon et mains jointes – de symboliser durablement la douleur.

Jointes, les mains de l'inconnue ne l'étaient pas. Elle était en effet occupée à griffonner dans un carnet. De deux choses l'une : ou elle était tellement occupée à déchiffrer les inscriptions qu'elle ne l'avait pas vu s'approcher, ou elle respectait sa solitude.

Il lui donna la trentaine bien sonnée. Une trentaine qu'elle portait avec panache. Elle était probablement plus jolie aujourd'hui qu'à vingt ans. Son visage était de ceux que Jury avait toujours trouvés beaux, car il était marqué par la souffrance et le regret comme ceux des sculptures funéraires. Les cheveux de l'inconnue étaient presque de la même couleur que ceux de Jury, à ceci près qu'ils avaient des reflets roux que l'on pouvait distinguer même dans la grisaille de ce pluvieux après-midi. Il ne pouvait voir ses yeux dissimulés par la capuche. Elle était penchée au-dessus d'une petite tombe ornée d'angelots auxquels les intempéries avaient presque fait perdre leurs ailes.

Jury fit mine d'examiner les pierres tombales, comme il avait fait semblant de s'intéresser aux annonces punaisées dans l'église. Alors qu'il s'efforçait de trouver une entrée en matière en harmonie avec le lieu, elle porta soudain une main à son front avant de chercher l'appui de la pierre, comme quelqu'un qui est à deux doigts de tomber. Elle semblait souffrante.

– Ça va? s'inquiéta-t-il en se précipitant et l'attrapant par le bras.

Elle secoua la tête comme pour s'éclaircir les idées et lui adressa un petit sourire gêné.

– J'ai cru que j'allais m'évanouir. Ce doit être à force de me baisser et de me relever... Merci.

En hâte, elle enfouit son carnet et son crayon dans l'une des grandes poches de sa cape. La couverture du calepin était en or et avait dû coûter une petite fortune. Le stylomine était en or, lui aussi. Et la cape en cachemire. De toute évidence, l'inconnue n'aimait pas le toc.

– Seriez-vous en train d'écrire un livre sur les épitaphes?

Il fut le premier écœuré par la banalité et la maladresse de son entrée en matière. Face à une suspecte dans une affaire de meurtre, il s'en serait tiré autrement plus brillamment.

15

La suggestion n'eut cependant pas l'air de la dérouter.

– Non, fit-elle avec un petit rire. Je fais des recherches.

– Sur quoi? Si cela ne vous ennuie pas... Écoutez, vous êtes sûre que vous vous sentez bien?

Elle tangua imperceptiblement et porta de nouveau la main à son front.

– Eh bien, c'est-à-dire... je ne sais pas trop. Je... j'ai la tête qui tourne.

– Vous devriez vous asseoir. Ou boire un cognac ou quelque chose. (Il fronça les sourcils.) Malheureusement, les pubs sont fermés...

– J'habite à deux pas d'ici, de l'autre côté du pré communal. Je me demande d'où viennent ces vertiges. Le médicament que je prends, peut-être... Si ça continue, je vais vous montrer mes cicatrices...

– Je ne dis pas non. (Il sourit.) Écoutez, laissez-moi au moins vous raccompagner.

– Excellente idée, merci.

Ils traversèrent le vieux village, que Jury trouva cette fois semblable à un petit bijou, avec ses deux pubs et sa minuscule bibliothèque face au pré communal.

– J'ai du whisky à la maison; vous m'accompagnerez bien?

– Je ne dis pas non, fit de nouveau Jury, se félicitant *in petto* de sa renversante originalité.

Ils passèrent devant le *Washington Arms* – le plus grand des deux débits de boisson – dont la façade crème s'ornait de volets noirs. Le cottage de l'inconnue, situé au bout d'une étroite allée bordée de haies, était pourvu d'un petit porche pointu et d'un toit de tuiles qui ne l'était pas moins. La porte laquée de jaune citron luisait, tel un éclair de lumière hivernale.

A l'intérieur il faisait plutôt sombre. Les vitres des fenêtres à meneaux étaient trop étroites et trop hautes pour laisser passer beaucoup de clarté. Elle alluma une lampe. L'abat-jour en verre teinté dessina un arc-en-ciel flou sur la table d'acajou.

– Nous ne nous sommes même pas présentés, remarqua-t-elle en riant.

De fait, ils avaient bavardé comme de vieux amis, oubliant d'échanger leurs noms.

– Je m'appelle Helen Minton.

— Et moi, Richard Jury. Vous n'êtes sûrement pas du coin, vous avez l'accent londonien.

Elle rit.

— Vous avez de l'oreille!

— Je suis moi-même originaire de Londres.

— Je vais vous poser... mais asseyez-vous, je vous en prie... la question que tout le monde me pose : que faites-vous dans ces parages? Par rapport à Londres, c'est le bout du monde. Même si, avec un train rapide, on peut faire le trajet en trois heures.

— Je me rends à Newcastle.

Tout en prenant sa veste en daim épais – qui n'était cependant pas de taille à lutter avec les vents du nord –, elle l'enveloppa d'un regard pensif :

— Cela n'a pas l'air de vous enchanter!

Jury éclata de rire.

— Seigneur! Ça se voit tant que ça?

— Oui. Quand on leur parle de Newcastle, les gens pensent aussitôt charbon, je trouve ça injuste. Surtout que la plupart des mines sont fermées. La ville en elle-même ne manque pas d'un certain charme.

Machinalement, elle prit la veste en daim de l'autre main et resta plantée là, sans songer à la suspendre. Elle dardait sur lui ses yeux gris – un rien plus foncés que ceux de Jury –, couleur d'étain ou de mer du Nord.

— Nous ne sommes pas loin de la côte, n'est-ce pas?

— Non. Sunderland est à quelques kilomètres d'ici. (Elle inclina la tête, le fixant toujours.) Vous avez remarqué? Nos cheveux et nos yeux sont presque de la même couleur.

Sans s'appesantir, il enchaîna :

— Vraiment? Vous avez raison. (Il sourit.) Nous pourrions être frère et sœur.

Son sourire eut l'effet inverse de celui qu'il avait escompté. L'air soudain affreusement triste, elle se dirigea vers la penderie.

— Qu'allez-vous donc faire à Newcastle? s'enquit-elle en suspendant le vêtement sur un cintre.

— Je vais rendre visite à ma cousine pour Noël. Il y a des années que je ne l'ai vue. Avant de s'installer dans cette région, elle habitait dans les Potteries [1]. Son mari et elle sont

---

1. Région située au sud de Manchester. (N.d.T.)

venus dans le Nord dans l'espoir de trouver un meilleur boulot. On ne peut pas dire qu'ils aient été bien inspirés!

Helen Minton suspendit son propre manteau.

– Vous n'avez pas d'autre famille?

Jury lui fit signe que non et s'assit sans même attendre d'y avoir été invité tant cela lui paraissait naturel. Il lui offrit une de ses cigarettes. Elle repoussa un rideau de cheveux auburn en se penchant vers la flamme.

– C'est étrange. J'ai moi aussi un cousin qui est mon seul parent. Il est peintre, c'est un excellent peintre.

Elle désigna du doigt un petit tableau abstrait aux couleurs claquantes et aux lignes aiguës qui était accroché au mur.

Jury sourit.

– Cela nous fait décidément beaucoup de points communs. Les cheveux. Les yeux. Les cousins. Votre maison me plaît, dit-il en se carrant confortablement dans le profond fauteuil pour fumer.

– Et ce whisky, si nous le buvions?

– Excellente idée.

Tout en faisant le service avec un sérieux quasi enfantin, elle précisa :

– Cette maison n'est pas à moi, je la loue.

Elle lui tendit son verre.

– A mon tour de vous poser la question fatidique : qu'êtes-vous venue fabriquer dans ces parages?

Tenant son verre à deux mains, elle répondit :

– Pas grand-chose. Je suis de passage. J'ai fait un petit héritage, qui me permet de vivre correctement dans ce ravissant village, et je fais des recherches sur la famille Washington.

– Vous êtes écrivain?

– Moi? Seigneur Dieu, non! Je fais ça pour m'occuper. Le manoir attire pas mal de visiteurs américains, vous savez. Encore qu'à cette époque de l'année ce soit plutôt calme. La famille Washington est une famille intéressante, qui a emprunté son nom au village. Avez-vous visité le manoir d'Old Hall? Mais non bien sûr, je suis bête : c'est jour de fermeture aujourd'hui. Il vous faudra revenir. Je leur donne un coup de main le jeudi, je remplace la personne qui est là d'habitude et qui est momentanément absente. Je me ferai une joie de vous servir de guide... (Elle laissa sa phrase en suspens.) Mais... vous allez être certainement très occupé si vous passez Noël chez votre cousine.

— Pas si occupé que ça.

— Alors je vous piloterai, répéta-t-elle. Le manoir appartient à la Société pour la conservation des sites et monuments. Ma pièce préférée est la chambre du haut... (Levant soudain les yeux vers son propre plafond, elle vira au cramoisi et s'empressa d'enchaîner :) Le manoir est équipé d'une petite cuisine où il m'arrive de préparer du thé — bien que cela ne fasse pas vraiment partie de mes attributions. Certains visiteurs sont presque des habitués, vous savez, ils reviennent parfois plusieurs fois...

L'air impassible, mais souriant intérieurement du ton volubile qu'elle adoptait pour détourner l'attention de la chambre, il proposa :

— Nous pourrions dîner ensemble, une fois la visite du manoir terminée?

— Dîner? s'étonna-t-elle, comme si le repas du soir constituait pour elle une nouveauté. (Puis, ravie, toute gêne envolée, elle lança :) Oui, volontiers. C'est une excellente idée. (Jetant un œil vers ce qui devait être sa cuisine, et comme mue par une inspiration subite, elle ajouta :) Nous pourrions même dîner ici.

— Je n'avais pas l'intention de vous obliger à vous mettre aux fourneaux, fit-il en riant. Il n'y a pas de restaurants dans le coin?

— Si. Mais, comparée à la mienne, leur cuisine ne vaut rien, déclara Helen avec simplicité. Vous m'avez donné une faim de loup avec votre invitation à dîner. J'avais préparé des sandwichs avant de sortir, vous en voulez un?

Jury, qui avait perdu l'appétit depuis des jours, se sentit soudain affamé. Il se demanda si c'était bien de nourriture qu'ils avaient envie tous les deux.

— Avec plaisir, fit-il en souriant. Je nous ressers à boire pendant que vous allez chercher ces fameux sandwichs?

— Volontiers. Les bouteilles sont là. J'en ai pour une minute.

Jury prit leurs deux verres. Il balaya d'un coup d'œil circulaire la pièce qui devenait de plus en plus sombre, car au-dehors l'obscurité s'épaississait bien qu'il ne fût que quatre heures de l'après-midi.

C'était une pièce agréable, avec ses meubles recouverts de

housses d'un tissu imprimé vieux rose, et un bon feu dans la cheminée – laquelle fumait, d'ailleurs. Assis non loin de l'âtre, il examina la gravure représentant le manoir d'Old Hall accrochée au-dessus de la cheminée. Tout autour du cadre, le papier peint était légèrement plus clair.

Helen revint, portant un plateau en argent sur lequel étaient disposés une assiette de sandwichs et un impressionnant assortiment de condiments. Pickles et raifort voisinaient avec la moutarde et la sauce forte.

– Seigneur! Vous ne lésinez pas sur l'assaisonnement, fit-il en riant.

– Eh oui. C'est horrible, n'est-ce pas, ce faible que j'ai pour les nourritures épicées? Il y a un restaurant indien pas très loin. Nous pourrions y aller. (Elle étala de la moutarde et du raifort sur sa tranche de rosbif et y posa un bout de pickle. Sur le point de mordre dans son sandwich, elle remarqua :) Une étincelle et je prends feu! Ça vous tente? C'est du raifort frais que m'a donné une de mes amies. (Et de lui tendre le petit pot de grès.)

– Non, merci. Je préfère les sandwichs nature.

Ils mangèrent et burent en silence pendant quelques minutes. Puis elle se laissa aller contre le dossier du canapé près de la lampe et replia une jambe sous elle.

– Où travaillez-vous?

– Dans Victoria Street. (Il aurait bien aimé qu'elle n'aborde pas le sujet tout de suite; il y avait des gens que cela démontait.)

– Qu'est-ce que vous faites?

– Je suis flic.

Elle le fixa et éclata de rire :

– Non!

Il hocha la tête en signe de confirmation. Mais elle continua de le fixer, les yeux écarquillés.

– Vous n'avez vraiment pas...

– ... l'allure d'un policier? Quand vous m'aurez vu dans mon complet bleu luisant et mon imper mastic vous changerez d'avis. (Souriant, elle fit non de la tête. Le verre teinté de l'abat-jour répandait des rigoles colorées sur son visage et ses cheveux.) D'ailleurs je vais vous prouver que j'en suis un en vous posant deux ou trois questions particulièrement astucieuses. Prête?

– Prête, fit-elle en s'installant confortablement sur les coussins.

— Parfait, allons-y. Quelle est la véritable raison de votre présence ici? Pourquoi avez-vous l'air si malheureuse? Et pourquoi avez-vous décroché le tableau qui était au-dessus de la cheminée?

A la première question, elle détourna vivement les yeux. A la troisième, elle les braqua de nouveau vers lui :

— Comment...?

— C'est simple : votre cheminée fume et le papier peint est plus clair autour de la gravure. Dites donc, les interrogatoires ne vous réussissent pas. Vous avez l'air coupable...

Le sourire de Jury se figea. Il n'avait absolument pas eu l'intention de lui faire perdre contenance et pourtant elle avait les joues en feu.

— Vous êtes très observateur, se borna-t-elle à remarquer.

— Déformation professionnelle. Noms, dates, lieux, visages, j'enregistre tout. Il y en a que j'aimerais pouvoir oublier, notez bien. (*Mais pas le vôtre*, aurait-il aimé ajouter.) Écoutez, je suis désolé, je ne voulais pas me montrer indiscret...

— Non, ce n'est rien. Quant à mon air malheureux... (elle eut un rire forcé) il est à mettre sur le compte de Noël. Les fêtes de fin d'année me dépriment. C'est affreux, n'est-ce pas? Quand on n'a pas de famille, on ne peut s'empêcher de se sentir coupable pendant cette période. (Elle regardait son verre tout en parlant.) On se sent tellement obligé d'être heureux qu'on éprouve un sentiment de culpabilité quand on n'y parvient pas... (Elle eut un haussement d'épaules.)

— D'ordinaire, je me débrouille pour être de service à Noël, comme ça le problème est réglé. Quand on a vu ce que j'ai eu l'occasion de voir ce jour-là, on s'aperçoit qu'on n'est pas le seul à ne pas supporter les fêtes. (*La petite vieille, frêle comme un oiseau, pendue dans son placard, tu t'en souviens, Jury?*) Le travail, c'est une bonne thérapeutique. (*Quand on aime ce genre de thérapie.*) Si vous n'avez pas de projets pour Noël, pourquoi ne pas venir dîner avec nous? Ma cousine en sera ravie. Cela la distraira de son alcoolique de mari et l'empêchera de se demander si ses enfants ne finiront pas par se teindre les cheveux en violet à la punk.

— C'est très gentil à vous. Mais je ne veux pas m'imposer...

— Allons, allons. Le père Noël appartient à tout le monde.

Ils éclatèrent de rire.

– Vous faites bien de me rappeler l'existence du père Noël, je dois préparer des paquets pour les élèves de l'école Bonaventure. On dit « école », mais il s'agit plutôt d'un orphelinat.

– C'est bien de s'occuper de son prochain.

Très vite, elle observa :

– Oh, inutile de m'admirer! Cela m'aide à tuer le temps. L'air vague, elle jeta un coup d'œil à la vitre contre laquelle venaient buter les flocons.

Pourquoi ce besoin de tuer le temps? se demanda Jury. Elle n'avait pas répondu à sa deuxième question. A regret, il posa son verre et se leva.

– Ma cousine va se demander où je suis passé. Je ferais mieux de partir.

Elle l'accompagna jusqu'à la porte. Lorsqu'elle l'ouvrit, il vit le vent gifler les haies et les arbustes. Il s'était remis à tomber de la neige fondue.

Helen tira sur les manches de son cardigan et se passa les bras autour de la taille.

– Vous feriez mieux de rentrer vous mettre au chaud, dit Jury en relevant le col de sa veste.

La bise transperçait impitoyablement sa veste de daim et son chandail.

Mais elle ne sembla pas prêter attention à ses paroles.

– Vous n'êtes pas équipé pour affronter un temps pareil. Vous n'avez pas de manteau?

– Il est resté dans la voiture.

Comme elle l'avait accompagné jusqu'à la grille, elle balaya la rue des yeux dans un sens puis dans l'autre.

– Où est votre voiture?

Il y avait de la méfiance dans sa voix. Elle paraissait se demander s'il ne caressait pas le projet saugrenu d'aller à pied à Newcastle, vêtu comme il l'était. Il sourit dans l'obscurité en la voyant plantée devant lui. Avec ses souliers à brides et ses bas de fil, elle avait l'air complètement démodé. Elle évoquait les femmes longilignes figurant sur les affiches des années 20.

– Je l'ai laissée devant le pub. Prenez garde, vous allez être trempée. (Se souvenant du moment de faiblesse dont il avait été témoin dans le cimetière, il s'enquit :) Et vos vertiges, au fait, c'est quoi?

Le vent fouetta les cheveux d'Helen.

– Les effets secondaires du médicament que je prends pour soigner un problème cardiaque mineur. Vous feriez mieux de vous sauver, il fait un froid de canard. (Repoussant une mèche qui était venue se coller sur sa lèvre, elle demanda :) Vous reviendrez?

Une rafale de neige ayant dérangé le col de la jeune femme, il tendit le bras et le remit en place, l'attirant imperceptiblement vers lui par la même occasion :

– Vous savez très bien que je reviendrai.

Ils s'entre-regardèrent un instant et elle sourit :

– Je crois, oui.

Dans l'obscurité, elle remonta l'allée en courant et agita la main sur le seuil avant de fermer la porte du cottage.

Jury resta sans bouger une minute ou deux, la tête dans les épaules. Saleté de vent. Il faisait vraiment un froid glacial. Une lumière s'alluma dans la maison et il la vit debout devant la fenêtre. Derrière les carreaux minuscules noyés de pluie, son visage, qui évoquait une mosaïque liquide, semblait émerger d'un rêve.

Il lui rendit son salut et s'éloigna en direction de sa voiture. Son état dépressif s'était envolé, tel le vilain moineau. Jury avait de la neige presque jusqu'aux chevilles, et les routes allaient être à la limite du praticable, pourtant c'est à peine s'il y pensa. Il se mit à siffler.

Malgré tout, il se sentait mal à l'aise. Plus il s'éloignait du cottage et plus cette sensation de malaise augmentait.

C'est alors que l'idée lui vint qu'une rencontre dans un cimetière n'était pas un point de départ idéal pour nouer des relations durables. Le moineau – oiseau de mauvais augure – revint voleter autour de lui mais il le chassa d'un revers de main. La prochaine fois qu'il la verrait, il s'arrangerait pour savoir pourquoi elle avait l'air si malheureux.

La prochaine fois qu'il la vit, elle était morte.

2

Jury n'avait nul besoin des explications de sa cousine. Il savait pertinemment que Newcastle et toute la région de la Tyne et la Wear étaient synonymes de frustration, de misère, de crise et de chômage. En bref, c'était une région sinistrée et déprimante, comme sa cousine ne manqua d'ailleurs pas de le lui seriner le soir même de son arrivée, alors que, tassée sur sa chaise, elle tricotait une laine aussi terne que ses cheveux et ses yeux, ne relevant le nez que pour jeter un coup d'œil à la neige qui tombait mollement au-dehors. Jamais Brendan – parti boire l'argent des allocations – ne réussirait à rentrer au bercail avec ce temps de chien. Rond comme une queue de pelle, il allait probablement ramasser gadin sur gadin avant de regagner l'appartement. Brendan – son chômeur de mari – était un Irlandais au regard farouche, totalement dénué du sens de l'humour. Mais pouvait-on vraiment avoir le cœur de plaisanter quand on habitait Newcastle?

La cousine de Jury avait enchaîné en lui parlant de l'agence pour l'emploi. *Une belle fumisterie, ce machin-là.* Les murs de l'officine étaient couverts d'affichettes proposant des emplois qui, comme par magie, venaient de trouver preneur au moment précis où les chômeurs se précipitaient au guichet afin d'obtenir de plus amples renseignements. *La semaine dernière, il y avait une annonce pour un boulot à la mine; eh bien, sais-tu combien de gars se sont pointés? Un bon millier, Richard... Le gouvernement a encouragé toutes ces usines à s'implanter dans le Nord en leur promettant des aides substantielles pendant deux ans. Après quoi, il leur a coupé les vivres.* Brendan faisait partie de ceux qui s'étaient laissé piéger. Ce n'était pas sa faute.

Jury ne songea pas un instant à mettre la parole de sa cousine en doute. Simplement, il n'avait jamais eu beaucoup d'amitié pour elle. S'il lui avait – rarement – rendu visite, passé des coups de fil, envoyé de petites sommes d'argent quand elle était sur la pente savonneuse, c'était uniquement par affection et par respect pour l'oncle qui l'avait recueilli à la mort de sa mère.

S'il n'aimait pas sa cousine, c'est parce qu'elle avait toujours vécu en marge de la réalité, dans un univers enfantin où les chaussures étaient le plus souvent des pantoufles de vair. Et où, si c'étaient des souliers ordinaires, les lutins étaient censés venir les réparer en catimini, la nuit.

Dieu sait, avait-elle poursuivi en jetant un regard entendu à Richard par-dessus son tricot, que les gosses avaient besoin de chaussures. Il s'était empressé d'en prendre bonne note et de mettre ça sur sa liste de cadeaux.

Les enfants, que les chaussures laissaient indifférents, avaient tout de suite vu en Jury une bonne poire, facile à taper. Aussi, le lendemain matin, se laissèrent-ils chausser de neuf avant de passer aux choses sérieuses et de réclamer poupée, panoplie de Jedi, albums à colorier, bonbons et repas pantagruélique. Les aimables bambins, cent fois plus supportables en l'absence de leur mère qu'en sa présence, étaient affublés de prénoms grotesques tels que Jasmine et Christabel. Tous noms de baptême tapageurs que des parents dénués de confiance en eux infligent à leur progéniture quand ils se demandent si un simple John ou un prosaïque Mary leur permettront réellement de se faire une place au soleil. Jury et les gamins firent bon ménage en dépit des magasins bondés, de la passion pour l'exploration du petit dernier et du désir de l'aînée de faire à tout prix mentir son prénom. Chasteté – comme elle se nommait – s'arrangeait en effet pour attirer les regards partout où elle passait.

Dans l'après-midi, quand fut venu le moment de mettre le cap sur Washington et qu'il franchit le pont enjambant la Tyne, Jury ne fut pas fâché de voir reculer dans son rétroviseur l'énorme masse de pierre grise que constituait Newcastle avec ses toits, ses cheminées tarabiscotées et ses docks déserts.

Lorsque Jury arriva en vue du pré communal, il constata qu'il avait été devancé par deux voitures de la police de Northumbrie. Elles étaient garées près du manoir d'Old Hall, dans le parking réservé aux véhicules officiels. Dès qu'il les aperçut, Jury freina et arrêta sa voiture, qu'il laissa au bord du pré.

Un groupe de villageois était massé devant les grilles. Certains étaient si survoltés par la présence des forces de l'ordre qu'ils en avaient oublié de passer leur manteau alors qu'il neigeait. Se battant les flancs de leurs bras engoncés dans leurs chandails pour tenter de se réchauffer, ils se livraient à toutes sortes de spéculations en attendant qu'on éclaire leur lanterne.

Jury se fraya un chemin jusqu'à la grille et fourra rudement ses papiers sous le nez du policier qui tentait de lui barrer la route. Le planton se confondit aussitôt en excuses qui furent emportées par le vent.

Le supérieur hiérarchique du malheureux constable était un sergent qui s'appelait Roy Cullen. Il avait un très fort accent du Sunderland et comme il avait le bon goût de mastiquer du chewing-gum tout en parlant, il était d'autant plus difficile à comprendre. Il présenta Jury au constable Trimm qui, lui, ne mâchonnait rien, mais était affligé d'un accent encore plus abominable.

Lorsque Jury pénétra dans le manoir, Cullen descendait l'escalier et Trimm s'efforçait d'interroger une femme brune qui avait un mouchoir plaqué contre la bouche. Le constable ne semblait pas en tirer grand-chose, hochements de tête exceptés.

– Le nom de la victime est... (Cullen consulta son carnet) Helen Minton. (Il loucha vers le plafond.) Elle est en haut. Dites donc, mon vieux, quelle mouche vous pique? Le médecin légiste n'est pas encore arrivé. Alors ne touchez surtout pas à...

Sans attendre la suite, Jury s'élança dans le petit escalier qui lui parut interminable.

Le lit sur lequel elle gisait – dans cette chambre qui avait été sa pièce préférée – était recouvert de brocart. Ses cheveux bruns, dont les bougies faisaient chanter les reflets roux, recouvraient en partie son visage. Elle avait les jambes à moitié sur le lit et à moitié en dehors, un bras tendu vers le haut du lit et l'autre à la hauteur de la taille. Sur le sol, juste au-dessous de sa main, se trouvaient un petit flacon et des comprimés éparpillés un peu partout. La corde d'ordinaire tendue d'un bout à l'autre de la pièce pour dissuader les visiteurs de toucher à tout avait été décrochée. Jury s'approcha du lit, d'une conception peu banale. La tête était en effet dotée d'un logement susceptible de receler les pistolets d'un dormeur qui eût craint d'être surpris dans son sommeil. Le coffre posé au pied du lit était, lui, destiné à recevoir des fusils.

Jury jeta un coup d'œil aux comprimés. Sans doute s'agissait-il du médicament qui avait des effets secondaires sur Helen Minton.

Il sentit les vieux carreaux vibrer et un courant d'air glacial se faufiler dans la chambre. Si les bougies – fausses – n'avaient pas été pourvues d'ampoules, leur flamme eût sans doute trembloté au vent. La bise semblait avoir ébouriffé les cheveux d'Helen, qui dissimulaient en grande partie ses traits. Depuis combien de temps avait-elle rendu l'âme? Depuis peu sans doute, car elle avait la peau fraîche et non froide. La mort avait accentué sa pâleur, et son visage semblait encore plus blanc au voisinage du couvre-pied foncé et des mèches auburn.

Réveillez-vous. Refusant l'évidence, il se dit que ce devait être une erreur. Des erreurs semblables, il s'en était déjà produit. Alors pourquoi pas cette fois? La neige fouettait les vitres, s'amoncelant sur le rebord des fenêtres. En la voyant allongée dans cette pièce où flottait un parfum d'histoire, dans ce cadre mystérieux et quelque peu grandiloquent, il ne put s'empêcher de songer qu'il était en présence d'une mise en scène et non d'une mort réelle. Elle allait ouvrir les yeux, sourire, se redresser, poser les pieds par terre. *Debout, Helen!* lui ordonna-t-il intérieurement.

Comme si les morts pouvaient se relever...

La femme qu'il avait croisée au rez-de-chaussée – cheveux noirs et mouchoir sur la bouche – avait été rejointe par un homme lourdement charpenté, vêtu d'un manteau en peau de mouton, qui roulait les mécaniques dans le but de faire croire aux policiers qu'il n'avait pas peur. Son épouse et lui étaient américains – texans.

– Écoutez, tout ce que je sais, c'est qu'on voulait jeter un petit coup d'œil à la maison. Y avait personne au guichet pour nous vendre des billets, alors on est entrés sans payer. On s'est un peu baladés en bas, puis Sue-Ann... (Sa main était posée sur l'épaule de sa femme sans qu'on pût dire si c'était pour l'empêcher de tomber ou pour qu'elle lui serve de soutien) ... est montée au premier. Et là, elle s'est mise à hurler. Elle a dit...

Jury savait pertinemment que cette affaire n'était pas de son ressort et qu'il n'avait pas à s'en mêler. Pourtant il demanda à Cullen – grand type à l'allure laconique – s'il pouvait poser deux ou trois questions aux témoins. Cullen fit oui de la tête, l'air impénétrable.

– Peut-être que votre femme pourrait nous raconter elle-même, monsieur...?

– Magruder. J.C. Magruder, du Texas, fit l'interpellé en se redressant. Ça fait presque une heure qu'on est là, Sue-Ann et moi...

– Désolé. Je vous écoute, madame Magruder.

Sue-Ann Magruder ôta le mouchoir qui lui tenait apparemment lieu de masque à oxygène sans pour autant abîmer son maquillage soigné. Seules quelques traces de rimmel demeurèrent sur le tissu blanc.

Jury avait vu suffisamment de femmes hystériques au cours de sa carrière pour se rendre compte que celle-ci était prête à remettre ça dès qu'elle aurait entendu sonner le gong.

– Je suppose qu'en entrant dans la pièce vous avez éprouvé un sentiment d'irréalité.

Sue-Ann s'empressa d'opiner du chef et raconta :

– Elle ne bougeait pas, elle était *parfaitement* immobile. Je me suis dit que ce devait être un mannequin ou quelque chose dans ce goût-là. Vous parlez d'une cruche ! Et le manoir qui était vide, en plus !

Sentant venir une autre crise de larmes, le constable Trimm jeta un regard glacial à Jury et prit le relais :

28

– Je ne voudrais pas avoir l'air de vous bousculer, madame, mais nous n'avons pas que ça à faire. Je vous conseille vivement d'aller au commissariat pour y...

Magruder ne le laissa pas terminer sa phrase :

– Au commissariat! Mais il n'est pas question que nous allions au commissariat! Nous sommes de simples touristes et nous n'avons rien à voir dans cette histoire. Nous étions de passage à Édimbourg et nous nous sommes dit que ça valait peut-être le coup de faire un détour pour aller visiter la maison où étaient nés les parents de ce bon vieux George...

– Pas les parents, rectifia Cullen, essayant de calmer le fougueux Texan en lui donnant une petite leçon d'histoire. Ce sont ses arrière-arrière-grands-parents qui sont nés dans ce manoir. Je vous promets que ce ne sera pas long, monsieur Magruder. Simple formalité. Trimm!

De la tête, Cullen désigna le couple de touristes au constable, qui s'empara en un tournemain du sac et du manteau de Sue-Ann.

A cet instant précis, une ambulance arriva en faisant hurler sa sirène, sans égard pour les nerfs fragiles de Sue-Ann. Jury l'entendit stopper devant la grille dans une gerbe de neige. Traînant les pieds, marmonnant des phrases sans suite à propos du consulat américain, Magruder effectua une sortie bruyante en compagnie de Trimm.

Cullen se tourna alors vers Jury.

– Scotland Yard s'intéresse à cette femme?

– Scotland Yard, non. Moi, si. Désolé de piétiner vos plates-bandes. Si vous trouvez que j'en fais trop, flanquez-moi dehors. (Jury sourit.) Vous semblez en mourir d'envie.

Ce qui était archifaux. Loin de bouillir, Cullen semblait de marbre, au contraire. Il était de ces policiers qui mettent un point d'honneur à ne pas extérioriser leurs sentiments. Planté là, immobile, il mastiquait son chewing-gum d'un air bonasse. C'était un de ces flics que les gens avaient tendance à sous-estimer et qui – Jury l'aurait parié – était en fait malin comme un singe. Mais Cullen était en mauvaise posture : d'un côté, Jury piétinait effectivement ses plates-bandes; mais de l'autre...

L'air de ne pas y toucher, il s'enquit :

– Peut-on savoir pourquoi vous vous intéressez à cette femme? Est-ce à titre personnel?

29

— Je la connaissais.

Le visage de Cullen resta de marbre, mais il se mit à mastiquer un peu plus vite.

— Vraiment, dit-il, impassible. Vous la connaissiez bien ? Quand l'avez-vous vue pour la dernière fois ?

Jury fixa le mur, sourcils froncés, comme s'il se concentrait. Les ambulanciers et le médecin légiste s'engouffrèrent dans la maison, et Cullen les expédia au premier.

Puis il fourra son carnet dans sa poche, fit signe à Jury de sortir et lui dit :

— Vous m'accompagnerez au poste quand nous en aurons fini ici. Je me ferai un plaisir de vous offrir une tasse de café. Vous avez l'air crevé, mon vieux.

Au poste de police de Northumbrie, le constable Trimm s'occupait des Magruder. Le commissariat était un vaste bâtiment carré de verre et de béton, flambant neuf, construit à portée de fusil d'un centre commercial au nom aguicheur et tout aussi moderne, destiné aux consommateurs des environs. Jury se demanda si échoppes, boutiques et magasins tournaient vraiment à plein régime.

Sue-Ann triturait toujours son mouchoir. Son pétulant époux semblait s'être quelque peu calmé.

Un agent de police entra et déposa le flacon de comprimés sur le bureau de son chef. Cullen le prit, le tourna vers la lumière, le secoua puis consulta ses notes.

— Fibrillation. Arythmie. Ce truc est censé régulariser le rythme cardiaque. (Il jeta un coup d'œil à Jury.) Elle avait le cœur malade ?

Jury haussa les épaules en signe d'ignorance.

— Tout ce que je sais, c'est que ce médicament avait sur elle des effets secondaires indésirables.

— Ça m'en a tout l'air, murmura Cullen sans qu'on pût savoir s'il plaisantait.

— L'antiarythmique était censé *contrôler* les battements de son cœur et non l'empêcher de battre.

Cullen parcourut des yeux le feuillet posé devant lui, le mit de côté, et suggéra :

— Une overdose, peut-être...

— Non.

Sur le point d'enfourner une autre tablette de chewing-gum dans sa bouche, Cullen s'immobilisa net.

— Pourquoi non?

— Étant donné les instructions qui figurent sur le flacon, elle ne devait en prendre qu'en cas de besoin. Or c'est à peine s'il manque des comprimés.

— Selon vous, il ne s'agit pas d'un suicide, c'est bien ça?

— Le suicide est hors de question.

Cullen eut un haussement de sourcils ironique.

— On a le don de double vue à Londres?

— Absolument pas. La spécialité des Londoniens, c'est d'entendre des voix.

Jury s'aperçut qu'il perdait son sang-froid. Il se dit que c'était idiot d'essayer de jouer au plus fin avec Cullen et s'efforça de sourire.

— Elle ne peut pas s'être supprimée, je devais la retrouver au manoir et l'emmener dîner ensuite. Et puis, si elle avait eu envie de se suicider, pourquoi diable aurait-elle choisi de le faire dans un lieu public?

Mastiquant furieusement sa tablette de chewing-gum, Cullen se laissa aller contre le dossier de son siège et posa les pieds sur son bureau.

— Bien, nous en saurons davantage après l'autopsie. Elle n'était pas morte depuis longtemps quand on l'a trouvée. Quelques heures tout au plus. Depuis combien de temps la connaissiez-vous?

Persuadé que s'il avouait à Cullen n'avoir rencontré Helen Minton que la veille le sergent ne tiendrait aucun compte des renseignements qu'il lui fournirait, Jury répondit :

— Depuis longtemps.

Et il eut le sentiment que c'était vrai.

De toute façon, il en savait assez sur Helen Minton pour donner à son interlocuteur l'impression qu'il la connaissait depuis des années. Il parla donc à Cullen du cousin peintre qui représentait toute la famille d'Helen. Il lui expliqua que la jeune femme était venue faire des recherches sur les Washington, qu'elle s'occupait à l'occasion des élèves de l'école Bonaventure.

— L'orphelinat, corrigea Cullen.

Tout en s'entretenant avec Jury, Cullen se constituait peu à peu un petit dossier sur Helen Minton grâce aux rapports fournis par ses subordonnés. Jury aurait bien aimé en prendre connaissance mais n'osa le lui demander. Ce qu'il voulait, comme il le dit d'ailleurs fort clairement à Cullen, c'était travailler avec lui sur l'affaire.

Cullen émit un bruit qui pouvait passer pour un grognement de sympathie. Le téléphone sonnant sur ces entrefaites, il décrocha vivement, écouta, puis lâcha un « oui » laconique en reposant le combiné.

– Les éléments dont nous disposons sont minces. Sa voisine Nellie Pond, la bibliothécaire, ne la connaissait pour ainsi dire pas. Elle savait seulement que miss Minton avait loué le cottage deux mois plus tôt. Si j'en crois ce document... (Il agita un feuillet)... miss Pond a déclaré avoir entendu de violents éclats de voix s'échapper de chez Helen Minton, il y a une semaine.

– Je vois. Si cela ne vous ennuie pas, j'aimerais poser quelques questions à droite et à gauche.

Cullen se mit à mâcher sa tablette avec lenteur tout en examinant Jury d'un œil soupçonneux. Il semblait persuadé que son collègue lui cachait des choses.

– Quelles questions ? A qui ?

– C'est seulement lorsque j'aurai trouvé les gens que j'ai envie d'interroger que je saurai quoi leur demander, rétorqua Jury avec le sourire.

Cullen reprit sa mastication frénétique en voyant apparaître Trimm.

– Rien à en tirer, de ces Magruder, bougonna le constable. Le mari est certainement la plus belle andouille que j'aie jamais...

Trimm s'arrêta net, s'efforçant de dissimuler la stupéfaction que lui causait la présence d'un représentant de Scotland Yard dans le commissariat de Northumbrie. Il avait une bouille ronde, des yeux vifs et terriblement mobiles. Jury ne put s'empêcher de penser que si Trimm ne faisait pas vraiment le poids, question intellect, Cullen, lui, avait oublié d'être bête.

– Vous me communiquerez les résultats de l'autopsie ? s'enquit Jury.

Après avoir enveloppé le commissaire d'un regard térébrant, Cullen hocha la tête en signe d'assentiment. Au grand agacement de Trimm.

– A condition que vous me racontiez vos petits secrets. Et que le commissaire divisionnaire soit d'accord, évidemment.

(Cullen croisa les bras et se coinça les mains sous les aisselles.) La dernière grosse légume à laquelle nous avons eu affaire, ç'a été Jimmy Carter. Le jour où, à l'aide d'une pelle en or, il est venu planter un arbre dans le pré communal. De petits malins n'ont rien trouvé de mieux que de l'embarquer – l'arbre, pas la pelle. Il a donc fallu en planter un autre. (La bouche de Cullen se plissa en une grimace qui eût pu passer pour un sourire.) Sorti de là, on s'occupe uniquement de foot et de bagarres dans les troquets du coin. Vous aimez le football ? Sunderland est en division un et Newcastle en division deux.

L'étincelle qui s'alluma dans son œil suggérait que, telle l'équipe de football de Newcastle, la mort ne jouait ici qu'un rôle de second plan.

3

Le prêtre tenait son missel à deux mains lorsqu'il s'immobilisa au milieu de l'allée enneigée séparant le presbytère de l'église. Ses lèvres remuèrent en silence comme s'il avait été mû par le désir soudain de prier ou de s'entretenir avec le chat pelé qui rôdait à bonne distance, se défiant autant des païens que des chrétiens.

— Mon père? Je m'appelle Jury.

De derrière ses lunettes à monture métallique, le petit ecclésiastique l'examina avant de poser les yeux sur le chat. Le pelage de l'animal était d'un blanc sale rappelant celui des cheveux du prêtre, qui se dressaient sur sa tête telle la crête d'un cacatoès. Le chat surveillait le prêtre, qui avait extirpé des profondeurs d'une poche poussiéreuse dissimulée sous sa soutane un morceau de fromage qu'il jeta en direction de l'animal. Le félin bondit, attrapa le fromage au vol puis disparut après avoir contourné une pierre tombale.

— On se demande d'où peuvent bien sortir tous ces animaux, marmonna le prêtre en scrutant le ciel grisâtre comme s'il s'attendait à y trouver la réponse à sa question. Celui-ci traîne dans les parages depuis maintenant des mois. Jury, dites-vous? (Il tendit la main à son interlocuteur.) Je suis le père Rourke.

— Commissaire Jury, pour être plus précis, ajouta Jury en lui remettant sa carte.

— Scotland Yard?

Le père Rourke haussa plusieurs fois ses sourcils, qui n'étaient pas sans ressembler à de minuscules ailes. Jury, qui avait encore l'accent de Trimm à l'oreille, se dit que le père devait être irlandais. Et de fait, lorsqu'il lui posa la question, l'ecclésiastique répondit qu'il était originaire du comté de Kerry. Jury se demanda si c'étaient les confessions de ses ouailles qui avaient fait disparaître des yeux du prêtre le bleu des cieux du Kerry.

— Helen Minton, fit le père d'un air navré lorsque Jury lui eut exposé l'objet de sa visite. Je suis au courant. Les nouvelles circulent vite dans les villages. Entrez donc, fit-il en l'entraînant vers la porte.

Le cottage était relativement confortable encore que plein comme un œuf. Après que le prêtre fut parti à la recherche de sa gouvernante pour lui demander de leur préparer du thé, Jury se laissa tomber dans un volumineux fauteuil recouvert d'une cretonne fanée. Sur la table près de lui était posée une pile de journaux. Il en prit un au hasard, *Sémiotique et Bible*. Il y jeta un coup d'œil, se sentit dépassé et le remit en place.

Le père Rourke, qui était revenu au moment où Jury reposait la revue, s'enquit :

— Vous vous intéressez aux structuralistes, commissaire ?

Jury sourit :

— Je ne sais même pas ce qu'ils font.

— Ils s'efforcent de donner une interprétation nouvelle des Évangiles. Ils s'intéressent davantage à la façon dont l'intellect appréhende ces textes qu'au fait de savoir s'ils sont « vrais ». Si vous voyez ce que je veux dire.

— Je n'en ai pas la moindre idée, fit Jury avec un nouveau sourire. De quoi s'agit-il au juste ?

Le prêtre pinça les lèvres et sourit à son tour :

— La sémiologie est, en gros, l'étude des signes. (Il fourragea dans la pile de magazines — qui s'effondra à moitié —, dénicha un crayon et se mit à griffonner au dos d'une de ses revues. Puis il tendit son dessin, qui n'était rien de plus qu'un carré avec ses deux diagonales en X.) Ceci est un carré sémiotique. Nous fonctionnons en termes de paires d'opposés, n'est-ce pas ? Vie, mort. Bien, mal. Pensée, absence de pensée. Nous pensons en termes de contraires. (A chacun des angles du carré, il ajouta la lettre M.) Je suis certain qu'un homme comme vous devrait être sensible à ce concept, fit-il avec son petit sourire. Il n'est pas exclu que l'on arrive à un modèle paradigmatique suffisamment universel pour renfermer tous les possibles. (Le père Rourke arracha la page sur laquelle il avait griffonné et la tendit à Jury.) Une structure capable de simplifier la pensée.

En riant, Jury plia la feuille en quatre et la fourra dans sa poche.

— Vous faites tout sauf simplifier mes pensées, père Rourke. Que signifie donc le M?

L'ecclésiastique eut l'air amusé :

— Voyons, commissaire, le M, c'est le mystère, bien sûr.

— C'est ainsi que vous interprétez les Évangiles que vous préférez?

Le prêtre se croisa les mains sur l'estomac et examina la pièce.

— Non, pour moi tout s'explique par le psychologique, les rêves, les visions... Ne ressemblent-ils pas aux miracles et aux paraboles? Et c'est tellement freudien. Il suffit de lire certains passages de l'épître de Paul aux Romains. Et le fils prodigue, n'est-ce pas un cas particulier du complexe œdipien? Si l'on étudie le texte de près, on s'aperçoit qu'il fourmille d'omissions, de lapsus, de... (Ses yeux étincelèrent tel du cristal de Waterford tandis qu'il souriait à Jury.) Un policier devrait être sensible à ces détails. C'est votre pain quotidien, après tout... Les petites contradictions dans les déclarations des témoins et tout le reste. Si je n'avais pas opté pour la prêtrise, je crois que je serais entré dans la police. Encore que... je ne sais pas si j'aurais fait un bon enquêteur sur le terrain. Mais je parle, je parle... Vous n'êtes certainement pas venu jusqu'ici pour m'entendre discourir sur la méthodologie biblique. Je suppose que vous voulez que je vous parle d'Helen Minton?

— Oui.

A peine Jury venait-il de prononcer ce mot que le thé arriva, apporté par une gouvernante à la mine sévère. Les mains croisées sous son ample tablier blanc, elle resta plantée là, sans doute pour savoir si les scones – petits, plats et étonnamment semblables à des crêpes – étaient à la convenance du père. Jury se dit que l'ecclésiastique devait être habitué à cet espionnage domestique car il se contenta de la remercier et de la renvoyer d'un geste de la main. La domestique s'éloigna sans demander son reste.

— Helen Minton, reprit le prêtre en étalant de la confiture sur un scone. (Il fixa Jury de son œil malin.) Le cœur a lâché, à ce qu'il paraît. Mais vous n'êtes pas de cet avis.

— C'est exact, convint Jury en examinant sa tasse et les violettes pâlichonnes qui en ornaient le fond.

A l'instar des yeux du prêtre et de la porcelaine, la pièce avait un air fané. Avec sa cretonne fleurie et ses doubles rideaux agrémentés de branches de fougères rousses qui juraient avec les housses des sièges, le séjour évoquait un jardin mal entretenu. Avant de pénétrer dans le cottage, Jury n'avait pas manqué de remarquer que la mousse qui tapissait la façade du presbytère se mêlait au lierre en toute impunité. Une présence semblait rôder dans la maison. Cela lui rappela les pierres tombales qu'Helen examinait avec tant d'attention lorsqu'il l'avait vue dans le cimetière.

Il raconta au père Rourke les circonstances dans lesquelles il l'avait rencontrée. Mais il se garda bien de préciser que la rencontre datait de la veille seulement, sentant que ce détail l'empêcherait de se targuer du titre d'ami.

— Pourquoi cette passion pour les monuments funéraires, mon père? Elle m'a dit qu'elle s'intéressait à la famille Washington.

— J'en doute, murmura le prêtre en beurrant un scone et le mâchant d'un air pensif. C'est aussi ce qu'elle m'a dit mais je n'en ai pas cru un mot.

— Pourquoi?

L'ecclésiastique jeta un coup d'œil autour de lui avant de répondre de façon indirecte :

— Elle n'assistait jamais à l'office, bien que faisant de fréquentes visites à l'église. Vous avez vu le vieux chat tout à l'heure... Il suivait Helen partout et je trouve que c'est assez révélateur. Mais ce n'est pas à un vieux singe qu'on apprend à faire des grimaces : vous êtes sûrement meilleur juge que moi en matière de psychologie.

— Cela reste à démontrer, fit Jury avec un sourire. Que cherchait-elle donc selon vous?

— Les pierres tombales sont généralement une mine de renseignements, au même titre que les registres des paroisses; et elle avait demandé à consulter le nôtre, bien sûr. Manifestement, elle cherchait quelqu'un. Seulement, je doute que ce quelqu'un ait eu un rapport avec les ancêtres de George Washington. (Le père Rourke enfourna dans sa bouche un dernier morceau de scone dégoulinant de confiture.) Voulez-vous que je vous emmène faire le tour du cimetière? Peut-être y découvririez-vous...

— Volontiers.

Jury était persuadé que rien d'intéressant ne sortirait de cette promenade. Ce serait simplement une de ces corvées dont le policier en lui se croyait obligé de se charger. Malgré tout, il retourna voir la tombe ornée d'anges dont les ailes s'effritaient.

— Je l'ai vue prendre des notes à cet endroit, mon père. Elle avait un petit calepin.

Les pieds chaussés de lourdes bottes — car une épaisse couche de neige recouvrait cette partie du cimetière —, le prêtre s'agenouilla et essuya ses lunettes.

— Robert Lyte. Les dates sont pratiquement illisibles. (Il se releva.) Il me semble qu'il y avait des Lyte dans la lignée des Washington. (Il haussa les épaules.) Peut-être qu'elle faisait vraiment des recherches, après tout.

— Elle était catholique?

— Non, elle prétendait ne croire en rien. (Avec un soupir, il contempla le ciel qui s'assombrissait.) Dans un instant, il va faire noir comme dans un four. Les spécialistes de la météo ont encore annoncé de la neige. C'était encore pire près de Durham, qui n'est pourtant qu'à quelques kilomètres d'ici.

— Elle ne vous a jamais parlé de son cousin?

Le prêtre secoua la tête.

— Jamais. Mais je ne la connaissais pour ainsi dire pas. Je me demande quels étaient ceux qui pouvaient se vanter de la connaître, d'ailleurs : elle n'était parmi nous que depuis fort peu de temps. J'espère que vous trouverez ce que vous cherchez, commissaire. (S'interrompant, il tendit le bras :) Vous pouvez me rendre mon dessin une minute?

— Bien sûr, fit Jury en plongeant la main dans sa poche et lui passant le papier.

Le père Rourke prit un crayon muni d'une gomme et effaça une partie de son œuvre avant d'y ajouter un gribouillis. Puis il rendit la feuille à Jury.

— Un H, monsieur Jury. Dans un coin. Il ne vous reste plus qu'à compléter les trois autres. Il faut toujours s'efforcer de simplifier le mystère.

Jury leva le nez vers la flèche de Saint-Timothée. Il ne se sentait pas d'humeur à entamer des polémiques sur le mystère.

– Quel dommage que vous ne soyez pas dans la police, mon père.

Les yeux délavés du prêtre se braquèrent eux aussi sur la flèche de l'église.

– Dommage aussi qu'Il n'en fasse pas partie. Au revoir, monsieur Jury, fit-il en s'éloignant.

Tandis que Jury reprenait le chemin menant à la grille, les derniers rayons du soleil couchant dessinèrent sur la neige une barre étincelante qui vint allonger son ombre. Ou plutôt deux ombres. Car, en regardant derrière lui, Jury s'aperçut que le chat blanc le suivait.

Il fut content que le père Rourke ne se soit pas retourné.

Il est peintre. C'est un excellent peintre.

Tels avaient été les mots employés par Helen Minton à propos de son cousin. Un planton posté dehors lui apprit que les gars du labo étaient venus et repartis.

Sans retirer son manteau, Jury entreprit de fourgonner dans les tiroirs sans trop savoir ce qu'il cherchait – le calepin à couverture en or, des lettres, n'importe quoi. Mais il n'y avait rien dans le secrétaire, à l'exception de quelques billets de banque et d'un chéquier, de photographies et de papier à lettres. L'un des instantanés avait l'air assez récent ; du moins était-il suffisamment net pour servir à l'identification. Il l'empocha.

Il passa le cottage au peigne fin, ce qui lui permit de découvrir qu'Helen – tout en étant soigneuse – n'était pas une obsédée de l'ordre. Un chandail traînait, abandonné, sur le bras d'un fauteuil ; quelques assiettes étaient restées dans l'évier...

Jury revint dans le séjour. Sous l'escalier se trouvait un placard muni d'une petite porte qu'il ouvrit. A la lumière tamisée de la lampe du talon, il aperçut, au milieu des bottes de caoutchouc, des outils de jardinage et des vieux pots de peinture, un portrait. Il s'en empara et s'assit pour l'examiner.

C'était un portrait d'Helen Minton. Mais d'une Helen beaucoup plus jeune. Elle était assise sur une malle sous les poutres d'un grenier, le regard tourné vers une minuscule fenêtre par laquelle le soleil entrait à flots, illuminant la silhouette du modèle et laissant le reste de la pièce dans l'ombre. C'était un fort beau tableau. Jury le prit et, s'approchant de la cheminée, le plaça devant la gravure représentant le manoir. Les bords de la toile coïncidaient parfaitement avec l'empreinte laissée par la fumée.

Tout d'abord, il crut que l'œuvre n'était pas signée ; mais après l'avoir examinée avec soin, il distingua la signature dans le coin, en bas, sur le parquet du grenier. A peine lisible. Comme les inscriptions ornant les tombes. Le peintre, qui avait manifestement rajouté son nom après coup, l'avait tracé à la va-vite. La première lettre ressemblait à un P.

Jury regarda la toile abstraite accrochée au mur et, en l'examinant, y découvrit une signature identique, tout aussi illisible.

Il prit le bout de papier sur lequel il avait noté les indications relevées sur le flacon de comprimés. Le pharmacien était installé dans Sloane Square. Il y avait tout lieu de penser que le médecin d'Helen exerçait dans ce quartier. Jury regretta que la Sécurité sociale n'obligeât pas les potards à noter le nom du spécialiste sur le médicament prescrit, ce qui lui eût facilité la tâche. Mais Cullen réussirait certainement à obtenir le renseignement d'ici peu, soit par l'intermédiaire de l'agent immobilier qui avait loué le cottage à Helen, soit par celui du pharmacien de Sloane Square.

Jury examina de nouveau le portrait et le P tracé dans le coin.

Il ne put s'empêcher de penser au carré paradigmatique du père Rourke.

La minuscule bibliothèque du village était prise en sandwich entre les deux pubs : le *Cross Keys* et le *Washington Arms*. Le vent s'était enfin calmé et la neige s'était arrêtée de tomber.

Se sentant soudain sombrer dans un curieux état léthargique, Jury s'était laissé choir sur un banc près de l'arrêt du car et balayait d'un regard morne le pré communal. Il alluma une cigarette à l'aide de la précédente. Pas de doute, il allait lui falloir se décider à s'accorder des vacances cet été ; il y avait des années qu'il n'en avait pas pris. Rendre visite à son ami Melrose Plant, à Ardry End, peut-être. Il se demanda si Plant pêchait. Ils pourraient se rendre en Écosse, histoire de taquiner le goujon. Il examina le bout rougeoyant de sa cigarette. *« Tu n'es même pas foutu de tenir une canne à pêche, bougre d'andouille »*, comme aurait dit Trimm. Pour tout exercice, Jury arpentait Londres en tous sens. Pour tout divertissement, il éclusait des godets dans les pubs. Tantôt seul et tantôt accompagné. Mais il fréquentait plus volontiers les débits de boisson que les femmes. Les banales liaisons sans lendemain où le cœur ne jouait aucun rôle et qui semblaient être le lot du commun des mortels n'étaient pas pour lui. Il décida de ne pas s'appesantir sur le sujet, sinon jamais il n'arriverait à s'arracher à son banc.

Laissant tomber sa cigarette dans la neige, il traversa le pré communal et mit le cap sur la bibliothèque.

C'était le genre de pièce susceptible de vous donner envie de rester planté là jusqu'à la fin de vos jours. « Planté », car la bibliothèque était trop exiguë pour être équipée de chaises et de tables. Tout l'espace vital était occupé par les livres. Des livres, il y en avait partout : sur les étagères, dans des chariots, en piles chancelantes posées à même le sol. Retraités ou écoliers, les flâneurs étaient nombreux et manifestement tous du cru.

Tandis que Jury s'approchait du bureau en demi-cercle, deux bambins dont le menton atteignait à peine le comptoir déposaient dessus leurs livres. La petite fille examina Jury d'un air sagace. Il lui adressa un clin d'œil de connivence. Baissant la tête, elle sourit.

Lorsque l'une des bibliothécaires se tourna vers lui, il lui tendit sa carte et s'enquit :

– Pourrais-je voir miss Pond?

Troublée, la préposée bouscula une pile d'ouvrages avant de répondre :

– Elle reclasse des livres, je vais la chercher.

Et là-dessus, elle détala.

Peu de temps après, elle revint en compagnie d'une jeune

femme qui devait être Nellie Pond. C'était une fille ravissante. Elle avait des cheveux d'un roux incandescent qui cascadaient sur ses épaules. Son teint était si pâle et si clair qu'on eût presque pu s'y mirer.

Après s'être présenté, Jury entra sans perdre de temps dans le vif du sujet :

– J'aimerais bavarder avec vous. Auriez-vous quelques minutes à me consacrer? Les pubs viennent d'ouvrir, nous pourrions aller boire un verre.

Une fois qu'elle fut derrière son comptoir, Jury la vit jeter un ou deux coups d'œil subreptices à un petit miroir ébréché. Il ne songea pas à s'en étonner : il produisait toujours cet effet-là sur les femmes. A peine l'avaient-elles aperçu qu'elles se jetaient sur leur peigne et leur rouge à lèvres. Nellie Pond avait un soupçon de rose sur les lèvres, qui jurait avec le roux flamboyant de sa crinière qu'elle s'efforçait de lisser de la main.

– Je... je ne dis pas non. J'allais partir de toute façon.

Tendant le bras, elle décrocha un vieux manteau couleur feuille-morte qu'il l'aida à enfiler.

– Il s'agit d'Helen Minton. J'imagine que la police de Northumbrie a déjà dû vous interroger.

Il posa sur la table un demi panaché pour Nell et une pinte de McGowan pour lui. Les sandwichs avaient l'air un peu cartonneux mais elle ne fit qu'une bouchée du sien.

– Pauvre Helen, c'était une fille bien.

Ils avaient pris place près d'une petite cheminée où ronflait un feu d'enfer, qui rehaussait encore la rousseur de Nellie Pond. Au voisinage des flammes, sa crinière fauve et ses yeux d'ambre semblaient brasiller. La flambée nappait d'ombre et de lumière son visage aux pommettes hautes.

– Vous aurait-elle parlé de ses amis? Vous aurait-elle parlé tout court? Elle semblait du genre solitaire.

Elle rumina la question tout en mastiquant pensivement son sandwich au rosbif. Elle buvait comme elle mangeait : avec une sorte de frénésie plutôt inquiétante. Jury commençait à peine son repas qu'elle avait déjà liquidé sandwich et demi. Il se leva pour aller commander une nouvelle tournée.

– Elle parlait des villageois en général. Jamais de quiconque en particulier, fit-elle en examinant son second sandwich avec intérêt.

— Ça ne vous a pas étonnée qu'elle soit morte de cette façon?

— Oh si! Quand je pense qu'on l'a retrouvée dans la chambre du manoir...

— Étiez-vous amies, Nell?

Entendre Jury l'appeler par son prénom lui fit manifestement plaisir car elle cessa de mastiquer pour le fixer.

— Ma foi, non. Je ne crois pas qu'Helen ait eu des amis; mais comment savoir? Elle était très discrète.

— Vous avez dit à la police avoir entendu des éclats de voix s'échapper de son cottage il y a environ une semaine. Vous avez même parlé d'une « engueulade ».

— En effet. Le type hurlait...

— C'était une voix d'homme?

— Oh que oui! Impossible d'entendre celle d'Helen. Mais Helen avait une voix si douce... Il faisait nuit, je me suis approchée de la fenêtre pour jeter un œil...

Jury sortit son carnet, ce qui eut pour effet de la faire sursauter. Il sourit :

— Ne craignez rien, la routine.

Elle parut le croire et enchaîna :

— Il était onze heures passées. C'était mardi dernier...

— Ça s'est passé la semaine dernière, alors.

Elle hocha la tête et poursuivit :

— Il est sorti du cottage, a pris l'allée et est parti en direction du pré.

— A quoi ressemblait-il?

Elle haussa les épaules :

— Il faisait noir, je ne l'ai pas bien vu. Il était plutôt grand, je crois. (Elle soupesa Jury du regard comme pour se rendre compte, comparer.) Il y avait un vent à décorner les bœufs, comme aujourd'hui, et il marchait la tête dans les épaules. Il portait un manteau foncé et une casquette qu'il retenait pour l'empêcher de s'envoler. (Elle consulta sa montre au bracelet noir fatigué.)

— Vous avez le temps de prendre encore un verre?

Profitant de son hésitation, il fila au comptoir commander deux autres bières et une autre assiette de sandwichs. Elle lui jeta un regard empreint de reconnaissance.

— Je me demande comment vous faites pour garder la ligne avec tout ce que vous avalez, sourit Jury.

Nellie Pond rougit imperceptiblement mais ne se vexa pas pour autant.

— C'est une question de métabolisme. Je tiens ça de maman.

— L'homme que vous avez aperçu ce soir-là vous a-t-il rappelé quelque chose ou quelqu'un ?

Elle fit non de la tête.

— Je n'ai jamais vu Helen en compagnie d'un homme.

— Et vous n'avez pas trouvé ça bizarre ? C'était une belle femme.

Nellie, qui attaquait la seconde moitié de son deuxième sandwich, fixa Jury avec des yeux ronds.

— Je n'ai jamais pensé qu'elle... (Elle haussa les épaules.) Chacun ses goûts. (Puis elle questionna :) Vous l'avez vue ?

— Oui.

Il y eut un craquement dans la cheminée et un petit morceau de bûche roula sur le parquet. D'un coup de pied, Jury le renvoya dans l'âtre.

Nellie Pond baissa la voix :

— On dit qu'elle aurait avalé des comprimés. Qu'elle serait morte d'une overdose.

Jury ne confirma ni ne démentit.

— La cause exacte du décès n'a pu être déterminée. Une autopsie sera pratiquée demain. Savez-vous si elle avait été mariée ?

La question surprit la bibliothécaire.

— Helen ? Je ne crois pas. Mais, comme je vous l'ai déjà dit, elle était la discrétion même. (Entamant son troisième sandwich, elle murmura d'un ton pensif :) Il y a peut-être quelqu'un qui pourrait vous en apprendre davantage, une femme qu'Helen rencontrait à Shields, dans un hôtel appelé le *Margate*. Je me suis toujours demandé ce qu'elle pouvait bien aller fabriquer là-bas.

Jury reprit son carnet.

— Le nom de cette femme ?

Nellie hocha la tête tout en faisant un sort à son sandwich :

— Dunstun... Non, attendez, je me trompe... Dunsany. C'est ça.

— Vous parlait-elle de sa famille ?

— Elle n'en avait pas. Elle n'avait que ce cousin, qui habitait Londres, je crois. Helen était de Londres, elle avait une

44

maison là-bas. Avec les trains à grande vitesse, le trajet maintenant, c'est de la rigolade. Je connais des hommes d'affaires de Durham qui font l'aller-retour pour un oui pour un non. Je ne suis jamais allée à Londres, moi, ajouta-t-elle avec une pointe de tristesse en contemplant les miettes qui jonchaient son assiette.

— En dehors de ses virées à Shields, est-ce qu'elle se déplaçait beaucoup?

— Là, vous me posez une colle. Il lui arrivait de se rendre à Durham, bien sûr, comme tout le monde. (Elle fronça soudain les sourcils :) Et aussi, bizarrement, à Spinneyton.

— Où est-ce que ça se trouve?

— Pas loin de Durham. C'est un petit coin paumé avec un pub où elle se rendait régulièrement. Ça, ça m'a toujours étonnée parce qu'Helen n'était pas du genre à traîner dans les pubs. Surtout que celui-là est plutôt crado et mal famé. *L'Auberge de Jérusalem*, ça s'appelle.

4

Les lumières de l'école Bonaventure luisaient dans certaines pièces seulement. Au rez-de-chaussée et de façon sourde. Comme si les vitres étaient tartinées de givre ou de crasse. Le silence semblait envelopper le bâtiment et le parc, qui avaient l'air à l'abandon. Au bout de l'allée noyée d'ombre, Jury distingua la masse carrée de la maison par-delà les hautes grilles de fer.

La directrice, qu'il avait appelée du pub après le départ de Nellie Pond, n'avait pas manifesté beaucoup d'enthousiasme à l'idée de le voir débarquer chez elle et perturber son petit train-train vespéral.

L'un des piliers de pierre du portail abritait une sonnette ainsi qu'une minuscule plaque de cuivre invitant les visiteurs à sonner.

– Tu veux que je te fasse un tour de magie?

Jury tourna vivement la tête, mais sans toutefois parvenir à repérer la propriétaire de la voix cristalline. S'entendant apostropher une seconde fois par la même voix fluette, il leva le nez et aperçut une frêle silhouette d'enfant tapie dans les branches d'un arbre du parc, derrière la grille close. La fillette descendit de son perchoir avec l'agilité d'un singe.

Il lui donna sept ou huit ans. Plantée devant lui, agrippée des deux mains aux barreaux, elle lança, non sans agacement :

– Tu veux ou tu veux pas?

Jury fit mine de s'accorder quelques instants de réflexion.

– Je veux bien. Mais à condition que ce soit un bon tour.

Cette réponse circonspecte parut convenir à la petite fille

qui s'attendait sans doute à un refus pur et simple. Le fait de savoir qu'elle allait se produire devant un public exigeant — qui ne manquerait pas de comparer son tour à d'autres peut-être plus prestigieux et, en tout cas, inconnus d'elle — donnait du piment à la chose.

— Il *est* bon.

Fermant les yeux, elle se mit à psalmodier comme pour appeler quelque lutin sylvestre à la rescousse. A la lueur faiblarde de la lanterne, il distingua ses longs cils pâles et ses cheveux à l'avenant. Quant à sa frimousse, elle lui parut absolument dégoûtante.

— Ferme les yeux.

— Tu veux que je...? Mais si je les ferme, je ne verrai rien.

Elle réfléchit. Cet étranger était manifestement un cynique qui ne semblait pas croire à l'existence des lutins.

— Alors tourne-toi.

— Très bien, fit Jury en s'exécutant.

A peine eut-il le dos tourné qu'il entendit un curieux bruit de ferraille derrière lui.

— Je peux me retourner maintenant? s'enquit-il après avoir laissé s'écouler quelques instants.

— Non! s'exclama-t-elle en poussant de petits grognements. C'est un tour qui demande du temps.

Lorsqu'elle l'autorisa à se retourner, il vit qu'elle était passée de l'autre côté de la grille après avoir remis en place le barreau descellé.

Comme il manifestait un étonnement de bon aloi, la gamine sourit. Elle avait une denture blanche et régulière avec des trous ici et là.

— Je peux sortir quand je veux. Personne n'est au courant. Tu vas pas cafter au moins?

— Sûrement pas, lui assura Jury.

Rassurée, elle hocha la tête.

— Sonne, on t'ouvrira.

Jury obtempéra et appuya sur le bouton de la sonnette. Une sonnerie grelotta. La fillette poussa fièrement la grille, refusant son aide. Une fois dans le parc, elle referma le portail. De sa poche, elle tira un petit sac en papier et y jeta un coup d'œil. Il eut l'impression qu'elle se livrait à des calculs compliqués. Ses comptes terminés, elle lui tendit le sachet :

— Tu en veux un? Non, pas un vert. C'est ceux que je préfère.

– Choisis toi-même, alors.

Avec le plus grand soin, elle extirpa un bonbon en forme de petit bonhomme du paquet tout froissé et le lui déposa sur la paume.

– Je t'en donne un noir. Les noirs, je les aime pas.

Il la remercia tandis qu'ils remontaient la longue allée conduisant à l'école.

– Comment tu t'appelles?

– Addie, fit-elle en s'élançant en avant.

Mais elle s'immobilisa non moins soudainement et se laissa rattraper lorsqu'elle entendit Jury déclarer:

– Addie, ce n'est pas un nom, c'est un diminutif! Je te parie deux paquets de bonbons que j'arrive à deviner ton prénom.

S'arrêtant de mastiquer, elle le fixa avec de grands yeux:

– Impossible! C'est un prénom que personne peut deviner!

– Mmmmm. Si c'est si difficile que ça, j'ai droit à quatre essais.

– Quatre? C'est trop! Trois. A prendre ou à laisser.

– D'accord, mais tu ne me facilites pas la tâche.

– Je sais. Vas-y quand même.

– Adèle.

– Non! s'exclama-t-elle en dansant à reculons.

– Adélaïde.

– Non! glapit-elle, surexcitée, en froissant le sachet de plus belle.

– Annabelle.

Addie fronça les sourcils, l'air inquiet: avait-il perdu l'esprit?

– Annabelle? Y a même pas de « d » dans celui-là!

Il haussa les épaules:

– En effet. Tu as gagné.

Addie plissa le front. La victoire était proche, pourtant elle ne put s'empêcher de se montrer magnanime:

– Je te donne une dernière chance, pépia-t-elle.

– Vrai? C'est rudement chic de ta part.

Elle ébaucha un sourire modeste.

– Adeline.

– Non! lança-t-elle d'une voix vibrante dans l'air glacial. Je m'appelle Ariadne!

– C'est ravissant!

48

– Quand c'est que tu me les donneras, les bonbons?

– Dès que je les aurai achetés. Demain, peut-être.

Ils étaient arrivés devant la porte d'entrée, qui fut ouverte par une adolescente mince aux cheveux blond cendré. La jeune fille allait s'adresser à Jury lorsqu'elle aperçut Addie.

– D'où sors-tu, petit démon? Dépêche-toi de rentrer! Allez, et plus vite que ça! ordonna-t-elle avec un accent de la Tyne à couper au couteau.

Addie détala en hâte vers quelque entrée de service, faisant jaillir une gerbe de neige dans sa course.

Avec le plus grand sérieux, l'adolescente déclara à Jury :

– Madame la directrice vous attend.

De toute évidence, miss Hargreaves-Brown attendait. Ses mains aux phalanges noueuses posées sur sa table de travail impeccablement rangée, elle donnait l'impression de n'avoir fait que ça toute sa vie, comme quelqu'un qui est condamné à subir le manque de ponctualité et l'incompétence d'autrui. Lorsque la jeune fille eut fait entrer Jury dans le bureau, la directrice consulta ostensiblement sa montre.

S'il n'avait pas rencontré la fillette en chemin, il aurait été là à six heures et demie tapantes. Toutefois, en repensant à Addie et en regardant miss Hargreaves-Brown, il ne regretta pas ses cinq minutes de retard.

– Désolé, miss Brown. Je...

– Miss *Hargreaves*-Brown, rectifia-t-elle avec un sourire condescendant.

C'était sciemment qu'il avait tronqué son nom pour voir sa réaction. A sa façon de se raidir, Jury comprit qu'il avait failli lui ravir son bien le plus précieux : son patronyme, symbole – du moins l'espérait-elle – de son appartenance à la classe aisée. Jury s'excusa, lui montra ses papiers, lui offrit une cigarette – qu'elle refusa – et en profita pour l'examiner. Miss Hargreaves-Brown était sans âge. On aurait pu lui donner soixante-dix ans comme on aurait pu lui en donner cinquante. Il se dit que la robe qu'elle portait – austère lainage noir discrètement agrémenté d'un col et de poignets en soie – était sûrement celle qu'elle réservait aux grandes occasions. C'était une dame qui devait avoir des moyens modestes, son traitement de directrice ne devant pas aller chercher très loin. Elle s'exprimait avec l'accent du Sud, et il se demanda ce qu'elle fabriquait dans la région.

Tout dans sa personne respirait le strict et le crispé. Du chignon soigné au mouchoir coincé dans la manche.

Il n'eut aucun mal à l'imaginer exhortant ses jeunes pensionnaires à ne jamais oublier que la propreté constituait un premier pas vers la sainteté. En son for intérieur, il ne put s'empêcher de se demander pourquoi Dieu était censé préférer les gens bien astiqués.

Jury, qui lui avait exposé l'objet de sa visite au téléphone, ne fut pas autrement surpris de l'entendre entrer sans plus attendre dans le vif du sujet et faire allusion à Helen Minton.

— Pauvre femme, énonça-t-elle, moins par sympathie que comme on prononce un jugement.

— Elle faisait des cadeaux aux enfants, si j'ai bien compris.

Miss Hargreaves-Brown opinant de la tête, Jury poursuivit :

— Vous la connaissiez bien?

— Non. Je doute que quiconque ait pu se vanter de bien connaître Helen Minton.

— Pourquoi cela?

— C'était quelqu'un de... réservé. Les questions, c'était *elle* qui les posait.

De quel droit? semblait impliquer le ton de la directrice.

— Quel genre de questions posait-elle?

— Des questions ayant trait à l'école, aux enfants.

— Bonaventure étant un orphelinat, je ne vois rien d'étonnant à cela.

Miss Hargreaves-Brown se carra dans son fauteuil comme si Jury l'avait giflée.

— Bonaventure n'est pas un orphelinat. (Dans sa bouche le mot avait quelque chose de grinçant.) C'est une *école*. Il est vrai que bon nombre de nos pensionnaires, pour ne pas dire la plupart, sont des enfants issus de milieux défavorisés, de foyers désunis, ou des orphelins. Nous recevons des subventions du gouvernement et des dons émanant de particuliers. Nous avons des enseignants compétents. Même si nous manquons de personnel... (Jury se dit qu'il n'était pas impossible que la pénurie des effectifs atteignît cinquante pour cent)... et si certains de nos professeurs ne sont pas diplômés de Cambridge... (Comme si les policiers l'étaient, eux!) Ce n'est pas pour me vanter, mais je vous assure qu'il faut avoir l'esprit vif et être astucieux pour diriger un établissement de ce genre.

Sur ces mots, elle sortit son mouchoir de sa manche et s'en tapota la lèvre supérieure. On eût dit qu'elle était en présence d'une assistante sociale à qui elle rendait des comptes, et non d'un policier.

– Je n'en doute pas un instant, miss Hargreaves-Brown. Je suis sûr que c'est une tâche qui exige infiniment de doigté et d'expérience.

Repoussant son siège, elle se leva :

– Peut-être voulez-vous jeter un coup d'œil à la maison?

Jury accepta l'invitation, mais sans le moindre enthousiasme.

L'école Bonaventure était bien le dernier endroit que Jury avait envie de visiter. La façade de pierre ne lui rappelait que trop de souvenirs. Le couloir glacial qu'il enfila au sortir du bureau de la directrice lui donna un avant-goût des autres couloirs tout aussi glacés qu'il allait devoir parcourir pour passer en revue les dortoirs où régnait un ordre quasi militaire.

Tandis qu'elle lui expliquait fièrement les économies qu'il lui fallait réaliser pour pouvoir joindre les deux bouts, Jury ne pouvait s'empêcher de penser à l'établissement où, enfant, il avait passé plusieurs années de sa vie après que sa mère eut été tuée dans les bombardements et après que l'oncle qui l'avait recueilli chez lui si gentiment fut mort.

Ils s'engagèrent dans un corridor beige. D'un beige terne et administratif. De part et d'autre du couloir, on apercevait de vastes pièces sinistres pleines de lits faits au carré, à la couverture grise soigneusement tirée, comme à l'hôpital ou à l'armée. Beige, gris, brun, ce monde dénué de couleurs évoquait celui des daguerréotypes.

– Les enfants viennent de dîner, lui expliqua-t-elle. Le petit déjeuner est servi à sept heures.

Dans l'un des dortoirs, ils découvrirent un garçonnet qui, assis sur sa couchette, était plongé dans un livre. Miss Hargreaves-Brown l'expédia à la chapelle pour la prière du soir. Des années plus tôt, dans un dortoir ressemblant étrangement à celui-ci, Jury avait occupé un lit de coin; il en avait été ravi car cela lui avait permis de se perdre dans la contemplation d'un pan de mur sur lequel il projetait toutes sortes d'images extraites des livres d'aventures qu'il dévorait avec passion : rhinocéros sauvages, éléphants, expéditions dans la savane. A l'époque, il était bien décidé à devenir chasseur de fauves. Et il avait fini dans la peau d'un policier... Il est vrai qu'il y avait peu de débouchés pour les chasseurs de fauves.

Ils traversèrent l'univers délavé de Bonaventure, enfilèrent un autre couloir – qui avait sérieusement besoin d'être repeint – cependant que miss Hargreaves-Brown continuait de monologuer :

– ... établissement extrêmement difficile à gérer. Les frais... Le chauffage, notamment...

Elle avançait les mains tendues comme pour recueillir de providentielles oboles.

– ... j'enseignais dans une école privée assez cotée. Ce poste s'est trouvé vacant. Malgré mon jeune âge, j'ai réussi à les convaincre que j'avais... suffisamment de punch et d'autorité.

Jury ponctua cette déclaration d'un vague grognement. Il aurait volontiers allumé une cigarette, peut-être même pris un verre.

– Vous n'aimiez pas Helen Minton ? s'enquit Jury tandis que, de retour dans le bureau de la directrice, ils prenaient place sur des chaises plus confortables, près de la cheminée sans feu.

Le sourcil de son interlocutrice s'arqua.

– J'avoue ne jamais m'être posé la question. Vous prenez du lait ? (Elle lui avait offert un café.)

– Non, merci.

Se tournant vers l'adolescente qui avait ouvert la porte à Jury et venait de poser sur une table le plateau où trônait une cafetière, elle déclara :

– Vous pouvez vous retirer, Lorraine.

– Bien, madame, murmura Lorraine avec un hochement de tête.

Mais elle ne mit guère d'enthousiasme à obtempérer. Tire-bouchonnant une mèche de cheveux, posant sur Jury un regard plein d'espoir, elle resta plantée là sans bouger. Ne sachant trop ce qu'elle attendait de lui, il la gratifia à tout hasard d'un sourire. La manœuvre sembla réussir, car elle tourna les talons et s'en fut.

— Quel âge a-t-elle?

— Seize ans. Lorraine a passé toute sa vie ici. Comme je crois vous l'avoir dit, nous accueillons aussi des orphelins. Elle est un peu attardée et donne du fil à retordre à ses professeurs. Malheureusement, elle n'est pas la seule dans ce cas. C'est triste.

— Ce ne doit pas être drôle tous les jours, en effet.

Ignorant la remarque, la directrice poursuivit :

— Certains de nos élèves sont demi-pensionnaires. Ils rentrent chez eux l'après-midi.

— Pensez-vous qu'Helen Minton ait eu des ennemis?

— Pourquoi en aurait-elle eu? En voilà une question! (La tête inclinée sur le côté, la directrice s'enquit :) Vous pensez que sa mort pourrait avoir quelque chose de *bizarre*?

— Le fait qu'elle ait été retrouvée dans la chambre du manoir est « bizarre », non?

— Elle était malade. Sans doute son cœur aura-t-il lâché à ce moment-là...

— Depuis combien de temps était-elle ici?

— Deux mois. Ne croyez surtout pas que je sois une ingrate mais...

Peu soucieux de l'entendre dénigrer Helen Minton, Jury l'interrompit :

— Vous aurait-elle parlé de sa maladie ou d'un aspect de sa vie qui serait... susceptible de... d'éclairer sa mort? Elle était pour ainsi dire seule au monde : vous étiez aussi bien placée qu'une autre pour recueillir d'éventuelles confidences.

— *Vous* la connaissiez, commissaire?

— Un tout petit peu.

— Alors vous êtes directement impliqué dans cette affaire, lança la directrice d'un ton réprobateur comme s'il était dans son tort.

— Oui, concéda Jury, d'accord avec elle sur ce point. Dans une certaine mesure, du moins.

D'un geste machinal, elle repêcha une mèche qui s'était échappée de son chignon et la remit en place.

— Je ne sais pratiquement rien d'Helen Minton. Hormis le fait qu'elle était originaire de Londres. (Après coup, elle ajouta :) Et qu'elle était très jolie. Enfin, je pense que certains l'auraient trouvée très jolie. (Évitant soigneusement le regard de Jury, elle avala une gorgée de café.)

Peut-être n'en savait-elle pas davantage... Pourtant Jury avait l'impression qu'elle lui cachait quelque chose et qu'elle se serait fait hacher menu menu plutôt que de parler.

– Je vous remercie infiniment, miss Hargreaves-Brown. Je sais combien votre temps est précieux et c'est très aimable à vous d'avoir bien voulu me recevoir. Si vous le permettez, je vais prendre congé.

Lorraine l'accompagna jusqu'à la porte, s'attardant sur le seuil obscur.

Tandis qu'il descendait la longue allée, il jeta un coup d'œil en direction du portail. Il y eut une sonnerie et il tira la grille de fer, qui se referma derrière lui.

– Au revoir!

Il pivota sur ses talons. Le cri venait – bien évidemment – de l'arbre. Tout en haut, cachée par les branches, se trouvait la petite silhouette frêle, véritable fantôme de l'enfance.

Jury agita la main.

– Au revoir et que Dieu te bénisse! lança l'arbre.

– Au revoir.

– ... et que Dieu te bénisse! lança de nouveau l'arbre.

– Dieu te bénisse, répéta Jury avant de s'éloigner.

5

Dans l'obscurité, c'est à peine s'il distinguait les panneaux de signalisation. Jury avait quitté la nationale pour emprunter une route secondaire et il lui semblait que la lande n'en finissait pas de dérouler son immensité désolée. Peut-être avait-il compris de travers les indications qu'on lui avait données à la station-service. Jury avait eu un mal fou à s'arracher aux récits épiques et sans cesse recommencés que lui avait faits le pompiste des malheurs survenus aux infortunés automobilistes partis errer dans la lande et dont on n'avait plus jamais entendu parler par la suite.

La route étroite, verglacée par endroits, venait manifestement d'être déblayée car elle était encaissée entre de petites falaises de neige. En avant de lui, il aperçut soudain un homme qui se traînait péniblement sur la chaussée, tête nue et sans manteau. « Ces gens du Nord, ils vivent vraiment à la dure », songea Jury, s'arrêtant pour baisser sa vitre.

— Excusez-moi, je cherche *l'Auberge de Jérusalem*; vous connaissez?

Le visage du petit homme se fendit en un vaste sourire.

— Et comment! C'est juste avant l'église, fit-il avec un accent épouvantable.

— Vous allez de ce côté?

— Ben, oui.

Jugeant qu'il serait plus astucieux de le prendre dans sa voiture que d'essayer de converser plus longtemps avec lui, Jury ouvrit la portière :

— Alors montez!

Le petit homme ne se le fit pas dire deux fois et, en pre-

nant place sur le siège avant, gratifia Jury d'un nouveau
sourire. Il n'avait pas pris la peine de mettre son dentier et
ses yeux d'un bleu délavé étaient vitreux. Sans doute avait-il
déjà bu chez lui quelques verres avant de se décider à rallier
le pub. Il tenait amoureusement à deux mains un objet qui
ressemblait à un oignon géant et paraissait sorti de quelque
film de science-fiction à petit budget. Tandis qu'ils poursui-
vaient leur route en direction du nord, il garda l'objet posé
en travers de ses genoux comme s'il s'était agi d'une banale
valise.

— Qu'est-ce que c'est que ça? s'enquit Jury.

Son passager lui adressa un clin d'œil.

— Un poireau, mon gars. J'me suis bougrement bien
défendu, c'te année : c'est moi qui ai décroché la timbale.
J'aurais pu gagner l'an passé, s'en est fallu d'un cheveu.
Mais le prix m'est passé sous le nez. Z'êtes du Sud, non?

Jury sourit. La question, purement rhétorique, n'avait
rien d'un compliment.

L'Auberge de Jérusalem était une bâtisse carrée en stuc,
pourvue d'une enseigne d'une grande banalité – c'était en
effet une simple planche portant le nom du pub en lettres
noires, chichement éclairée par une petite lanterne.

D'où les clients pouvaient-ils bien sortir par un temps
pareil? C'est la question que Jury se posa en voyant la douzaine de personnes rassemblées à l'intérieur et qui semblaient faire partie du mobilier, au même titre que
l'enseigne.

Dickie – compagnon de route de Jury – déposa poireau et
argent sur le comptoir et demanda à son chauffeur ce qu'il
buvait. Une bière, répondit Jury en voyant le tenancier
s'approcher. Ce dernier avait le visage rubicond d'un ange-
lot ou d'un solide buveur.

L'Auberge de Jérusalem était fin prête pour fêter Noël, qui
était dans quatre jours. L'établissement regorgeait de décorations : guirlandes lumineuses et cheveux d'ange à profu-
sion, poussiéreuses couronnes de houx, crèche grandeur
nature installée dans un renfoncement, près de la cheminée.
Une partie de billard bon enfant opposait un type trapu et
tout tatoué en blouson de cuir à un gars à cheveux noirs et
sec comme un coup de trique, qui arborait un anneau d'or à

l'oreille. Après avoir examiné l'homme à l'anneau, Jury conclut que le port de cet accessoire reflétait plus le désir de suivre la mode que celui d'afficher ses préférences en matière sexuelle. A droite du billard était installé un jeu vidéo que titillait un petit jeune homme. Sous une branche de gui, une fille à face de requin s'employait à rouler une pelle à un grand flandrin. Les habitués, qui n'en perdaient pas une miette, cessèrent cependant de se passionner pour les ébats du couple lorsqu'ils aperçurent le légitime objet de la fierté de Dickie, qui avait décroché le premier prix au concours du plus beau poireau de l'année.

Plusieurs consommateurs s'approchèrent pour gratifier le lauréat de grandes claques sur l'épaule. Compliments et commentaires fusèrent :

— Sûr que t'aurais dû gagner l'an passé, Dickie, si seulement t'avais nettoyé un peu la tige.

Les verres s'alignèrent comme par enchantement sur le comptoir. Apparemment, c'était Dickie qui régalait. Jury s'en étonna intérieurement, trouvant que ç'aurait peut-être dû être aux autres de lui payer un pot. Mais Dickie avait le cœur sur la main, s'il n'avait pas l'air de rouler sur l'or. Et il ne semblait pas être le seul, dans cet endroit, à avoir du mal à joindre les deux bouts.

Sous son allure festive et ses guirlandes de Noël, l'*Auberge de Jérusalem* n'était ni plus ni moins qu'un pub de prolos. Jury trouva que ça le changeait agréablement des pubs du West End avec leurs banquettes de peluche rouge, leurs miroirs dorés et leurs ribambelles d'objets de style victorien. Par ailleurs, l'établissement n'avait rien à voir non plus avec les pubs campagnards encombrés des sempiternels étains et cuivres rustiques, et ornés de gravures de chasse accrochées au-dessus des coussins de cretonne. Le long des murs s'alignaient de lourds bancs de bois, dont l'un était occupé par un trio silencieux et d'un âge avancé, digne de figurer dans la crèche installée près de la cheminée.

Autour du bar en fer à cheval qui occupait le centre de la pièce, les visages des consommateurs reflétaient assez bien le sort qui était le leur : une existence sans avenir placée sous le signe du chômage. Certains, à n'en pas douter, devaient maudire leur inactivité forcée; d'autres devaient l'accepter en grinçant des dents, d'autres encore — les plus jeunes — devaient s'en accommoder sans broncher, n'ayant jamais connu autre chose. La conversation roulait sur la météo et les petits boulots.

Bien que pas un regard ne se fût ostensiblement braqué dans sa direction, Jury avait néanmoins conscience d'avoir été examiné sur toutes les coutures. Une fois que l'intérêt suscité d'abord par les amoureux puis par le poireau fut retombé, les habitués se replongèrent dans leurs conciliabules. Assis dans son coin, un personnage à l'air bourru qui était muni d'une canne et d'un dictionnaire émettait de petits bruits réprobateurs en tournant les pages et tapait sur le parquet nu avec sa canne. Un autre homme en anorak lisait un livre, son chien à ses pieds. Les joueurs de billard reprirent leur partie.

Visiblement mort de curiosité, le patron du pub faisait les cent pas derrière son bar, tenant à la main le verre que Dickie lui avait payé.

— Vous êtes du coin? finit-il par demander à Jury.

— Non, je suis de Londres.

Le tenancier feignit la surprise.

— Quand vous êtes à plus de cent mètres de chez Harrod's, vous avez l'impression d'être sur une autre planète, pas vrai? lâcha-t-il avec un sourire destiné à ôter du mordant à sa plaisanterie.

— Il y a beaucoup de monde ici? questionna Jury.

— Encore assez, oui. Spinneyton est au bout de la route, c'est de là que viennent la plupart de mes clients. Ils ne roulent pas sur l'or : ils vivent de leurs allocations de chômage. Les mines sont presque toutes fermées et les docks de Newcastle déserts. (Il secoua la tête avec philosophie.) Moi, je suis de Todcaster. Ça fait seulement six mois que je tiens ce rade. C'est pas facile de se faire accepter par ces gars-là. Ils n'aiment pas trop les étrangers. (Il baissa la voix pour prononcer la dernière phrase, visiblement persuadé que les gens du cru se méfiaient pareillement des habitants de Londres et de ceux de Todcaster. Puis il s'en fut à l'autre bout du bar ramasser des verres.)

En attendant que le patron ait fini de débarrasser, Jury s'approcha lentement de la crèche. Les trois vieux le suivirent attentivement des yeux. *Est-ce que par hasard j'aurais la dégaine d'un flic?* s'inquiéta Jury.

Il poussa un soupir en examinant les animaux qui étaient dans un état assez lamentable. A côté des figurines en plâtre représentant respectivement une chèvre unijambiste et un agneau sans queue dormait un authentique terrier à l'œil ourlé de noir, qui avait cru bon sans doute de venir grossir un peu les rangs de cette piteuse ménagerie.

Les rois mages n'étaient que deux et ils auraient eu bien besoin d'un sérieux coup de peinture. Marie et Joseph étaient fidèles au poste mais la paille au-dessus de laquelle ils étaient penchés était bizarrement vide.

Jury sentit qu'on le tirait par la manche et au même moment une petite voix expliqua :

— Il a fallu que je la débarbouille.

Jury fit demi-tour et découvrit une fillette de six ou sept ans qui le dévisageait avec des yeux presque aussi bruns et vitreux que ceux du poupon qu'elle pressait contre sa poitrine. La poupée, d'une belle dimension et de sexe indéterminé, avait des cheveux peints et roux. Pour l'instant, elle était vêtue de ce qui ne pouvait être qu'une des anciennes robes de la petite fille, car la taille lui arrivait aux hanches et le bas de l'ourlet lui dissimulait les doigts de pied.

Voyant que Jury n'avait pas compris sa remarque, la gamine désigna la mangeoire de la tête :

— Elle était sale, j'ai dû la laver.

— Oh, fit Jury. (Fixant la robe, il ajouta :) Parce que c'est une fille?

Jetant un coup d'œil vers la paille, la petite fronça les sourcils en se rendant compte de son erreur.

— Pour l'instant, oui.

D'un geste familier, elle lissa la jupe de la vieille robe, regrettant manifestement que sa poupée fût en quelque sorte obligée de faire double emploi pendant les fêtes de Noël.

Par une porte du fond, une jolie jeune femme entra, un plateau chargé de verres dans les mains. Lorsqu'elle vit l'enfant, elle secoua la tête d'un air réprobateur, s'approcha de la crèche et murmura :

— Chrissie! Remets le petit Jésus à sa place, ma bichette. Combien de fois faudra-t-il que je te le dise?

Ses cheveux avaient la nuance de ceux de sa fille mais pas leur éclat. Ses traits rappelaient étonnamment ceux de la fillette.

— Il a fallu que je la débarbouille, déclara Chrissie d'un ton plaintif.

— Remets-le à sa place.

59

La jeune femme enveloppa Jury d'un regard complice et, le prenant à témoin, soupira :

— Ces mouflets...

Puis elle passa derrière le bar et se mit à ranger les verres sur les étagères.

D'un air résigné, Chrissie ôta la robe à la poupée, tournant soigneusement le dos à Jury afin qu'il ne la vît pas nue. Après l'avoir dévêtue, elle enjamba la corde censée protéger la crèche des curieux, remit le bébé en place et franchit de nouveau la corde. Puis elle contempla la Nativité avec un froncement de sourcils franchement désapprobateur. Ses bras potelés croisés sur la poitrine, elle déclara :

— Elle a pas l'air malin !

— Eh bien... risqua Jury.

Comme il n'abondait pas assez vite dans son sens, elle ajouta d'une voix plus ferme :

— Elle est moche comme un pou sans ses vêtements.

Jury but une gorgée de bière.

— Elle ne ressemble guère à l'Enfant Jésus, je suis entièrement d'accord avec toi. Qu'est-il arrivé au véritable petit Jésus ?

— Ils l'ont cassé au cours d'une bagarre. Ils en ont fait de la bouillie. Ils se battent tout le temps ici. Maman m'a obligée à mettre Alice à sa place. Alice, c'est ma poupée. C'est une fille.

Elle regarda Jury par en dessous pour voir s'il allait oser la contredire.

— C'est triste. Tu la récupéreras après Noël, j'espère ? (La voyant opiner du bonnet, Jury poursuivit :) Ta maman a entièrement raison, tu sais, l'Enfant Jésus ne portait pas de robe.

La fillette se gratta les coudes.

— Je sais, il portait des draps. J'ai vu des dessins.

— Quand il était plus âgé, oui. Ce qu'il te faudrait, c'est des langes.

— *Quoi ?* s'exclama-t-elle comme si elle n'avait jamais rien entendu d'aussi ridicule.

— Des langes, oui. Mais des chiffons feraient tout aussi bien l'affaire. Si ta maman te donnait un vieux bout de tissu, tu pourrais le déchirer en plusieurs morceaux et envelopper Alice dedans. (Sa chope à la main, il désigna les personnages de la crèche dont la peinture était tout écaillée.) Ils n'étaient pas riches, tu vois. Je suis sûr qu'ils l'auraient emmaillotée dans des bouts de chiffon.

Chrissie regarda sa propre robe, délavée, trop grande pour elle, et manifestement héritée de quelque grande sœur ou cousine.

– Ils ont bien fait de venir ici, alors.

Et sur ces mots, elle pivota et disparut par la porte du fond, sans doute pour aller chercher les fameux langes.

Jury paya généreusement un coup au patron – qui s'appelait Hornsby –, histoire de se concilier ses bonnes grâces avant de lui fourrer sous le nez sa carte d'identité et la photo d'Helen Minton.

Mais alors qu'il croyait avoir mis le tenancier dans l'état d'esprit voulu pour tailler une bonne bavette, il s'aperçut à son grand regret que ce dernier n'avait pas grand-chose à dire. Après s'être pensivement gratté le cou, il secoua la tête en signe de dénégation :

– Jamais vu cette femme, mon vieux... euh... commissaire.

Hornsby montra l'instantané à sa femme. Mrs Hornsby ramena ses longs cheveux derrière les oreilles, comme pour donner plus d'acuité à sa vue peut-être, et contempla consciencieusement le visage à demi dissimulé dans l'ombre d'un arbre. Mrs Hornsby n'était à l'évidence pas femme à tirer des conclusions hâtives, soit qu'elle eût l'esprit lent, soit qu'elle fût du genre à tourner sept fois sa langue dans sa bouche avant de parler.

Elle balaya la salle d'un regard circulaire, étudiant les consommateurs à tour de rôle, comme s'ils étaient susceptibles de lui fournir un indice ou de la mettre sur une piste.

Manifestement, elle semblait rassembler ses souvenirs tout en laissant ses yeux naviguer du laconique trio d'habitués à la photographie d'Helen, du billard à la photo et de la crèche à la photo. La voyant se mordre la lèvre, Jury se dit qu'elle allait abonder dans le sens de son mari mais elle n'en fit rien.

– Elle était ici mardi dernier. Vers les huit, neuf heures. Elle a commandé une bière brune de Newcastle. Même que j'ai ri et que je lui ai demandé si elle savait de quel genre de bière il s'agissait. Elle a ri à son tour et m'a assuré qu'elle en avait déjà bu. J'ai tout de suite compris qu'elle n'était pas du coin, à sa façon de parler... Elle avait le même accent que vous, commissaire. Je me suis dit qu'elle devait être de Londres. Ça m'a bien plu, sa façon de se tenir devant le bar et de faire comme si elle se fichait éperdument de ne pas être au *Ritz*. Elle a suivi la partie de billard en cours pendant un moment et puis Clive... (De la tête, elle désigna la salle du fond) lui a offert un deuxième verre. Elle a échangé quelques mots avec Chrissie... (Un sourire éblouissant éclaira le visage de Mrs Hornsby.) Et après ça, elle a payé un coup à Clive. Elle a à peine touché à sa troisième bière, elle n'a recommandé une autre tournée que parce que c'est l'usage. Les femmes ne sont pas obligées de le faire, notez bien, mais j'ai trouvé ça sympa de sa part qu'elle joue le jeu. Elle a bavardé avec Robbie... (Elle jeta un œil au grand jeune homme qui s'activait devant le jeu vidéo.) Robbie est un peu... simplet, fit Mrs Hornsby d'un air peiné. Mais c'est un garçon très serviable. Nous le logeons et lui donnons un peu d'argent, en contrepartie il fait le ménage à l'auberge. (Elle fronça les sourcils.) Je suis désolée, c'est tout ce dont je me souviens.

Jury la fixa avec des yeux ronds cependant que son mari lui administrait une petite tape sur l'épaule :

— C'est une drôle de futée, ma Nell. Rien ne lui échappe.

— Si tous les témoins étaient comme vous, madame Hornsby, nous aurions vite fait de nettoyer Londres.

Mrs Hornsby vira au rouge brique et s'efforça de détacher ses yeux de Jury, qui semblait littéralement l'hypnotiser. Elle lui adressa un de ses radieux sourires et Jury lui paya un verre.

— Clive vous en dirait peut-être plus long, fit-elle en désignant la porte par laquelle sa fille avait disparu. Il est occupé pour l'instant, il y a un match en cours dans l'arrière-salle. Et vous pourriez aussi interroger Marie, elle lui a sûrement adressé la parole. Marie discute toujours avec les nouveaux venus. Elle en profite pour leur soutirer des clopes et leur raconter ses malheurs.

Marie s'avéra être la fille à face de requin. Elle n'était pas vilaine mais c'était le genre de femme qui vous donnait envie de mettre en sûreté l'argent que vous aviez laissé sur le comptoir.

On ne pouvait pas leur en vouloir d'être curieux, à ces

gens-là. Tout ce qui pouvait rompre la monotonie de journées désespérément vides passées à jouer au billard ou aux fléchettes était pour eux une aubaine. Et la visite d'un policier, c'était encore mieux qu'une visite à l'agence pour l'emploi. A condition que ledit policier ne vînt pas fourrer son nez dans leurs affaires. Jury se dit que la plupart des habitués devaient être en passe de devenir alcooliques. La seule chose à laquelle ils pouvaient se raccrocher étant la boisson, qu'ils payaient avec l'argent de leurs allocations de chômage.

— Elle m'a dit qu'elle habitait à Washington, déclara Marie en acceptant une cigarette sans se faire prier le moins du monde.

La jeune femme était appuyée en partie contre le bar et en partie contre Jury. Il se dit que s'il lui offrait un verre, elle lui apprendrait peut-être quelque chose d'utile. Il lui paya donc une Carlsberg mais en fut pour ses frais.

Jury réussit à s'extraire du petit noyau de consommateurs qui s'étaient agglutinés autour de lui et, s'étant approché du jeu vidéo, prit place en face de Robbie. Le visage du jeune homme – pas vilain, au demeurant – avait encore le flou de l'enfance.

— C'est toi Robbie?

L'interpellé sourit. Il semblait avoir dans les dix-neuf, vingt ans. Ses yeux étaient ternes mais nullement hostiles. Jury lui montra la photo. Robbie se passa les mains dans les cheveux – qu'il avait aussi ternes que les yeux – comme quelqu'un qui se prépare à passer un test.

— Est-ce que tu te souviens de cette femme?

Il bégaya laborieusement un « oui » tout en opinant du chef à plusieurs reprises.

— De quoi avez-vous parlé?

Les yeux de Robbie errèrent autour de la pièce tandis qu'une expression d'intense désarroi se peignait sur ses traits. Jury comprit qu'il n'en tirerait rien s'il ne le mettait pas gentiment sur la voie :

— Est-ce qu'elle t'a dit son nom? Ou ce qu'elle était venue faire dans ce pub? Personne ici ne semble se souvenir de quoi que ce soit.

En entendant ces mots, Robbie parut soulagé. L'œil braqué sur l'écran, il se mit à regarder disparaître les fantômes colorés, suivis de Pac-Man.

— Tu veux faire une partie? s'enquit Jury, sortant des pièces de sa poche.

Robbie acquiesça de la tête.

— Je... je suis p-p-p-pas très f-f-fort, avoua-t-il.

— Moi non plus.

Robbie se mit en devoir de donner la chasse à Jury d'un bout à l'autre de l'écran, avalant ses fantômes. Il en était à le battre à plates coutures lorsque Hornsby cria à travers la pièce qu'on demandait le commissaire au téléphone.

Lorsqu'il entendit la voix de l'adjoint au préfet de police Newsome au bout du fil, Jury regretta d'avoir dit aux flics du commissariat de Northumbrie où on pouvait le joindre en cas de besoin.

Non qu'il eût quoi que ce soit contre Newsome, homme d'un laconisme désarmant.

— Écoutez, Jury, n'allez surtout pas prendre ça pour une critique. Mais Racer fait toute une histoire parce que, alors que vous êtes censé être en vacances dans le Nord, le commissaire divisionnaire a appelé pour s'étonner que Scotland Yard... Bref, vous voyez ce que je veux dire.

— J'avais pourtant mis les choses au point avec Cullen.

C'est tout juste si Jury ne vit pas Newsome hausser les épaules.

— Pourquoi ne rentrez-vous pas? Le commissaire divisionnaire adjoint sera ravi de vous voir.

— Ce serait bien la première fois! Bon, d'accord. De toute façon, je comptais regagner Londres demain. Je me débrouillerai pour prendre un train de bonne heure.

Hornsby, qui n'avait pas perdu une miette de la conversation tout en faisant mine d'essuyer des verres, lui fit savoir qu'il y avait un rapide qui quittait Newcastle à 8 h 30.

Jury déclara à Newsome qu'il prendrait le train de 8 h 30 et raccrocha.

Tout en s'occupant de ses verres, Nell Hornsby surveillait Robbie, qui jouait au billard tout seul.

— Pauvre gosse. Quand sa mère est morte, son père s'est tiré. Il a passé son enfance à l'école Bonaventure.

— L'école Bonaventure? fit Jury, se tournant pour examiner Robbie.

— Oui, c'est à Washington. Ils appellent ça une école mais

64

pour moi c'est plutôt un orphelinat. A seize ans, il a dû s'en aller. Seize ans, c'est l'âge limite. Après ça, on les met dehors. Ils doivent s'imaginer qu'à seize ans les gamins sont en mesure de gagner leur croûte. Cette bonne blague! Alors qu'il n'y a même pas de boulot pour les adultes dans cette région!

— Comment s'appelle-t-il? Robbie comment?

— Robin Lyte.

Robbie leva les yeux du feutre vert élimé lorsque Jury s'approcha avec deux bières et une poignée de pièces de dix pence.

— Le billard, ce n'est pas mon fort. (Il désigna du menton le jeu vidéo.) On fait une partie de Pac-Man?

Robbie ferma les yeux. Au prix d'un effort herculéen, il parvint à articuler un « oui » suivi d'un « merci ».

Ils se mirent à jouer en silence. Le jeune homme saluait ses victoires de gloussements répétés.

Jury jugea inutile de lui mettre sous le nez la photo d'Helen Minton, sentant bien que ce n'était pas cela qui lui rendrait la mémoire. Si le cerveau de Robin Lyte se trouvait receler quoi que ce soit qui pût aider Jury à progresser dans son enquête, il devrait se débrouiller pour obtenir ces éléments d'information par un autre moyen.

— Tu étais à Bonaventure, pas vrai?

Robbie fit signe que oui.

— Je parie que tu n'en as pas gardé un bon souvenir.

L'adolescent leva les yeux de l'écran et secoua énergiquement la tête. Jury fourra des pièces dans la fente avec tant d'énergie que l'appareil trembla.

— Je te comprends. J'ai vécu ça moi aussi, pendant quatre ans. Lits de camp, nourriture infecte, couloirs glacés, j'ai connu tout ça. Après la mort de ma mère.

Ignorant le fantôme tremblotant qui semblait les inviter à jouer, Robbie sortit de sa poche un portefeuille écorné et une photo.

— Ma-a-a-aman.

La jeune femme aux cheveux blonds fraîchement permanentés arborait un sourire un brin provocant. Elle donnait le bras à deux amies. Robbie la désigna soigneusement du doigt : c'était celle du milieu.

— Elle était jolie, remarqua Jury en lui rendant la photo. La mienne l'était aussi.

Nell Hornsby ayant annoncé la fermeture imminente du pub, Jury prit les verres et alla les déposer sur le comptoir.

— Ça va peut-être vous paraître dingue, dit-elle, mais il y a des moments où je me dis que, de tous les types qui viennent là, c'est encore lui le plus heureux. (Elle termina son cognac.)

— Ça reste à prouver, fit Jury avant de sortir.

II

Pause dans un pub

11

Pause dans un pub

6

Il était midi au *Jack and Hammer*. En équilibre sur sa
poutre, le forgeron de l'enseigne se mit en branle et fit le
simulacre de donner les douze coups de marteau rituels. Le
petit Jack en bois avait l'air rutilant à souhait dans son pantalon laqué de frais et sa veste aigue-marine assortie au bleu
éclatant qu'avait choisi Dick Scroggs, le propriétaire du pub,
pour repeindre la façade de son établissement. Dans la
grand-rue de Long Piddleton, où boutiques et cottages s'alignaient déjà en un coude-à-coude bariolé, le *Jack and Hammer* resplendissait littéralement sous les rayons du soleil
hivernal.

Les couleurs ne claquaient pas moins à l'intérieur du pub
où, assis autour d'une table jouxtant un feu d'enfer, se trouvaient réunis une femme et deux hommes. Deux des
consommateurs « pesaient » des millions et le troisième, qui
vendait des antiquités aux touristes de passage, n'était pas
spécialement désargenté. L'antiquaire, avec son foulard
lavande et sa cigarette Sobranie vert jade, n'avait rien à
envier au pimpant forgeron de l'enseigne.

Métaphoriquement parlant, la vieille femme qui, près de
la cheminée, sirotait son gin tout en marmonnant des
phrases sans suite entre ses dents était, elle aussi, un personnage haut en couleur. Il lui arrivait de faire le ménage pour
Dick Scroggs. Lorsqu'elle ne travaillait pas pour le patron
du pub, elle s'entretenait avec le chat de la maison tout en
buvant l'argent de sa paie.

— Croyez-vous que Scroggs finira un jour de décorer son

pub? s'enquit Marshall Trueblood, propriétaire du magasin d'antiquités voisin.

Après avoir balayé d'un regard circulaire les cuivres et les étains bien astiqués ainsi que les gravures de chasse nouvellement accrochées au mur, il ficha une Sobranie rose dans son interminable fume-cigarette.

Melrose Plant, qui trouvait la question saugrenue dans la bouche de Trueblood, préféra ne pas répondre. Il continua de faire les mots croisés du *Times*, s'interrompant de temps à autre pour boire une gorgée d'Old Peculier.

— Aucune idée, fit Vivian Rivington. Ça me plaît assez, cet endroit. C'était si moche et si crasseux auparavant. Depuis que le *Load of Mischief* a fermé ses portes, c'est rudement agréable d'avoir...

Marshall Trueblood ferma les yeux et prit un air excédé.

— Cesse de t'enthousiasmer comme ça, mon chou. C'est assommant à la fin. Doux Jésus, dire que ce vieux Scroggs, avec sa raie au milieu et son atroce lotion pour les cheveux, se mêle de servir à manger maintenant... (Il but une gorgée de son Campari soda.)

— Tu auras beau dire, Marshall, cet endroit me plaît tel qu'il est. Et puis, quand on n'a pas envie de faire la cuisine, on est bien content de se rabattre dessus pour y dîner ou y déjeuner...

Trueblood fit tomber la cendre de sa cigarette dans un cendrier en fer-blanc.

— Quand on a envie d'un repas digne de ce nom, on va à Londres, ma chère.

— Quel snob tu fais, commenta placidement Vivian.

— Il faut bien que quelqu'un le soit. Puisque Melrose, qui aurait pourtant tout pour l'être, ne jure que par l'égalitarisme. Je ne sais vraiment pas pourquoi tu t'obstines à jouer les gentlemen, mon cher, car il y a belle lurette que c'est passé de mode. Quoi qu'il en soit, et pour en revenir à nos moutons, je n'arrive toujours pas à comprendre pourquoi vous vous absentez à la veille des vacances de Noël. Et pour aller dans le comté de Durham, encore! Vous devez être tombés sur la tête! Vous ignorez donc que Durham est à deux pas de Newcastle? C'est plein de loubards brailleurs qui cassent des bouteilles de bière pendant les matchs de football. De plus, je vous signale qu'il neige, là-bas.

— Ici aussi, remarqua Plant, travaillant toujours activement à ses mots croisés.

— Ça n'a rien à voir, mon vieux. Là-haut, c'est par tonnes que la neige dégringole. Que se passe-t-il, Viv-viv? Tu as l'air bien pâlotte subitement.

A la lueur du feu de cheminée, le visage de Vivian avait en effet pris une teinte cireuse.

— Ce sont ces histoires de neige. Ça me rappelle l'affreuse tempête qu'on a eue il y a quelques années. Et les meurtres. (Elle se tourna vers Melrose.) Tu as eu des nouvelles du commissaire Jury récemment, Melrose?

Voilà des lustres qu'elle le connaît et elle n'arrive toujours pas à l'appeler par son prénom, songea Plant. C'est pousser un peu loin le sens de l'étiquette.

— J'ai dû avoir deux ou trois coups de fil. Jury n'a guère le temps d'écrire.

Trueblood assena une claque au plateau de la table, faisant s'entrechoquer chopes et verres.

— Voilà un homme charmant! Je suis allé sonner à sa porte alors que j'étais de passage à Londres. Malheureusement, à chaque fois, je me suis cassé le nez. Il n'est jamais chez lui. Nous devrions assassiner quelqu'un, il serait obligé de revenir ici, histoire de mener l'enquête... (Il jeta un coup d'œil à la vieille femme assise au coin du feu.) Withers, vieille bique, tu te laisserais tordre le cou si on t'alimentait en gin jusqu'à la fin de tes jours? Hum... Pas très logique, ma proposition, enfin... Je vous offre une cigarette? fit-il en tendant sa boîte de Sobranie aux deux autres.

— Non, merci. Les crayons de couleur, très peu pour moi, déclina Melrose en prenant un de ses cigarillos.

A l'énoncé du monosyllabe magique, Mrs Withersby abandonna sa pose de Cendrillon pour se traîner vers la table, ses charentaises claquant sur le parquet de chêne.

— En gin *et* en lager, chochotte. Mais dis-moi, t'as pas peur pour ta jolie petite boutique, que tu restes assis dans ce pub?

Du pouce, elle désigna le magasin d'antiquités de Trueblood avant de se tourner vers Melrose Plant, qui lui avait déjà payé trois tournées.

— Il a des défauts, fit-elle en examinant Trueblood qui se levait pour aller lui chercher à boire. Mais au moins, y passe pas ses journées dans une immense baraque à se les rouler pendant que les autres se crèvent au boulot.

— Withers, vieux chameau, fit Trueblood en lui tendant

un verre plein à ras bord, on pensait aller faire la foire à Harrogate. Tenue de soirée, champagne, et tout le tralala. On t'emmène? Tu pourrais mettre ta robe de mousseline jaune...

– Va te faire foutre, mon mignon, grommela Mrs Withersby en guise de remerciement tout en s'éloignant dans un claquement de savates.

Trueblood haussa les épaules, contempla ses ongles minutieusement manucurés et enchaîna :

– Pourquoi diable allez-vous dans le Nord? D'habitude, vous ne bougez jamais à Noël. Vous restez bien au chaud, les pieds dans vos pantoufles, à siroter votre porto devant la cheminée. Et la tante Agatha, vous y avez pensé? Qu'est-ce qu'elle va devenir si vous la privez de la sacro-sainte dinde de Noël?

– Nous pourrions lui demander de nous accompagner, suggéra Vivian.

Melrose préféra ignorer la remarque. Si Vivian se mettait à dire des idioties...

C'est alors que la chère tante en personne s'encadra dans la porte du bar, drapée dans sa cape noire.

– Agatha, vous ici! s'exclama Marshall Trueblood qui, du bout de sa chaussure impeccablement cirée, poussa une chaise vers l'arrivante. Prenez place.

Lady Agatha Ardry, qui ne pouvait souffrir personne à Long Piddleton hormis elle-même et le nouveau vicaire, éprouvait une aversion toute particulière pour Marshall Trueblood. A Melrose Plant – son neveu –, elle avait souvent déclaré qu'il aurait fallu chasser Trueblood de la ville après l'avoir copieusement enduit de goudron et couvert de plumes.

Melrose lui avait rétorqué que cette réjouissante coutume n'avait cours que dans son Amérique natale et qu'en Angleterre on laissait tout le monde vivre sa vie.

– Plus on est de fous, plus on rit, remarqua la nouvelle venue en désignant du menton Mrs Withersby. Je vous remercie, je préfère rester debout. (Debout donc, elle attaqua :) Qu'est-ce que c'est que cette histoire? Vous avez décidé d'aller dans le Nord? A la veille de Noël? C'est grotesque!

Sans lever le nez de ses mots croisés, Melrose répondit :

— Pour une fois, je suis d'accord avec vous, ma tante. C'est grotesque.

Il fit semblant de ne pas voir le regard noir que lui lança Vivian.

— Tu me rassures, lâcha lady Agatha qui, de soulagement, se laissa tomber sur la chaise que Trueblood lui avait si galamment avancée.

Son visage parut se défaire, cependant, lorsqu'elle entendit Melrose ajouter :

— C'est ridicule, mais ça n'en est pas moins vrai.

Cette déclaration dut donner soif à lady Ardry car, élevant la voix, elle demanda à Dick Scroggs de lui apporter un double sherry. Le tenancier, qui lisait, leva le nez de son journal étalé sur le comptoir et se replongea dans sa lecture en voyant qui avait passé la commande.

— Franchement, je ne te comprends pas, Melrose. D'ordinaire, tu ne bouges jamais pendant les vacances. Tu es un célibataire endurci, un garçon rangé qui a des habitudes régulières... Monsieur Scroggs! appela-t-elle de nouveau.

— Célibataire, oui ; mais endurci, c'est vite dit. Quant à mes habitudes, il faut croire qu'elles ne sont pas si régulières que ça puisque je suis prêt à m'absenter de Long Piddleton. A la demande de Vivian, je le précise.

Relevant la tête, il adressa à sa tante un sourire radieux destiné à lui flanquer la frousse. La bonne dame vivait en effet dans la hantise qu'il se passe quelque chose entre Melrose et Vivian. Le fait que Vivian fût fiancée à un autre homme ne tranquillisait en rien Agatha, ce dernier se trouvant en Italie.

— Nous allons passer un week-end à la campagne, reprit Melrose. En compagnie d'une brochette d'artistes. Vivian, qui n'avait pas envie de se barber seule, n'a rien trouvé de mieux que de m'inviter à l'accompagner.

Furieuse, Agatha décida de se retourner contre Vivian, oubliant de payer Dick Scroggs qui venait de lui apporter son sherry.

— Pourquoi l'avoir réquisitionné, mon petit ? Plant n'est pas artiste pour un sou. Et puis d'abord, qui vous a invitée ?

Vivian sortit une lettre de sa poche.

— Charles Seaingham, le critique d'art. J'ai fait sa connaissance au cocktail donné par mon éditeur lors de la sortie de mon recueil de poèmes.

Toujours prête à remonter le moral d'autrui, Agatha grogna :

— Vous me faites rire avec vos poèmes ! La poésie ne se vend pas, Vivian. Combien de fois faudra-t-il que je vous le dise ? Vous feriez bien mieux d'écrire des romans sentimentaux à la Barbara Cartland.

Sur ces mots, elle s'empara sans vergogne de la missive adressée à Vivian et la lut en s'aidant du face-à-main qu'elle utilisait à l'occasion, persuadée qu'il lui donnait un air digne.

Un peu attristé par les efforts déployés par sa tante pour paraître distinguée, Melrose pensait, quant à lui, qu'Agatha ne ressemblerait jamais qu'à une souche. De fait, assise sur sa chaise, dans son rustique tailleur de tweed couleur feuille morte, c'était exactement ce qu'elle lui rappelait. Une souche d'arbre dans laquelle les oiseaux se seraient fait un plaisir de venir nicher.

— MacQuade ? Qui est-ce ?

— Un écrivain. Il a remporté...

Mais Agatha ne s'intéressait pas aux prix littéraires.

— Parmenger ? Connais pas, fit-elle d'un ton tranchant.

— C'est un peintre.

— Il peint des nus, évidemment. Ou alors de grands carrés aux couleurs criardes. Jamais compris ce genre de peinture. (Elle fronça les sourcils.) Lady St. Légère... ça par contre, ça me dit quelque chose...

— Ça m'étonnerait, contra Melrose sans lever le nez de son journal.

Vexée, elle fronça de nouveau les sourcils.

— Et pourquoi donc ?

— Si vous la connaissiez, vous prononceriez correctement son nom. On dit Leger, pas Légère.

Rendant la lettre à Vivian, elle décida de changer son fusil d'épaule et de s'y prendre autrement :

— Comment se fait-il que vous ne passiez pas les vacances en compagnie de votre fiancé, ma petite Vivian ? Je trouve ça bizarre.

— S'il faut tout vous dire, je n'ai pas envie de me traîner jusqu'à Venise. De plus, je ne m'entends pas tellement bien avec ma future belle-famille, et...

— ... enfin, ajouta Melrose, le comte Dracula n'aime pas Noël. Toutes ces croix lui...

Vivian devint brique

— Cesse de l'appeler comme ça, s'il te plaît! fit-elle en posant rudement sa chope sur la table.

Melrose se dit que la douce Vivian devait être sacrément en colère pour se laisser aller pareillement. Il est vrai qu'après quelques mois passés en Italie, elle avait pas mal changé et s'extériorisait davantage.

— Dracula n'était pas italien mais transylvanien, Melrose, s'interposa Trueblood.

— C'est possible. En tout cas, c'était un garçon qui voyageait beaucoup.

— Oh, en voilà assez! s'exclama Vivian en leur tournant le dos.

— Quoi qu'il en soit, ton fiancé est bien comte, n'est-ce pas, Viv-viv?

— Cesse de m'appeler Viv-viv, veux-tu? Bien sûr qu'il est comte!

— Comte mais étranger, dit Agatha d'un air dégoûté en oubliant qu'elle était née à Milwaukee.

Trueblood choisit une cigarette assortie à son foulard, l'alluma et dit :

— En tout cas, moi, je l'ai trouvé charmant.

Tu parles d'une référence! songea Melrose.

Lady Ardry semblait penser que Vivian avait décidément trop de chance : non contente d'arracher des comtes italiens aux rivages azurés de la Méditerranée, cette jeune personne trouvait encore le moyen de se faire inviter chez les plus hautes personnalités du monde des arts et des lettres.

— Je vous avais mise en garde contre les coureurs de dot, Vivian. Et particulièrement contre les coureurs de dot étrangers.

Melrose, qui savait que sa tante n'avait jamais rien dit de tel, remarqua avec un sourire éblouissant :

— Je me demande bien qui pourrait vouloir épouser Vivian uniquement pour son argent.

— Je vous ai dit et répété qu'il vous fallait épouser quelqu'un de votre monde...

Agatha s'interrompit net, consciente d'avoir gaffé. Car s'il y avait quelqu'un qui appartenait au même monde que Vivian, c'était justement celui qui — assis à cette table — terminait ses mots croisés. Melrose, qui lisait en sa tante à livre ouvert, la vit — véritable machine à calculer ambulante —

s'empresser de faire le total de ce que valaient le manoir, le parc et les terres entourant sa propriété d'Ardry End. Elle était la seule famille de Melrose et n'avait aucune envie de partager ce privilège avec de quelconques pièces rapportées, fussent-elles des épouses ou des enfants. Aussi se dépêcha-t-elle de déclarer avec un soupir gros de philosophie :

– Enfin... Vous n'êtes plus toute jeune, ma petite Vivian. Et cet Italien me semble être un homme respectable. J'espère seulement qu'il aura le bon goût de conserver son titre. Contrairement à d'autres que je préfère ne pas nommer.

Melrose sentit plus qu'il ne le vit le regard acerbe dont elle l'enveloppa. Ses mots croisés terminés, il rangea son stylo dans sa poche et glissa :

– Dis à ton Italien de s'accrocher à son titre, Vivian. Tu auras fière allure en comtesse Giovanni !...

Vivian eut l'air si déconfit que Melrose, pour détourner la conversation, prit Agatha tante à partie :

– A propos, chère tante, comment se fait-il que vous soyez au courant de nos petits projets de voyage ?

– Je viens de la maison...

Celle de son neveu, bien sûr, pas la sienne. Agatha habitait un modeste cottage au toit de chaume sis dans Plague Alley.

– ... j'étais allée dire un mot à Martha au sujet de la dinde.

La cuisinière de Melrose avait menacé à une ou deux reprises – encore que de façon voilée – de rendre son tablier si lady Ardry continuait d'envahir sa cuisine. Évidemment, elle n'aurait jamais mis sa menace à exécution : Ruthven et elle étaient au service des comtes de Caverness depuis des lustres.

– Vous savez que Martha déteste vous avoir dans ses jambes. La cuisine est son domaine. (Ayant vidé son verre de bière, il poursuivit :) De toute façon, il n'a jamais été question de faire de la dinde pour Noël.

Le souffle coupé, Agatha se laissa aller contre le dossier de sa chaise :

– Ne dis pas de bêtises, Melrose. Nous mangeons toujours de la dinde à Noël.

– Les temps sont durs, ma tante. Cette année, nous aurons de la viande froide et des pommes de terre au menu. Point final. Mais vous ne m'avez toujours pas dit comment vous aviez appris que nous allions nous absenter.

76

— C'est par Ruthven que je l'ai su. Tout à fait par hasard, rassure-toi. Il ne m'adresse jamais la parole : il n'a jamais pu me sentir! Bref, je l'ai entendu en parler avec Martha alors que je me rendais à la cuisine.

Agatha avait-elle été jusqu'à coller son oreille à la porte pour espionner leur conversation? Elle en aurait été bien capable.

— J'emmène Ruthven, déclara Melrose.

Et de se demander si sa tante allait être frappée d'apoplexie ou si elle allait avoir une attaque. Elle faillit tout bêtement s'étouffer avec son sherry et crachouilla :

— Ruthven! Voyons, Plant, quelle mouche te... Tu ne peux pas l'embarquer.

A l'entendre, on eût dit que le maître d'hôtel de Melrose ne constituait ni plus ni moins qu'un excédent de bagage qu'on pouvait laisser en dépôt dans un casier de consigne.

— Oh que si! C'est un peu compliqué, mais je vais tâcher de vous expliquer. Martha tient à passer les vacances de Noël en famille à Southend-on-Sea. Or Ruthven n'a aucun atome crochu avec les parents de Martha. Seulement, comme c'est un gentleman, il ne peut pas refuser de l'accompagner à Southend. Pour lui tirer une épine du pied, je vais dire à Martha que j'ai besoin de lui. Comme ça, le tour sera joué.

— Mais tu n'as pas besoin de lui, Melrose!

— Si, pour me faire couler mon bain.

— Ton bain! Décidément, plus tu vieillis, plus tu deviens snob.

— Pourquoi ne pas vous offrir un petit voyage de votre côté? suggéra Plant. Vous pourriez aller faire un tour à Milwaukee. Ou en Virginie, chez ces Bigget avec lesquels vous étiez toujours fourrée, l'an dernier, à Stratford-on-Avon.

— Mais oui, Agatha, c'est une bonne idée, renchérit Vivian, s'arrachant à ses pensées moroses pleines de canaux vénitiens et de comtesses douairières obèses.

— Vous, vous feriez mieux de vous taire! Quand je pense que vous osez me laisser tomber... A la veille de Noël, encore. (Fourrageant dans son immense sac, lady Ardry en extirpa un mouchoir à l'aide duquel elle se tamponna les yeux. Puis, braquant sur Melrose un regard furieux, elle lança :) Mais alors, qui cuira ma dinde?

Le dernier descendant des comtes de Caverness sourit, trop poli pour répondre.

Malheureusement pour Melrose, « Rira bien qui rira le dernier » avait toujours été l'un des proverbes préférés de sa tante, aussi l'affaire n'en resta-t-elle pas là.

De fait, Agatha se précipita chez lui peu de temps après, alors qu'il prenait son café matinal, pour lui dire que le nom ne lui était pas inconnu.

— Quel nom? De quoi diable est-ce que vous parlez? bougonna-t-il.

Encore vêtu de sa robe de chambre et chaussé de ses pantoufles, il s'apprêtait à lire paisiblement le *Times* en savourant son petit déjeuner. Tout en faisant main basse sur les scones frais, Agatha s'empressa de préciser :

— St. Leger, mon petit Plant. Tu n'as pas oublié, tout de même.

Les yeux au ciel, elle poussa un profond soupir destiné à faire croire à son neveu qu'il n'allait pas tarder à devenir gâteux.

— Elizabeth St. Leger. Je ne suis pas vraiment une de ses intimes, mais ton oncle Robert...

— Je me souviens parfaitement d'oncle Robert. Qu'est-ce qu'il vient faire dans cette histoire?

— Robert était un grand ami du mari de lady St. Leger... Rudy, je crois. Ne me dis pas que tu n'as pas entendu parler de lui? C'était un artiste assez connu de son vivant. Quoi qu'il en soit, Robert avait toujours été attiré par la peinture, tu le sais...

— Première nouvelle! Oncle Bob passait les trois quarts de son temps à claquer son argent au jeu.

Et à faire la bringue à Londres, en Europe ainsi qu'en Amérique, où il avait d'ailleurs rencontré Agatha. Si cette dernière avait été jolie et pleine de vivacité à une époque de sa vie, cette époque était trop reculée pour que Melrose s'en souvînt.

— Où voulez-vous en venir au juste?

— A ceci qu'Elizabeth St. Leger et moi nous étant rencontrées à maintes reprises dans le passé, j'ai pensé que ce serait gentil de ma part de lui donner un coup de fil.

Flairant la catastrophe, Melrose se redressa sur sa chaise :

— Et pourquoi avez-vous fait ça, Agatha?

Comme s'il ne le savait pas...

– Eh bien, en t'entendant prononcer son nom, j'ai eu envie de renouer connaissance. Je te recommande ces scones, Plant. Ils sont nettement meilleurs que ceux que Martha prépare d'habitude. Elle a dû se décider à adopter la levure dont je lui avais...

– Au diable, la levure! De quoi avez-vous parlé avec lady St. Leger?

– De tout, de rien. Et entre autres choses, du week-end que tu dois passer à la campagne. Figure-toi qu'elle a absolument tenu à téléphoner à Charlie Seaingham...

La veille encore, elle ignorait jusqu'à l'existence de cet homme et elle en était maintenant à l'appeler « Charlie »!

– ... et Charlie a insisté pour que je sois de la partie, moi aussi. Alors... (Elle tendit le bras en un geste d'impuissance, suggérant que, quoi qu'il lui en coûtât, elle ne se déroberait pas à l'invitation.)

L'air morose, Melrose regarda sa tante étaler de la confiture sur un autre scone et en enfourner la moitié dans sa bouche.

– En résumé, vous avez réussi à vous faire inviter chez les Seaingham.

– Je me sentirai dans mon élément au milieu de tous ces artistes et de ces écrivains.

– Tant mieux pour vous. Je crains fort de ne pas pouvoir en dire autant.

– C'est normal, mon petit Plant : tu n'écris pas.

Il la regarda par-dessus ses lunettes à monture en or.

– Parce que vous êtes toujours sur votre roman policier, Agatha? Le pseudo-documentaire dans lequel vous décrivez Long Piddleton et ses prétendues turpitudes? Mais ça fait maintenant quatre ans que vous travaillez dessus. Et vous ne m'en avez toujours pas montré une ligne. (Il se replongea dans le *Times*.)

– J'ai décidé d'écrire dans le *Long Pidd Press*. Une simple rubrique. C'est après avoir envoyé une lettre incendiaire au journal – à propos de la mère Withersby qu'on avait retrouvée complètement beurrée dans la Grand-Rue – que l'idée m'est venue.

– Mrs Withersby est toujours beurrée, mais je ne vois pas en quoi ça vous concerne. Quant au *Long Pidd Press*, ce n'est pas un journal de très haute volée et les nouvelles qu'il contient sont totalement dénuées d'intérêt. Personnellement, je me moque pas mal de savoir que le vicaire fait pousser des roses d'une qualité exceptionnelle ou d'apprendre qu'il est strictement interdit de jeter des cannettes de bière dans la Piddle. Comment comptez-vous intituler votre rubrique, Agatha ?

— « Des yeux et des oreilles. »

— Avec un titre pareil, vous aurez des lecteurs à la pelle !

— Ne sois pas sarcastique. Ce sera une espèce de chronique sociologique. Long Pidd est un vieux village, j'interviewerai ses habitants. Bref, j'ouvrirai l'œil, je tendrai l'oreille... (Elle émit un gloussement entendu.)

— Joli ramassis de ragots en perspective, pronostiqua Melrose.

— Jamais de la vie ! J'ai mieux à faire que de m'occuper de ce genre de chose !

— Eh bien moi aussi, décréta Melrose en refermant son *Times* d'un geste sec.

III

Londres

7

Assis sur la tablette de la fenêtre derrière le bureau de Fiona Clingmore, Cyril le chat suivait d'un œil attentif la lente progression – le long de la vitre – d'un petit insecte, qui n'avait pas l'air de se douter du sort que le matou lui réservait.

Jury ne put s'empêcher de penser que le commissaire principal Racer aurait certainement bien aimé se couler, métaphoriquement du moins, dans la peau du chat, afin de pouvoir l'écraser lui aussi – comme on écrase un misérable insecte.

Assise sur sa chaise habituelle, Fiona Clingmore, la secrétaire de Racer, procédait aux ablutions précédant rituellement le déjeuner. Travail éreintant qui consistait non seulement à se remettre un peu de rouge sur les lèvres et à faire bouffer ses cheveux, mais à se refaire une beauté complète. Jury remarqua que son habituel ensemble noir s'accompagnait aujourd'hui de bas dernier cri parsemés de minuscules papillons noirs.

La jeune femme referma son poudrier avec un petit claquement sec et gratifia Jury d'un sourire éblouissant. Après quoi, elle croisa nonchalamment ses jambes gainées de noir en s'arrangeant pour faire remonter sa jupe de trois ou quatre bons centimètres.

— C'est moche qu'on vous ait demandé de revenir comme ça. Depuis combien de temps n'avez-vous pas pris de vraies vacances?

— Depuis l'âge de cinq ans. A l'époque, je passais l'été à Brighton avec mon seau et ma pelle. Ne vous tracassez pas

83

pour moi : il fallait que je rentre de toute façon. Wiggins est-il dans les parages?

Elle fit oui de la tête.

– Je l'ai aperçu dans le couloir, il y a un instant. Vous voulez le voir?

– J'ai besoin de ses lumières.

Fiona poussa un soupir.

– Il y a des jours où je me demande si vous n'êtes pas le seul, dans cette maison, à avoir besoin de lui. Pauvre Al.

Jury sourit. Désignant du menton la porte de Racer, il ajouta :

– Il s'attendait à ce que je sois là deux heures plus tôt, je parie?

Fiona fit la grimace :

– A cause de vous, il va être en retard à son club pour le déjeuner. Et il a horreur de boire son whisky soda passé midi.

Que Racer ait réussi à accéder au poste de commissaire principal était un mystère. La rumeur avait longtemps couru qu'il devait son fauteuil au népotisme, un petit curieux ayant découvert que la femme de Racer était apparentée à l'un des gros bonnets du Yard. Peu de temps après, certains avaient fait courir le bruit qu'il allait donner sa démission. Et maintenant, il se murmurait que Racer risquait fort de gravir un échelon supplémentaire et de se retrouver adjoint au préfet de police.

A l'idée que Racer allait encore grimper dans la hiérarchie, tous ses collègues étaient atterrés, Jury excepté, qui avait l'habitude que Racer dépose à ses pieds les fardeaux les plus variés.

Pour l'instant, c'était Cyril qui se trouvait aux pieds de Jury. Le matou avait profité de ce que le commissaire entrait chez son supérieur pour se glisser dans la pièce et aller se poster sur l'appui de la fenêtre, derrière le bureau de Racer. Ce dernier détestait l'animal pour lequel il n'avait jamais de mots assez durs, et qu'il traitait le plus souvent de sale chat pelé. Ce qui était d'une flagrante injustice, car Cyril n'était ni sale ni pelé. Il avait une fourrure d'un beau roux cuivré, des pattes blanches comme l'hermine, et il passait le plus clair de son temps à faire sa toilette quand il ne faisait pas bisquer le commissaire principal.

Racer, qui décrochait du portemanteau un pardessus tout neuf coupé sur mesure et se préparait à partir déjeuner à son club, s'exclama : « Vous! » en s'arrangeant pour donner à Jury l'impression qu'il n'aurait pu plus mal tomber. Ayant enfilé une manche de son manteau, il ajouta d'un ton soyeux :

— Dommage que nous ayons dû vous faire revenir de chez votre sœur de Glasgow.

Jury s'assit avec l'air de quelqu'un qui est décidé à s'incruster. Que Racer parût tout aussi décidé à lever l'ancre ne semblait nullement le perturber.

— Je n'étais pas chez ma sœur, mais chez ma cousine. A Newcastle, et non à Glasgow.

— Pauvres habitants de Glasgow, ils ne savent pas ce qu'ils ont perdu... Vous deviez être dans mon bureau ce matin, Jury, fit sèchement Racer. Mon déjeuner m'attend.

— Ce matin, j'étais dans le train.

— Lorsqu'il vous arrive de prendre un congé, vous ne pouvez pas laisser les flics du coin tranquilles? Il faut absolument que vous alliez fourrer votre nez dans leurs affaires! Je vous croyais plus malin que ça.

Jury regarda par la fenêtre en prenant tout son temps. Le soleil hivernal enveloppait Cyril, assis sur la tablette de la fenêtre dans un silence solennel, la queue savamment enroulée autour de ses pattes de devant. Sur le mur jouxtant la croisée était accroché le portrait officiel de la reine.

— Eh bien? jeta Racer. Décidez-vous, mon vieux. On ne va pas y passer toute la journée.

Jury s'arracha à la contemplation du félin.

— Excusez-moi. Alors que j'étais dans la région de la Tyne, je suis tombé sur une affaire qui m'a semblé mériter qu'on s'y intéresse.

L'ombre d'un sourire se dessina sur les lèvres de Racer. En dehors de son club et de la fréquentation de filles nettement plus jeunes que lui, Racer n'aimait rien tant qu'infliger à Jury de laborieuses causeries sur les origines, le développement et l'organisation des forces de l'ordre dans le Royaume-Uni.

— Eh oui, Jury. Les policiers, il y en a même dans le

nord-est de l'Angleterre. Jusque dans la Tyne et la Wear. *Alors qu'est-ce qui vous a pris d'aller vous mêler de ce qui ne vous regardait pas?*

Jury ne souffla mot. Cyril fouetta l'air de sa queue et bâilla.

— Eh bien, Jury? Voilà un bon quart d'heure que je devrais être parti! Vous allez me faire arriver en retard à mon club. Je vous écoute, mon vieux. Qu'avez-vous à dire pour votre défense? s'énerva Racer en faisant mine d'oublier que c'était lui qui avait gaspillé le quart d'heure en question en développements fumeux sur la création du corps des sergents de ville et autres joyeusetés de la même eau.

— Pas grand-chose, si ce n'est que je ne vois pas le rapport entre l'exposé que vous venez de me...

— Le rapport! Mais il est évident, mon garçon! Les policiers de Northumbrie sont tout à fait à même de s'occuper d'une affaire de meurtre – à supposer qu'il s'agisse bien d'un meurtre. Et ils n'ont que faire de votre concours.

Qui en a besoin, d'ailleurs? semblait insinuer Racer tandis qu'il se préparait à rallier son club.

Mais Jury, posé sur sa chaise avec une patience toute féline, alluma une cigarette au grand agacement de Racer. Le commissaire savait que le plus sûr moyen d'arriver à ses fins était d'empêcher son supérieur de prendre la porte.

— Ce qui est arrivé, c'est que...

Jury, qui avait commencé à expliquer à Racer les circonstances dans lesquelles il avait découvert le corps d'Helen Minton, fut interrompu par ce dernier au bout de trois minutes.

— Bien, bien. Passez-moi les détails. Dites-moi plutôt ce que vous voulez. Vous savez pertinemment que nous ne pouvons pas aller fourrer notre nez dans les affaires de nos collègues de Northumbrie. A moins qu'ils ne nous demandent expressément de leur donner un coup de main.

— Le sergent auquel j'ai eu affaire n'a pas eu l'air de me trouver importun. En revanche, j'ignore ce qu'en pense le commissaire divisionnaire. De toute façon, il n'est pas exclu qu'ils n'aient pas besoin de mon aide.

— « Votre aide », tu parles! s'exclama Racer.

Cyril, qui était descendu de son perchoir, attira soudain l'attention de Racer, qui appuya sur le bouton de l'interphone et ordonna à Fiona de le débarrasser sur-le-champ de la maudite bestiole. Après avoir contourné majestueusement le bureau, Cyril vint se frotter contre la jambe de Jury en ronronnant à plein régime.

— Mon aide, oui, poursuivit Jury sans se démonter. Car il se peut que j'aie été le dernier à parler à Helen Minton. J'attends les résultats de l'autopsie. Ce que je veux, c'est pouvoir jeter un coup d'œil à la maison d'Helen Minton à Londres...

— Vous voulez un mandat de perquisition, c'est ça? (Racer approcha sa montre en or de son oreille, comme si, par sa seule présence, Jury avait détraqué toutes les horloges de Scotland Yard à Greenwich.) Eh bien, procurez-vous-en un!

— Il se peut que ce ne soit pas nécessaire. Il y a peut-être quelqu'un dans la maison. Nous n'avons pas encore retrouvé le cousin d'Helen Minton.

Là-dessus, Racer entra en collision avec Fiona Clingmore, venue récupérer Cyril. Sans bouger d'un centimètre, Racer déclara d'un ton suave et typiquement racérien :

— Si je trouve encore une fois ce chat galeux dans mon bureau...

Au lieu de terminer sa phrase, il loucha sur le décolleté de Fiona.

— Mais monsieur, protesta Fiona, Cyril n'est pas à moi.

Elle mâchait du chewing-gum et il se tenait si près d'elle que c'est tout juste s'il ne reçut pas une bulle en pleine figure.

— Je ne peux pas passer mon temps à le surveiller.

Jury interrompit cet échange de propos aigres-doux en demandant où se trouvait Wiggins.

— A l'infirmerie, rétorqua Racer en rajustant avec soin ses revers.

— Nous n'avons pas d'infirmerie, soupira Jury.

— Inutile : nous avons Wiggins.

Cyril se faufila entre les jambes de Racer pour aller se poster devant la porte donnant sur le couloir. Une fois là, il se mit en devoir de nettoyer une patte qui n'en avait nul besoin. Lorsque Racer, arrivé suffisamment près de l'animal, lui décocha un coup de pied au passage, Cyril esquiva adroitement en sautant d'un bond sur le bureau de Fiona où il continua sa toilette.

– Je suis sûr que je couve quelque chose ; à deux jours de Noël, c'est bien ma chance, marmonna le sergent Alfred Wiggins, la partie inférieure de son visage dissimulée par un mouchoir. (Il se moucha.) Et moi qui n'ai pas encore acheté mes cadeaux...

Ils avaient laissé la voiture à deux pas de King's Road dans une rue incurvée en forme de croissant et se dirigeaient vers Sloane Square lorsque les vitrines pailletées de Peter Jones avaient rappelé à Wiggins ses achats de Noël. Les mannequins faméliques étaient sanglés dans des robes argent et noir, couleurs qui semblaient être le grand chic cette saison. Dans la vitrine adjacente – elle aussi brillamment illuminée – se trouvait une crèche opulente bien digne de Kensington et de Chelsea, qui n'avait rien à voir avec la piteuse Nativité de *l'Auberge de Jérusalem*. Les rois mages emmitouflés dans des caftans en lamé or et en soie semblaient être venus, non pour rendre hommage au nouveau-né couché sur la paille, mais pour venir dire bonjour aux filles d'à côté.

– Toute ma famille est à Manchester. L'un dans l'autre, il doit bien y avoir une douzaine de gosses. Je ne sais jamais quoi leur offrir. Comme je n'ai pas d'enfants... (Wiggins se fourra dans la bouche une pastille pour la gorge.) Je suis content de voir que Peter Jones s'est inspiré d'un thème religieux pour décorer sa vitrine.

Le visage en porcelaine de Marie semblait avoir été fardé par le maquilleur maison.

– Religieux, il faut le dire vite, fit Jury avec une moue.

– Oui, c'est vrai : c'est quand même un peu tiré par les cheveux. Vous avez vu les présents des rois mages ? On dirait qu'ils ont été emballés par des spécialistes du paquet-cadeau. (Wiggins éternua.)

– Ce qu'il vous faudrait, c'est de la myrrhe, glissa Jury.

Rien n'intéressait autant Wiggins que les médicaments qu'il ne connaissait pas.

– De la myrrhe ? Je croyais que c'était un parfum. Vous savez combien je suis allergique au parfum, fit Wiggins d'un ton de reproche.

Jury ne le savait que trop. Le sergent Wiggins était pratiquement allergique à tout, le poisson et les chips exceptés.

— On s'en sert aussi en pharmacie. On s'en servait, en tout cas. C'était excellent pour le rhume. Et la grippe, improvisa Jury.

Le fait de penser que les rois mages avaient eu la bonne idée d'apporter un remède au milieu de tous leurs présents eut l'air de remonter le moral de Wiggins. Jury eut du moins l'impression que le sergent, qui s'était approché de la vitrine, examinait la crèche avec un regain d'intérêt.

— Vous y croyez, vous, à tout ça? s'enquit-il.

Impossible de savoir s'il parlait de la myrrhe ou de la Nativité. Jury pensa au père Rourke, qui passait sa vie à répondre à des questions de ce type. Et il se demanda si ce n'était pas avec une pointe de tristesse que l'étalagiste avait placé les mannequins anorexiques en tenue de réveillon à côté des rois mages.

Jury ne répondant pas, Wiggins ajouta :

— Quand on voit ça, on a envie de se poser des questions, non?

Jury demeura silencieux. Il avait l'impression d'avoir subi une perte irréparable. C'était comme si, jailli de la nuit, un voleur en gants de velours et chaussures souples s'était emparé de ce sur quoi Jury ne parvenait pas à mettre un nom et avait pris la fuite, traversant la place au-dessus de laquelle flottaient des guirlandes lumineuses.

8

La jolie bonne qui leur ouvrit la porte à Eaton Place portait un impeccable uniforme vert bouteille, orné de man-
chettes blanches et de boutons bien astiqués, qui brillaient
autant que le heurtoir de cuivre. Mais elle avait les yeux
rouges, le visage tout pâle et l'air abattu. La carte que Jury
lui mit sous le nez ne lui fut d'aucun réconfort. Oui, la police
de Northumbrie l'avait prévenue. Derrière eux, le couloir
était noyé d'ombre; seule une applique en verre jetait un
peu de lumière au milieu de cette pénombre.

La jeune fille déclara s'appeler Maureen Littleton et être
la gouvernante de la maison. Jury fut un peu surpris qu'elle
occupât ce poste, compte tenu de son jeune âge. Il
commença par s'excuser de venir si tard et par déplorer les
circonstances qui l'amenaient. Sans doute aurait-il mieux
fait de se montrer moins compréhensif. Et sans doute Wiggins aurait-il mieux fait de ne pas sortir son mouchoir à ce
moment-là, car la petite gouvernante parut à deux doigts de
se remettre à pleurer. Désireux d'enrayer la nouvelle crise
de larmes qui s'annonçait, Jury lui réclama du thé.

— Le sergent Wiggins couve quelque chose; quant à moi,
j'en prendrais volontiers une tasse. Peut-être serions-nous
plus à l'aise dans la cuisine pour bavarder?

Ainsi remise sur les rails, Maureen retrouva tout son sang-
froid. La cuisine – avec son cadre familier et chaleureux –
parut également l'aider à se reprendre.

Ils pénétrèrent tous les trois dans son petit salon. Jury la
laissa mettre de l'eau à chauffer et préparer le thé sans lui
poser de questions ni faire de commentaires. Les préparatifs

s'accompagnèrent des propos rituels sur le temps et la neige, qui était le plus beau cadeau que pouvaient espérer les enfants pour Noël.

Le thé fumait lorsqu'ils prirent place auprès d'un bon feu. Ils s'étaient assis autour d'une table ronde et la petite gouvernante servit le breuvage brûlant en observant un silence quasi religieux. A la lumière – plus forte ici que dans le couloir –, Jury constata qu'elle était plus âgée qu'il ne l'avait cru tout d'abord. Sans doute était-ce dû à sa coiffure vieillotte, à l'absence de maquillage et à la coupe sévère de son uniforme.

– Depuis combien de temps travaillez-vous pour miss Minton?

– J'ai commencé par être au service des Parmenger, il y a maintenant près de dix-neuf ans. Helen – miss Minton – était la pupille de Mr Parmenger. A l'époque, je n'étais qu'une gamine, j'aidais à la cuisine. C'était du vivant de Mr Edward Parmenger. Mr Frederick est son fils. Mr Frederick, c'est le peintre. Il y avait quatre domestiques alors. (A en juger par son expression, on eût dit qu'elle parlait d'une époque reculée.) C'était au moment où miss Helen est partie en pension.

Wiggins, qui s'apprêtait à sortir son calepin, s'abstint en interceptant la brève et explicite mimique de Jury. Pour se donner une contenance, il extirpa de sa poche une boîte de pastilles pour la toux.

– Vous dites que miss Helen était pensionnaire, donc. Et Mr Frederick, il était pensionnaire, lui aussi?

– Oh, non, monsieur. Il faisait ses études à Londres.

– Miss Minton était la pupille de votre employeur, c'est bien cela?

Maureen hocha la tête. Un panache de buée jaillit de sa tasse, derrière lequel Jury vit son visage se fermer et la tristesse envahir ses traits.

– Connaissiez-vous les parents d'Helen Minton?

– Sa mère, oui; mais pas son père.

– Son oncle semblait-il avoir... de l'affection pour Helen?

Jury vit la jeune femme piquer du nez dans sa tasse, vivante incarnation de l'employée discrète et pas commère pour deux sous.

– Mr Edward était quelqu'un d'assez... disons... collet monté...

En d'autres termes, un crispé, un vrai gendarme, traduisit Jury.

— ... il n'était pas démonstratif. Sauf...

— Sauf? reprit Jury, l'encourageant à poursuivre.

La jeune gouvernante haussa imperceptiblement les épaules en remplissant la tasse que lui tendait le sergent Wiggins.

— ... sauf lorsqu'il se mettait en colère.

Autrement dit, il avait un caractère de chien. Jury eut beau faire, il ne parvint pas à obtenir de Maureen davantage de détails sur ce point.

— Miss Helen n'était pas comme ça. Elle n'a jamais dû dire un mot plus haut que l'autre. Pas plus lorsqu'elle était jeune que lorsqu'elle... (Cette fois encore, elle baissa les yeux.)

— N'est-ce pas un peu bizarre que ce soit Helen Minton, et non le propre fils de Mr Edward, qui ait hérité de la maison?

Maureen ne parut pas partager l'étonnement du policier.

— Mr Frederick... possède une petite maison. Dans St. John's Wood. Près de la villa où habitait Keats. Le poète, expliqua-t-elle complaisamment à Jury. Il dit toujours que la lumière y est excellente. Il dîne ici assez régulièrement avec miss Helen. Je l'ai entendu lui parler de... tabatières ou de verrières, je ne sais plus trop quoi. C'est un grand peintre, à ce qu'il paraît. Mais moi, je n'y connais rien.

Maureen semblait avoir une sainte frousse de Mr Frederick ainsi que de toutes les célébrités dont les noms s'étalaient à la une des journaux. Artistes, chanteurs de rock, vedettes de cinéma.

— Ils s'entendaient bien, alors?

La jeune gouvernante parut étonnée que Jury ait pu penser qu'il pût en être autrement.

— Je ne sais pas s'il s'en remettra, remarqua-t-elle avec simplicité.

Jury fut surpris. Helen Minton n'avait pas semblé se douter que sa mort pût avoir cet effet-là sur quiconque.

— Continuez.

— Qu'est-ce que vous voulez que je vous dise?

Afin de l'encourager, Jury lui adressa le genre de sourire qui en avait fait fondre bien d'autres, persuadé que Maureen ne resterait pas insensible à son charme. De fait, la jeune gouvernante avait le cœur aussi tendre que la génoise qu'elle leur avait offerte avec le thé. (Wiggins s'attaquait d'ailleurs à sa seconde tranche.)

– Selon vous, Frederick Parmenger apprécie... appréciait énormément sa cousine.

– C'est exact. (Elle se versa du thé et resservit également Jury, tout en égrenant ses souvenirs.) Ils ne pouvaient pas faire un pas l'un sans l'autre. A la minute où Helen est arrivée dans cette maison, ils dont devenus inséparables. Et cela a duré jusqu'au jour où elle est partie en pension. Il lui apprenait à peindre. Du moins, il essayait. Car elle n'a jamais eu le don. Mais lui, tout petit déjà, c'était un génie. Je n'étais pas encore chez les Parmenger. C'est Mrs Petit, la cuisinière, qui m'a raconté tout ça. « Mr Frederick est un génie », me répétait-elle à tout bout de champ.

Et que Mrs Petit – ou Maureen – ait compris la signification du mot importait peu.

– Il y a des tas de tableaux de lui en haut. Vous devriez y jeter un coup d'œil.

– J'aimerais visiter la maison, si cela ne vous ennuie pas.

Il lut dans son regard que rien de ce qu'il pourrait lui demander ne l'ennuierait.

Installée dans son petit salon en compagnie de Jury qui lui faisait la conversation et de Wiggins qui dégustait son gâteau en connaisseur, Maureen paraissait nettement plus détendue. Tellement détendue qu'elle ne songeait pas à trouver bizarre qu'un commissaire de Scotland Yard vînt enquêter sur la mort de sa maîtresse.

Lorsque Jury orienta de nouveau la conversation sur Mr Parmenger senior, le visage de la gouvernante se ferma de nouveau.

– Voyez-vous, Maureen, fit Jury, pensant par ce moyen trouver la clé de son cœur, si je vous pose toutes ces questions, c'est parce que je connaissais Helen Minton.

Elle se redressa brusquement sur sa chaise, considérant Jury d'un tout autre œil. Loin d'être un policier menant une enquête ordinaire, il prit subitement à ses yeux l'aspect d'un marin qui, au retour d'un long voyage, lui aurait déclaré avoir aperçu dans quelque port lointain un parent à elle, perdu de vue depuis longtemps.

– Je l'ai rencontrée par hasard. Je ne la connaissais que très superficiellement.

– C'était une fille adorable. Mais...

Elle braqua sur Jury des yeux remplis d'inquiétude.

– ... mais pourquoi toutes ces questions? fit-elle, se demandant soudain ce qu'un commissaire du Yard venait faire dans cette histoire.

Jury répondit de façon indirecte.

– Je voulais savoir quel genre de relations elle avait avec sa famille, son oncle, son cousin. Si quelqu'un lui en voulait.

Cette fois, lorsque Wiggins sortit discrètement son calepin, Jury le laissa faire.

– « Si quelqu'un lui en voulait? » répéta Maureen, son regard naviguant de l'un à l'autre de ses interlocuteurs. (Voyant qu'ils étaient sérieux, elle éclata d'un rire contraint.) A vous entendre, on dirait qu'elle a été... (Elle ne parvint pas à prononcer le mot.)

Jury s'en chargea à sa place :

– Assassinée? Eh bien, ce n'est pas exclu.

– C'est grotesque, fit Maureen avec un petit rire incertain. Personne n'en voulait à Helen. (L'amitié l'emportant sur le souci des convenances, elle avait laissé tomber le « miss ».) A ma connaissance, elle n'avait pas d'ennemis, et presque pas d'amis. Elle ne sortait que rarement, elle recevait à peine.

– Elle avait son cousin.

– Mr Frederick? C'est différent.

– Vous ne sauriez pas où il se trouve en ce moment? Nous n'avons pas réussi à le joindre. Et la police de Northumbrie aimerait lui parler.

Elle secoua la tête en signe de dénégation et ajouta d'un ton désapprobateur :

– Il s'absente assez souvent. Il fait de fréquents séjours en France ou dans des endroits de ce genre.

– Du temps où Helen vivait ici – après la mort de ses parents –, est-ce qu'elle s'entendait bien avec Edward Parmenger?

Maureen ne répondit pas; elle regardait Wiggins griffonner dans son carnet et ne semblait guère trouver cette activité à son goût. Sentant le regard de la jeune femme peser sur lui, Wiggins leva le nez et referma son calepin avant de remarquer :

– Ce gâteau, c'est vous qui l'avez fait, miss? C'est le meilleur que j'aie jamais mangé. Et je sais de quoi je parle, je n'avale pas n'importe quoi. Surtout quand il s'agit de sucreries.

Retenant un sourire, Jury détourna les yeux. Wiggins, qui n'avait pas son pareil pour prendre des notes et était capable de gratter du papier pendant plusieurs heures de rang, avait en outre commencé à faire du charme aux témoins.

En l'occurrence, la tentative du sergent fut couronnée de succès : Maureen s'empressa de lui couper une nouvelle tranche de gâteau. Après l'avoir remerciée, Wiggins prit le relais de Jury :

— Je ne sais pas pourquoi, mais j'ai l'impression que Mr Edward Parmenger n'avait pas beaucoup d'affection pour la jeune fille. Est-ce que je me trompe ?

De toute évidence, Maureen semblait trouver les sergents moins intimidants que les commissaires – surtout ceux qui n'hésitaient pas à réclamer une troisième part de gâteau –, car c'est le plus naturellement du monde qu'elle se laissa aller à répondre :

— Il était assez sévère avec elle, c'est vrai. Mais ce n'était pas quelqu'un de commode de toute façon.

— Il était comme ça avec tout le monde ? s'enquit Wiggins, faisant consciencieusement la chasse aux miettes à l'aide de sa fourchette.

— Non, pas exactement.

— Eh bien, alors ?

— Il n'aimait pas Helen. Mrs Petit ne cessait d'affirmer qu'il ne l'aimait pas.

— La cuisinière ?

— Oui. Mrs Petit ne pouvait s'empêcher de plaindre miss Helen.

Jury, qui fumait tout en contemplant le feu, attendait en rongeant son frein que Wiggins se décide à poser la question qui lui semblait découler des précédentes : *S'il ne l'aimait pas, pourquoi diable Parmenger avait-il recueilli Helen sous son toit ?*

— Est-ce que je pourrais avoir une autre tasse de thé ? fit alors le sergent qui, tout occupé à faire du charme à Maureen, en oublia de pousser son avantage.

Tandis que Maureen remplissait sa tasse, Jury s'enquit :

— Quel âge avait-elle ? Où l'avait-on mise en pension ?

— Dans le Devon. Dans un établissement très chic et très

cher, fit Maureen d'un ton suggérant que si Edward Parmenger avait été avare d'affection, il n'avait pas lésiné sur le plan financier. Elle avait quinze ans, je crois. Elle était là depuis un an ou deux lorsque Mr Edward a soudain décidé de l'expédier en pension.

– Pourquoi ?

Elle secoua la tête.

– Je l'ignore. Je servais à la cuisine alors. Et bien que Mrs Petit m'ait raconté beaucoup de choses, je n'ai jamais su... En tout cas, je n'ai jamais trouvé bizarre qu'il la mette en pension.

Oh que si ! songea Jury.

– Vous n'avez pas eu l'impression qu'il y avait eu... un scandale ? Et que c'était à cause de cela qu'il...

– Certainement pas, monsieur !

Jury ne put s'empêcher de sourire. Elle était beaucoup plus jeune que Mrs Petit ou que Ruthven – le maître d'hôtel de Melrose Plant –, et pourtant elle réagissait presque comme eux, pensait en termes victoriens.

A la façon dont Wiggins couvait la gouvernante des yeux, Jury se demanda si elle n'allait pas faire oublier au sergent sa passion pour les médicaments.

– Je suis persuadé, Maureen, que s'il s'avérait que votre maîtresse avait été assassinée, vous feriez tout pour que son assassin soit découvert et châtié. (Voilà qu'il se mettait à utiliser des tours de phrase victoriens, lui aussi !)

Maureen se raidit sur sa chaise.

– C'est exact, monsieur. Mais je ne peux pas...

Jury attendit mais Maureen garda le silence.

– Tout se passe comme si Mr Parmenger avait pris Helen chez lui contre son gré. Se serait-il senti obligé de la recueillir ?

– J'espère que si ma mère mourait... (Maureen se signa) il y aurait quelqu'un pour m'héberger. Je n'ai plus beaucoup de famille. Il me reste juste une vieille tante dans le comté de Clare. (Elle rougit. Quand on était gouvernante, on n'étalait pas ses problèmes sur la place publique. S'éclaircissant la gorge, elle poursuivit plus bas :) Je crois, en effet, qu'il s'est senti obligé de prendre la petite chez lui. (Elle tourna vers Jury des yeux emplis de tristesse :) Le papa d'Helen s'était suicidé, à ce qu'on raconte. Et sa maman est morte peu après. De chagrin, je crois.

– Ainsi Edward Parmenger s'est forcé à recueillir Helen?

Jury se pencha et posa la main sur le bras de Maureen.

– Écoutez, mon petit, je comprends que vous n'ayez pas envie de remuer de vieux souvenirs. Ce que je crois, moi, c'est que si Edward Parmenger a expédié Helen Minton en pension à la campagne, c'est parce qu'il ne voulait pas qu'elle soit sous le même toit que son fils. Les deux jeunes gens étaient très proches, ils étaient cousins. Et Helen était très jolie. Le père d'Helen était un faible... (Il marqua une pause sans relâcher sa prise sur le bras de Maureen. Wiggins prenait des notes tout en lançant à Jury des regards noirs.)

La jeune gouvernante soupira, fit mine de tisonner le feu, mais ne parvint pas à atteindre le tisonnier : Jury la tenait toujours par le bras.

– Le père d'Helen était le frère cadet de Mr Edward. Il buvait et il jouait, laissa-t-elle enfin échapper. Il travaillait pour Mr Edward. Et un beau jour, il s'est mis à... tripatouiller les comptes.

– D'où l'attitude d'Edward Parmenger à l'égard d'Helen? questionna Wiggins.

– Peut-être bien. Et d'un autre côté, il aimait beaucoup sa belle-sœur. Tout le monde l'aimait. Helen, je veux dire miss Helen, était le portrait craché de sa mère : réservée, discrète. Quand la vérité a éclaté et que Mr Edward a menacé son frère de porter plainte, la mère d'Helen n'a pas pu le supporter : ça l'a tuée.

– Edward Parmenger a peut-être offert l'hospitalité à Helen parce qu'il avait mauvaise conscience, dit Jury. Mais il ne tenait pas à ce qu'elle habite sous son toit. Aussi l'a-t-il envoyée en pension. (En son for intérieur, il se disait que cela n'expliquait pas tout.)

En voyant la jeune femme détourner la tête, Jury ne put s'empêcher de la plaindre. On eût dit qu'une main invisible avait desserré le col de son uniforme, fait tomber les épingles qui maintenaient ses cheveux. Une mèche de cheveux noirs s'était détachée et pendait le long de sa joue. Son peigne avait glissé dans le cou. Regardant le feu, elle murmura :

– Pauvre petite.

– Il voulait empêcher son fils Frederick de faire une bêtise.

La jeune gouvernante secoua la tête d'un air accablé.

— Franchement, je n'en sais rien.

Comprenant qu'il n'en tirerait plus rien, Jury se leva. Wiggins l'imita à regret. Plongé dans la contemplation de Maureen, il avait oublié de prendre des notes.

— Merci de votre aide, Maureen. Inutile de vous déranger. Nous retrouverons notre chemin tout seuls.

Comme par magie, elle remit tout en place : ses cheveux, son col, son sourire. *Vous n'y songez pas, monsieur, je vous raccompagne.*

La maison était de toute beauté. La pénombre qui enveloppait le hall faisait en quelque sorte pendant à celle qui régnait dans le salon doté de doubles rideaux de velours sombre, devant lequel ils passèrent pour atteindre la porte d'entrée. Un feu rougeoyait dans la cheminée. Jury aperçut la tête d'un teckel qui, la truffe en alerte, humait l'air chargé de senteurs inconnues.

— C'est son chien, expliqua Maureen.

En les voyant entrer dans la pièce, le petit chien se mit debout tant bien que mal, comme accablé par son poids ou par son chagrin. Il était installé sur un coin de tapis devant un fauteuil en cuir.

— Il refuse de bouger d'ici. J'essaie bien de l'emmener dans mon petit salon et de le faire se coucher près du feu. Mais dès que j'ai le dos tourné, il remonte l'escalier et revient s'installer ici. C'était là qu'elle s'asseyait après le dîner. Et elle l'aimait, ce vieux chien. (Maureen jeta un regard navré au teckel.) Il est pratiquement aveugle. Il n'en a plus pour longtemps.

Ils restèrent quelques instants sur le perron dans le noir, Maureen les bras passés autour de la taille pour se réchauffer cependant que Wiggins lui enjoignait de rentrer avant d'attraper la mort.

Jury contemplait, de l'autre côté de la rue, la façade nue de l'église d'Écosse. Le bâtiment couleur crème avait quelque chose de morbide sous la clarté lunaire. Le dépouillement quasi ostentatoire de l'édifice le mit de méchante humeur. L'absence de sculptures et de vitraux rehaussait encore la blancheur de la bâtisse. Agacé, il se dit que le Dieu des Écossais pouvait sûrement faire mieux que ça. Ces presbytériens... Puis, soudain, il se demanda à sa grande honte si les Écossais étaient presbytériens... Il aurait dû le savoir, nom d'une pipe! Est-ce que cela ne faisait pas partie des choses qu'un commissaire de police devait savoir? Il sentit qu'il lui fallait tirer la question au clair sur-le-champ. Wiggins devait être au courant, lui.

— Wiggins!

Surpris, le sergent Wiggins qui parlait repas de Noël avec Maureen sursauta et se tourna vers lui :

— Monsieur?

— Rien.

Wiggins reprit sa conversation avec Maureen.

— Quand on est policier, il n'est pas facile de faire des projets. Mais si je suis ici à Noël... ce sera avec plaisir. Je ne suis pas difficile, j'aime autant vous prévenir tout de suite. Ce que je préfère, c'est...

Jury se demanda lequel invitait l'autre à dîner et il sourit, oubliant son moment d'agacement.

— ... le poisson et les chips, conclut Wiggins. Vous voyez, c'est banal, mais...

— Et les pois cassés, vous aimez ça? s'enquit Maureen, d'un ton joyeux.

Jury suivit vaguement la discussion tout en examinant de nouveau l'église. *Un malheureux petit vitrail, ce n'est quand même pas trop demander! Faut-il vraiment que Vous les priviez de tout? Comment voulez-Vous que les fidèles aient foi en cette façade dénudée?* Sans même se rendre compte qu'il parlait tout haut, et tournant toujours le dos à Wiggins et à Maureen, il murmura :

— Elle était comme une sœur pour vous.

La conversation s'arrêta net. Il entendit Maureen inspirer bien à fond et se retourna, tout honteux. Il n'avait pas eu l'intention de dire ça. Ça lui avait échappé. Les deux jeunes filles avaient le même âge, toutes deux étaient jolies, gentilles et sérieuses. Et seules, il en aurait mis sa main au feu.

— Je suis désolé, dit Jury, se tournant de nouveau vers l'église d'Écosse et sentant renaître sa colère. (*Vous voyez ce que Vous me faites faire!*)

Il sentit la main de Maureen se poser doucement sur son bras. Et dans sa voix passa tout le parfum de l'Irlande.

— Vous avez raison, elle était comme une sœur pour moi. Mais je vous jure que j'ignore ce qui s'est passé. Si ce que vous dites est vrai, si quelqu'un l'a... J'ai beau être une bonne catholique, je crois que je serais capable de tuer son assassin de mes mains.

Jury resta planté devant l'église d'Écosse, sentant sa colère se dissiper mais pas sa tristesse. Cette porte, ce seuil lui rappelaient trop ceux du cottage du bout de l'allée, non loin du pré communal de Washington.

— Qui diable mange encore des pois cassés? fit-il en s'éclaircissant la gorge.

— Naturellement, je ne fête pas Noël, moi, déclara Mrs Wasserman en versant à Jury une seconde tasse de café bien fort. Vous me connaissez... (Elle accompagna son sourire d'un petit haussement d'épaules comme pour lui faire croire que sa religion était un article acheté sur un coup de tête un jour de soldes.) Mais ce n'est pas pour autant que je ne fais pas de cadeaux à ceux qui le fêtent.

Assis dans l'appartement de Mrs Wasserman, ils buvaient du café tout en mangeant des gâteaux.

Sa longue visite à Eaton Place avait mis Jury sur les genoux. Toutefois, bien que vanné, il n'avait pas été mécontent que sa voisine le surprenne alors qu'il remontait la petite allée.

Le commissaire n'avait en effet aucune envie de grimper deux étages pour réintégrer son logis désert. Peut-être devrait-il se décider à adopter Cyril avant que Racer ne s'avise de flanquer la pauvre bête par la fenêtre. Mrs Wasserman se ferait certainement un plaisir de nourrir l'animal – comme elle nourrissait Jury, chaque fois que l'occasion se présentait.

Elle avait été sidérée de le voir arriver car il lui avait dit qu'il allait passer quelques jours à Newcastle chez sa cousine. Sidérée et ravie. Car elle comptait sur Jury pour la protéger. Les verrous, chaînes de sûreté, barreaux et autres entrebâilleurs – qu'il l'avait, en partie du moins, aidée à mettre en place – étaient à ses yeux d'une efficacité dérisoire comparés à un commissaire de Scotland Yard qui avait le bon goût d'habiter juste au-dessus de chez elle.

Pendant quelques instants, elle était restée à se balancer dans son rocking-chair tout en évoquant les fêtes de fin d'année. Puis, penchée vers lui, d'une voix de conspirateur, elle murmura :

– En fait, j'aime votre Noël. (Comme si Noël était une invention de Jury...) Toutes ces décorations, ces guirlandes lumineuses, ces beaux sapins... Et Selfridge's! Vous avez vu les vitrines de Selfridge's? (Jury secoua la tête en signe de dénégation.) Ça vaut le déplacement, je vous assure. Je sais bien que vous êtes submergé de travail, mais vous devriez quand même aller jeter un coup d'œil. Les étalagistes se sont arrangés pour retracer les différents épisodes de l'histoire de Noël. Avec les rois mages et tout le bataclan.

Jury sourit.

– Chez Peter Jones aussi, les rois mages sont de sortie. Ils sont omniprésents, décidément!

Mrs Wasserman balaya Peter Jones d'un vigoureux revers de main.

– Bof... ce magasin... Sous prétexte que c'est à Sloane Square... Non, il faut aller voir les vitrines de Selfridge's, Mr Jury. (Il songea aux rois mages, à Maureen et à l'église d'Écosse.) Ne le prenez pas mal, mais vous avez l'air épuisé. C'est le travail : vous en faites trop. Tenez, reprenez donc un peu de gâteau.

Il secoua la tête avec un léger sourire.

– Ce doit être le travail, en effet. Désolé, Mrs Wasserman.

– *Désolé*? Vous me faites des excuses, à *moi*? (Feignant l'horreur, elle plaqua une main, les doigts écartés en éventail, sur son opulente poitrine. Sa chevelure, aussi noire que sa robe, était ramenée en arrière en un chignon si serré qu'il devait lui donner d'atroces migraines.) Il me fait des excuses, *à moi*, dit-elle à la chaise vide jouxtant celle de Jury, comme prenant à témoin un visiteur invisible. (Elle remplit de nouveau les tasses.) Après tout ce que vous avez fait pour moi, vous n'avez pas à vous excuser de vous sentir fatigué. Ah ça non, alors!

– Merci. Mais ma contribution est bien modeste, Mrs Wasserman. Je vous ai tout au plus aidée à poser un malheureux verrou.

Reposant la cafetière, elle s'adressa de nouveau à son visiteur invisible.

– Écoutez-moi ça! Un malheureux verrou, qu'il dit.

Mrs Wasserman sourit et hocha tristement la tête comme si Jury était un peu simple d'esprit.

— Vous m'avez aidée plus que vous ne le pensez depuis que vous avez emménagé dans cette maison. Avant votre arrivée, je n'osais même pas me risquer dans le métro. (Elle avala une gorgée de café.) D'ailleurs, un jour, vous le trouverez, j'en suis sûre, ajouta-t-elle en chassant des miettes de gâteau tombées sur ses genoux.

Jury, qui en était resté aux vitrines de Noël, mit un moment avant de comprendre que ce n'était pas de Dieu qu'elle parlait, mais de son persécuteur infatigable. L'homme qui, selon elle, la poursuivait depuis des années. Jury savait que cet homme n'existait pas.

Pourtant, aux yeux de Mrs Wasserman, il était bien réel. C'était une image qui était restée gravée dans son esprit depuis la Guerre — c'était ainsi qu'elle avait baptisé la Seconde Guerre mondiale. Le Viêt-nam n'étant, pour Mrs Wasserman, qu'une escarmouche inutile. Des responsables américains qui avaient été aux commandes à cette époque-là, elle disait qu'ils n'avaient *rien dans le cigare*. La Guerre c'était autre chose. Malgré la différence d'âge, elle voyait en Jury un allié. Il avait six ans et elle était jeune fille pendant la Guerre. Jamais il ne lui avait demandé ce qu'elle avait enduré pendant cette période noire — elle habitait la Pologne, alors — et jamais elle n'avait évoqué ces sombres années devant lui. Tout au plus s'était-elle bornée à lui montrer des photographies. Pas des photos de guerre. Seulement des instantanés représentant les membres de sa famille. Et sans faire de commentaires. Quelle que fût l'origine du Persécuteur, c'était un être qui avait fini par s'ancrer durablement dans son esprit et se nourrissait de ténèbres, tout comme la plante verte qui s'étiolait dans un coin de cette pièce où la lumière ne pénétrait que rarement. Mrs Wasserman laissant le plus souvent les rideaux fermés, les chaînes de sûreté mises, le verrou tiré.

Cela soulageait infiniment la bonne dame de savoir que Jury la croyait. Elle respirait d'aise en le voyant noter scrupuleusement le signalement qu'elle lui fournissait après chacune de ses rencontres avec son poursuivant. Et ces rencontres avaient été nombreuses... Quant au signalement, c'était celui d'un sur trois des passants que Jury croisait dans la rue...

Elle s'était remise à parler à l'occupant invisible de la troisième chaise, lui expliquant que le commissaire, modeste, refusait de reconnaître le rôle bénéfique qu'il avait joué dans sa vie. Avant qu'il ne vînt emménager deux étages plus haut, c'est à peine si elle osait mettre le nez dehors.

Et c'était la stricte vérité. Avant qu'il ne l'accompagne jusqu'au passage de Camden, au marché et à la station de métro, elle s'était bornée à faire des sauts de puce chez les commerçants les plus proches de son domicile afin d'acheter de quoi se nourrir.

Pourtant, bien que toujours occupée – derrière ses rideaux – à épier Jury pour savoir quand il était là et quand il était sorti, Mrs Wasserman respectait sa vie privée avec beaucoup de tact. Jamais elle ne s'était avisée de se mêler de ses affaires comme le faisaient, par exemple, sa cousine ou ses copains. Jamais elle ne lui avait déclaré d'un air entendu : *ce qu'il vous faudrait, c'est une femme*, une petite amie, un chien, un chat, quelque chose, n'importe quoi.

– ... en un sens, c'est déprimant. (Elle parlait toujours des fêtes de fin d'année.) Toutes ces lumières, toutes ces guirlandes. (Elle haussa les épaules.) C'est vrai qu'il y a une recrudescence des suicides à Noël?

– Parfaitement exact, acquiesça Jury.

Elle vida sa tasse.

– C'est bien triste. Ce ne doit pas être facile d'être chrétien.

C'était plus une question qu'une affirmation et, convaincue que sa remarque était de mauvais goût, elle détourna les yeux.

Jury sourit.

– Je ne sais pas si je suis chrétien. Il y a des années que je n'ai pas mis les pieds à l'église.

– Nous pourrions y aller, suggéra-t-elle soudain.

– Pardon?

Elle se leva d'un bond.

– Allez, venez. Quelques minutes seulement. Vous n'en mourrez pas. D'ailleurs, St. Stephens est juste au bout de la rue.

Jury eut du mal à en croire ses oreilles.

– Mais Mrs Wasserman... Est-ce que... Vous croyez qu'on vous laissera entrer?

Bras levés au ciel, elle prit la chaise vide à témoin.

– Si je crois qu'on me laissera entrer? Je voudrais bien voir... Qui m'en empêcherait, Mr Jury? La police? (Elle éclata d'un rire sonore, persuadée d'en avoir lâché une bien bonne. Comme elle arrimait son chapeau à l'aide d'une épingle cependant que Jury l'aidait à enfiler son manteau, elle ajouta :) Après ce que j'ai enduré pendant la Guerre, on ne va pas s'amuser à couper les cheveux en quatre, pas vrai?

Jury fut réveillé par le téléphone le lendemain matin. Comme il tendait le bras vers l'appareil, il constata que la matinée était bien avancée et qu'il n'était pas loin de midi. Impossible, songea-t-il. Son vieux réveil avait dû s'arrêter à minuit. Il le prit et le secoua, mais celui-ci continua de faire entendre son tic-tac habituel, se contrefichant de ce que son propriétaire ait pu rater le train du matin pour Newcastle.

– Le con, jura-t-il dans le récepteur à l'autre bout duquel se trouvait l'oreille délicatement ourlée du commissaire principal Racer.

– Eh bien, Jury, jeta sèchement Racer. Non content de faire la grasse matinée, il faut encore que vous insultiez vos supérieurs.

– Je parlais à mon réveil.

Il y eut un bref silence indiquant que Racer – Jury le connaissait comme s'il l'avait fait – essayait de trouver une riposte cinglante.

Mais tout ce qu'il réussit à sortir fut :

– Achetez-vous un chat, mon vieux. (Là-dessus, des bruits de fond se firent entendre, au milieu desquels Jury crut distinguer un feulement.) Vivre seul ne vous vaut rien. Si vous voulez, je vous donne le chat pelé de Fiona.

– Cyril est beaucoup trop attaché à vous. Mais dites-moi, c'est pour cela que vous m'appelez? Pour me parler de Cyril? (Jury se prit la tête dans la main. Pour une raison qui lui échappait totalement, il avait l'impression d'avoir la gueule de bois. Or il n'avait même pas bu une bière au pub du coin. *Cela t'apprendra à traîner dans les églises, mon grand*... Il s'aperçut que Racer continuait de brailler à l'autre bout du fil.)

– Je vous demande pardon?

– Je *disais*... Bong sang, mon vieux, concentrez-vous un peu!... Ce gars de la police du Northumberland...

— Northumbrie, rectifia Jury.

— Quand j'aurai besoin d'un cours de géographie, je vous sonnerai! Depuis que vous êtes passé commissaire...

La diatribe se poursuivit pendant une bonne minute, Racer n'ayant toujours pas digéré l'accession de Jury au rang de commissaire. Agacé, ce dernier finit par lui couper carrément la parole :

— Vous parliez de la police de Northumbrie, monsieur.

Racer marqua une pause, examinant ce « monsieur » sur toutes les coutures. N'y ayant rien trouvé à redire, il enchaîna :

— Un nommé... Attendez un instant. (Il y eut un bruit de papiers froissés.) Colin... Machin... Colin... Chose. (Nouveau froissement de papiers.)

Jury, qui bâillait à se décrocher la mâchoire, posa les pieds par terre et le regretta aussitôt. Sa tête lui faisait un mal de chien.

— Vous êtes sûr que ce n'était pas plutôt Cullen? Roy Cullen?

— Oui, oui, jeta Racer, impatienté. C'est bien ça. Un drôle de culotté, votre Cullen. Qu'est-ce qu'il s'imagine? Que je vous sers de répondeur téléphonique?

Jury, qui avait attrapé sa chemise, s'efforçait de l'enfiler. Non sans peine, le fil du téléphone ne facilitant pas la manœuvre.

— Peut-être pourriez-vous me transmettre son message?

— Le voici : c'est à propos d'une dénommée... Minton.

Racer savait pertinemment de qui il s'agissait. Mais comme ce n'était pas lui qui avait soulevé ce lièvre le premier, il n'avait aucune envie de se montrer accommodant.

— Helen Minton. Votre ami Cullen a reçu le rapport d'autopsie. Il m'a dit que vous aimeriez connaître les résultats. Elle a été empoisonnée.

Là-dessus il raccrocha et Jury se retrouva fixant le récepteur muet avec des yeux ronds.

IV

Bloqués par la neige

10

C'est à cause de la neige qu'ils furent obligés de s'arrêter, les flocons se précipitant contre le pare-brise avec la force de balles traçantes.

— Cette fois, nous nous sommes bel et bien perdus, déclara lady Ardry, qui s'était emparée d'autorité de la carte et de la petite torche dès l'apparition des premiers flocons.

Recroquevillé près d'elle sur la banquette arrière, Ruthven était emmitouflé dans son plaid.

— Ne dites pas de bêtises, Agatha, rétorqua Vivian. Nous ne nous sommes pas perdus ; la neige nous a forcés à ralentir, c'est tout. Nous sommes sur la route que Charles nous a conseillé de prendre.

— Tu ne peux pas continuer à conduire dans ce blizzard, mon petit Plant. Il faut t'arrêter.

Et où donc ? se demanda Melrose. Il faisait nuit noire — alors qu'il n'était que cinq heures et demie —, et il ne voyait pas à un mètre devant lui.

— A l'endroit où nous avons vu pique-niquer tous ces gens dans leurs caravanes, peut-être ? (De sa main gantée de cuir, Melrose essuya tant bien que mal le pare-brise couvert de buée.)

— Il y avait un coin où tu aurais pu faire halte sur le bas-côté... Attends, il me semble que j'aperçois un panneau. (Agatha frotta la vitre et y colla le nez pour essayer de voir dans l'obscurité.) « Spinney Moor. » (S'aidant de la torche stylo, elle s'efforça de trouver la localité en question sur la carte.) Doux Jésus ! Je ne te félicite pas, Plant ! Grâce à toi, nous sommes au beau milieu de la lande !

– Alors nous ne sommes pas loin de chez les Seaingham. D'après Charles, ils sont juste au nord de Spinneyton, commenta Vivian.

– Je hais les landes et je hais encore plus les marécages, fit Agatha en frissonnant.

Négociant un virage délicat, Melrose enchaîna :

– Ça ne manque pourtant pas de pittoresque. Vous avez entendu parler de l'Éventreur de Spinneyton, ma tante? Non? Eh bien, figurez-vous que l'Éventreur découpait ses victimes en rondelles et jetait les morceaux dans les différents marécages alentour.

A l'exception du « Melrose! » discrètement réprobateur de Vivian et du « Voyons, *milord* ! » chuchoté par Ruthven, le silence le plus complet régna dans la voiture pour la première fois depuis que les voyageurs s'étaient engagés sur la A-1.

– Tu essaies de nous faire peur, Plant, fit Agatha d'une voix malgré tout incertaine.

– Je vous assure que non, ma tante. L'Éventreur avait une passion pour les haches et...

– Pour l'amour du ciel, Melrose! coupa Vivian, essuyant la buée qui ne cessait de se former sur le pare-brise.

Emporté par son élan, Melrose se mit à broder intérieurement d'autres variations sur le même thème : *Meurtres à Spinney Moor*, *L'homme qui errait sur les Moors*... Il se promit de soumettre ces titres prometteurs à son amie Polly Praed, qui ne manquerait pas d'en faire ses délices.

– On vient de passer devant un panneau indiquant « Spinneyton », soupira Vivian avec un soulagement manifeste. Il doit bien y avoir un pub dans ce village. Je suggère que nous nous y arrêtions afin de téléphoner à Charles Seaingham.

– Vivian a raison, renchérit Agatha. Arrête-toi au premier pub venu.

– Le premier risque fort d'être également le dernier. Spinneyton n'a pas l'air très animé, bougonna Melrose.

Les bras croisés au-dessus du volant, il essayait de voir à travers le pare-brise couvert de neige.

– De la lumière! Là! hurla soudain lady Ardry.

– A vous entendre, on se croirait dans *Othello*. Je ne suis pas aveugle, Agatha!

Au loin, les fenêtres de ce qui semblait être un cottage brillaient, telles de frêles étoiles, à travers le blizzard.

— La maison des Seaingham n'est qu'à trois ou quatre kilomètres au nord du village. Si Byrd, dans l'Antarctique, a réussi à arriver à bon port, il n'y a pas de raison que nous soyons moins chanceux que lui.

Cette vaillante assertion déclencha une vague de protestations, à laquelle se joignit discrètement Ruthven, qui craignait davantage de voir son employeur attraper une pneumonie que de finir avec ses compagnons de route dans la boue épaisse d'une fondrière de Spinney Moor.

— Si c'est un village, fit Agatha, mastiquant un sandwich pêché dans le panier du pique-nique qu'elle avait demandé à Martha de préparer, il y a forcément un pub. Les villages sans pub, ça n'existe pas.

De fait, il y en avait un : les lumières étaient celles d'un bâtiment trapu et carré, coupé du reste du monde par la neige. Les voitures garées dans le petit parking jouxtant la bâtisse étaient ensevelies sous des tonnes de neige. Tandis que les voyageurs s'extirpaient du véhicule, la porte du pub s'ouvrit brutalement et un homme qui proférait des imprécations en flanqua un autre dehors. Celui qui avait été éjecté se releva, se débarrassa tant bien que mal de la neige qui recouvrait sa chemise et ses bottes et repartit d'un pas résolu vers la porte.

— Seigneur! murmura Agatha. Qu'est-ce que c'est que cet endroit de sauvages?

Melrose leva les yeux vers la façade qu'éclairait la lumière sourde d'une lampe et déchiffra le nom inscrit sur l'enseigne :

— *L'Auberge de Jérusalem.* Exactement ce qu'il nous fallait.

— Voilà ce qui s'appelle s'en payer une tranche, commenta Melrose. (Ayant allumé un cigare, il observait la suite de la rixe amorcée à l'extérieur qui continuait de faire rage à l'intérieur.)

Agatha, qui avait empoigné son neveu par le bras, tentait de l'obliger à tourner les talons sans plus tarder. Bouche bée, Vivian regardait la scène. Quant à Ruthven, il n'eut que le temps de rentrer la tête dans les épaules afin d'éviter une chaise qui lui siffla quasiment aux oreilles.

Un habitué s'approcha de l'entrée du pub, sans doute

pour chercher le flic du coin. Que pouvait bien fabriquer le représentant de l'ordre local par un temps pareil, de toute façon ? Pendant ce temps, un type brun à l'oreille ornée d'un anneau empoigna une table et fit mine de l'écraser sur la tête d'un gros tatoué en veste de cuir. Un type à lunettes noires et gilet clouté intervint in extremis.

— J'vais te casser la gueule, espèce d'andouille !

Ce furent là tous les remerciements que récolta l'homme au gilet clouté pour s'être interposé tandis que le brun à la boucle d'oreille se dégageait.

— Calme-toi un peu, Nutter, brailla un vieil homme en donnant trois coups de canne sur le plancher comme si ces incantations hautement magiques étaient de nature à mettre un terme à la bagarre.

Loin de se calmer, le fameux Nutter, cravaté par un rouquin costaud qui se mit à lui taper dessus, empoigna ce dernier par ses coquettes mèches rousses et lui expédia un coup de tête en plein dans le nez. Le sang se mit à gicler tandis que le malabar se laissait tomber comme une masse sur un banc.

— Debout, lève-toi, j'vais te péter la gueule, vociféra celui qui répondait au doux nom de Nutter.

L'homme qui se tenait debout derrière le bar en fer à cheval — et que Melrose prit à juste titre pour le tenancier de l'établissement — ressemblait à un général dont les troupes auraient été prises de folie.

Une autre table dégringola dans un horrible fracas de verre brisé lorsque deux autres excités entreprirent de s'administrer des coups de boule, passe-temps qui semblait fort prisé dans la maison.

Plusieurs non-belligérants, hommes et femmes, installés sur les bancs de bois alignés le long du mur, appréciaient le spectacle en connaisseurs. Le consommateur que Melrose avait aperçu en entrant dans le pub avait arraché un pied à une table et s'apprêtait manifestement à se diriger vers lui. Melrose appuya sur un bouton astucieusement dissimulé dans le pommeau d'argent de sa canne et fit jaillir la lame qui s'y dissimulait. Comprenant qu'il faisait fausse route, l'homme au pied de chaise s'empressa de rebrousser chemin et partit à la recherche d'un autre adversaire sur qui taper.

La mêlée se termina aussi abruptement qu'elle avait

commencé. Chaises et tables furent remises en place, les morceaux de verre disparurent comme par enchantement, les bouteilles furent exhumées de leurs cachettes et tout le monde s'assit pour souffler et boire tranquillement un verre.

C'est alors que plusieurs paires d'yeux se tournèrent vers les étrangers plantés devant l'entrée et que Melrose se demanda quel spectacle *ils* devaient offrir, tous les quatre, dans ce pub de prolos. Vivian sanglée dans son vison (cadeau du comte italien). Agatha drapée dans sa cape noire. Ruthven tenant son chapeau melon au creux de son bras. Lui-même en pardessus de ville, canne-épée au poing. Dans cet établissement bruyant, ils étaient à peu près aussi à leur place qu'un quatuor à cordes.

— Auriez-vous le téléphone? demanda Melrose au tenancier. Et une bouteille de Rémy Martin?

Le patron du pub – tout juste un peu pâle peut-être – répondit :

— Le téléphone est à côté du bar, mon vieux.

Vivian s'en fut appeler Charles Seaingham.

— Eh bien, Melrose, c'est un charmant endroit que tu nous as déniché, murmura Agatha, empoignant son verre ballon et allant s'asseoir à une table inoccupée près de la cheminée.

Ruthven accepta un doigt de cognac et s'en fut prendre place sur un des bancs de bois, comme si tel était le lot des domestiques. Il entra bientôt en conversation avec un de ses voisins, qui entreprit de lui raconter la bagarre avec force détails.

En attendant que Vivian ait fini de passer son coup de fil, Melrose balaya *l'Auberge de Jérusalem* d'un coup d'œil circulaire. En dépit de l'échauffourée, du décor spartiate et du mobilier quelconque, le pub – avec ses décorations de Noël – essayait de se montrer à la hauteur de son nom.

— Qu'est-ce que vous prenez? demanda Melrose au patron en posant un billet sur le comptoir. Au fait, qu'est-ce qui a déclenché cette bagarre?

Le tenancier, qui déclara s'appeler Hornsby, remercia Melrose de son offre et haussa les épaules.

— Aucune idée, mon vieux. C'est sans arrêt que ça se produit. Nutter déconne à pleins tubes et après il s'étonne qu'on lui en colle une sur le coin du nez. (Le patron haussa les épaules avec philosophie puis, fixant la canne-épée de Melrose, il ajouta :) C'est légal, au moins, ce truc-là?

— Pas vraiment. Dites-moi, vous ne connaîtriez pas un certain Charles Seaingham? C'est chez lui que nous allons.

— Seaingham? Bien sûr que je le connais. Vous traversez Spinneyton – ce qui est vite fait – et vous prenez la première à droite. Mais je ne sais pas si vous réussirez à aller très loin avec cette gadoue. (Il s'en fut servir deux bières pression au tatoué et à un petit type qui ressemblait vaguement à un aspic. Puis il revint.) Saleté de temps. Vous êtes du Sud?

— Northants.

A en juger par la grimace d'Hornsby, c'était bien le « Sud ». Malgré la bagarre récente, l'établissement avait comme un air de fête. Des décorations poussiéreuses avaient été exhumées de leurs emballages. Collées sur le grand miroir, derrière le bar, de grosses lettres en carton tantôt rouges et tantôt vertes souhaitaient aux habitués un « joyeux Noël ». Des guirlandes lumineuses étaient accrochées aux poutres du plafond d'où pendaient également des cheveux d'ange.

En allant rejoindre Agatha et Vivian près de la cheminée, Melrose vit que le clou de la décoration était une crèche grandeur nature installée près de l'âtre. Tout plâtre et peinture écaillée, la Nativité offrait aux regards un spectacle plutôt désolant. Il y avait là une chèvre aux oreilles cassées, un agneau avec une patte de devant en moins. Comme pour prêter main-forte aux deux uniques représentants de la gent animale, un chien appartenant à une race indéterminée était venu se coucher entre l'agneau et la chèvre. Souriant benoîtement, Marie et Joseph étaient penchés au-dessus d'une boîte remplie de paille, dans laquelle s'était fourré un chaton. Le petit chat avait de vilaines taches noires qui lui donnaient l'air d'une gargouille.

Melrose se sentit envahi par une tristesse sans nom en songeant que Marie et Joseph ne savaient même pas que le divin enfant n'était pas là. Et puisqu'il était question des absents, où donc était passé le troisième roi mage?

— Cesse de tournicoter partout comme ça, Melrose, et assieds-toi près de moi. Vivian a eu Charles Seaingham au téléphone...

114

– ... Et il va venir nous chercher, compléta Vivian. D'après lui, compte tenu du temps, c'est encore la meilleure solution.

– Pourquoi l'obliger à se déranger ? Nous pourrions coucher ici cette nuit et repartir demain matin. Ils doivent bien avoir des chambres.

– Des *chambres* ? lança Agatha. Dans un *pub* ?

Pendant qu'ils attendaient Seaingham, Melrose prit son verre et s'en fut dans la pièce du fond où deux billards – à moins que ce ne fussent des snookers – avaient attiré les amateurs plus ou moins ivres. Les seuls à être sobres étaient un beau jeune homme en chemise foncée et gilet de cuir qui enduisait de bleu l'extrémité de sa queue et bavardait avec un autre jeune homme brun et grand, qui avait la bouche tombante des débiles ou des attardés.

Melrose regarda l'un des joueurs placer les billes et réfléchir un instant avant d'ouvrir le jeu par un coup qui envoya la bille blanche par terre. Par la même occasion, il en profita pour asperger de bière le feutre vert élimé. Une dispute éclata. Avant qu'elle ne prenne les proportions de celle qui avait eu lieu dans le bar, Melrose quitta en hâte l'arrière-salle surchauffée pour réintégrer la pièce de devant où régnait un climat plus tempéré. A peine s'était-il assis qu'il vit – à sa grande joie – la porte du pub s'ouvrir et livrer passage à un gentleman qui ne pouvait qu'être Charles Seaingham. Le nouvel arrivant échangea quelques mots avec Hornsby, qui lui désigna du doigt la table près de la cheminée.

Charles Seaingham se confondit en excuses – comme s'il était responsable du temps – et les félicita de leur patience. C'était un grand type à cheveux gris qui devait avoir une bonne soixantaine d'années. Sous une allure presque rustique, c'était en fait un homme du monde très sophistiqué doté d'un goût et d'un jugement très sûrs, qui pouvait faire et défaire les réputations. Melrose songea que Vivian devait se sentir flattée : non content d'admirer sa poésie, Charles Seaingham allait jusqu'à l'inviter à passer le week-end chez lui. Tandis qu'on procédait au rituel des présentations, Agatha en profita pour placer son couplet sur le comte de Caverness – et Melrose s'empressa de la faire taire.

— Nous devrions peut-être y aller, fit Seaingham. Je suis venu vous chercher avec la Land Rover, car c'est le seul véhicule capable de se risquer sur les routes à l'heure actuelle. (Tandis qu'ils se dirigeaient vers la porte, le critique d'art crut bon de préciser :) Ma femme et moi sommes en petit comité. Je suis sûr que nos amis vous plairont. (Il rit.) En tout cas, eux seront certainement ravis de vous voir : il y a maintenant trois jours que nous sommes bloqués par la neige.

Charmant! songea Melrose.

Les Seaingham habitaient une abbaye.

La plaque de bronze apposée sur l'un des piliers de pierre du portail annonçait d'ailleurs clairement la couleur : « Spinney Abbey. »

La « résidence secondaire » des Seaingham était en fait une immense bâtisse dont les chambres rébarbatives et glaciales – Melrose se doutait qu'elles le seraient – attendaient les voyageurs à l'extrémité d'une allée de quelque cinq cents mètres de long, dégagée en partie seulement. Le bâtiment était vaste, austère, percé de fenêtres encaissées entre des murs épais, en un mot médiéval. Les hautes cheminées surmontées de mitres coniques s'élançaient telles des flèches dans le ciel nocturne. En entendant Seaingham expliquer à ses invités que les abbayes étaient le plus souvent édifiées dans des endroits isolés et peu riants, Melrose sentit son moral dégringoler d'un cran encore.

La petite troupe descendit de la Land Rover et, têtes rentrées dans les épaules pour lutter contre les rafales de neige, se dirigea tant bien que mal vers la porte d'entrée, dont le battant massif semblait décemment ne pouvoir être ouvert que par un solide couple de Goths. Mais, ô miracle, ce fut un unique maître d'hôtel qui vint ouvrir.

– Marchbanks, lança Seaingham pendant que ses invités se débarrassaient de leurs manteaux, écharpes et bottes, veillez à ce que le domestique de lord Ardry soit correctement installé, voulez-vous ? Et dites à la cuisinière que nous dînerons dans une demi-heure. (Il sourit.) Nos visiteurs sont gelés, ils ont bien besoin de prendre un verre avant de passer à table.

Melrose trouva que l'adjectif « gelé » résumait parfaitement la situation. Le grand salon, d'une hauteur de plafond à donner le tournis, s'ornait d'un immense âtre central et de fenêtres impressionnantes. Un gigantesque arbre de Noël éclairé par un enchevêtrement de guirlandes lumineuses blanches se dressait sous le plafond voûté. Jadis, ce salon avait dû servir de salle à manger aux grands seigneurs en visite ainsi qu'à leur suite. Aujourd'hui, cette pièce ne semblait plus être qu'un lieu de passage conduisant à d'autres salles, tout aussi féodales.

Marchbanks, qui avançait d'un pas martial aux côtés de Ruthven, était parfaitement à sa place dans ce décor guindé. On l'eût dit descendu tout droit d'une des niches murales abritant les bustes austères de personnages à la tête tristement penchée et à l'allure vaguement religieuse.

Tandis que son maître d'hôtel se chargeait de Ruthven, Seaingham entraîna ses invités en direction d'une grande porte à deux battants, dont le bois foncé et ciré luisait sourdement.

Il n'y avait pas tellement de monde dans la pièce et pourtant celle-ci donnait l'impression d'être aussi pleine que la tribune d'un stade de rugby un jour de finale. Peut-être cela tenait-il à la façon dont les invités étaient disséminés ou plus exactement posés sur les canapés, les fauteuils ou les chaises. Le pichet de martini avait de toute évidence effectué de nombreux aller et retour ; quant à la bouteille de whisky, elle paraissait sérieusement entamée.

L'atmosphère qui régnait ici n'avait rien à voir avec celle qui prévalait dans le grand salon. Certes, le manteau de l'énorme cheminée s'ornait des armoiries de quelque gentilhomme défunt. Et dans l'embrasure des hautes fenêtres étaient ménagées des banquettes de pierre. Mais en dehors de cela, la pièce était d'une chaude élégance, tout velours et brocart, murs vert pastel, plafond crème rehaussé de moulures et de guirlandes. Melrose avait une véritable passion pour les plafonds : Ardry End s'enorgueillissait d'ailleurs d'admirables plafonds néo-classiques dus à Robert Adam, dont Plant se plaisait à suivre d'un œil expert les savantes circonvolutions – lorsque Agatha s'invitait à prendre le thé chez lui notamment.

D'une aile éloignée du bâtiment s'échappaient les sons particulièrement discordants d'un piano.

Grace Seaingham, épouse de Charles et maîtresse de maison accomplie, réussit à faire faire le tour de la pièce à Agatha et Vivian sans même leur effleurer le bras.

C'était une femme d'une minceur frôlant la maigreur, d'une beauté froide rendue plus réfrigérante encore par le port d'une robe de soie blanche et par la blondeur lisse de sa chevelure. Pour unique bijou, elle portait un pendentif suspendu à une chaîne.

Tout ce petit monde s'était habillé pour le dîner : robes du soir et smokings semblaient de rigueur. Melrose songea que si Ruthven voyait le comte de Caverness, son patron, s'asseoir à table en costume de tweed il rendrait probablement l'âme sur-le-champ. En jetant un coup d'œil au décor, Plant regretta de ne pas être en jodhpurs et chandail troué. Agatha devait souffrir mille morts de ne pas être en velours mauve et collier de perles – collier qui appartenait à la mère de Melrose. La comtesse de Caverness n'avait pas jugé bon de faire don de ses bijoux à Agatha. Mais cette dernière, qui n'était pas femme à se laisser arrêter par ce genre de détails, portait en ce moment même une opale provenant du coffret à bijoux des Ardry-Plant.

Pendant les présentations, Melrose eut le temps de se rendre compte que lady St. Leger était tout bonnement parfaite dans sa robe du soir. Elle tendit à Melrose une main élégante aux doigts légèrement déformés par l'arthrite, ce qui semblait assez normal chez une femme de son âge. Elle portait un simple rang de perles et une robe de velours gris d'une grande simplicité, conçue de façon à gommer quelque peu la corpulence de sa propriétaire. Ce vêtement à la coupe si sobre eût certainement coûté un an de salaire à une modeste sténodactylo.

La comparaison s'était imposée d'elle-même à Plant lorsque, après avoir serré la main de lady St. Leger, il avait serré celle de lady Assington (*Susan*, lui avait chuchoté cette dernière au creux de l'oreille, comme si son prénom relevait du secret défense). Le coûteux fourreau vert style années folles de lady Assington lui parut dissimuler en effet une petite dactylo qui ne demandait qu'à remonter à la surface.

Elle avait probablement exercé le métier de dactylographe avant d'épouser sir George Assington – son aîné de trente ans – qui portait moustache et avait, lui, l'air d'un vrai gentleman. Comme Melrose le découvrit d'ailleurs assez rapidement, sir George était un médecin renommé. Cela expliquait sans doute pourquoi Seaingham supportait sa femme. Lorsque sir George fut présenté à Plant, il étudia avec soin son oreille avant de se remettre le dos au feu.

La pièce était bien chauffée, et c'était tant mieux pour Beatrice Sleight – qui aurait certainement gelé sur pied sans cela. Sa robe noire était en effet fendue dans le dos et décolletée devant jusqu'à la taille. Elle avait une abondante crinière qui luisait comme de l'acajou et dans laquelle étaient plantés à la diable plusieurs peignes d'ambre, dont l'un était discrètement terminé par un dragon en or à l'œil de rubis et aux ailes de saphir. Ainsi savamment décoiffée, miss Sleight donnait l'impression d'être sur le point de se mettre au lit ou d'en sortir. Autour du cou, la rutilante rousse portait de grandes émeraudes carrées enchâssées dans de l'émail. Ce collier ostentatoire formait un contraste frappant avec le discret pendentif porté par Mrs Seaingham.

Si elle n'avait rien en commun avec Mrs Seaingham, Beatrice Sleight était également tout le contraire de Vivian qui, vêtue d'une jupe sans histoire et d'un chandail en cachemire, semblait aussi à l'aise que si elle était arrivée à dos de chameau.

Beatrice Sleight réserva à Melrose un accueil si torride qu'il se félicita qu'elle tînt un verre à la main. Écrivain, la jeune femme s'était spécialisée dans un genre bien à elle, le roman à clés, prenant pour cibles les membres de la noblesse anglaise. Deux de ses romans – *Mort d'un marquis* et *Racontez-moi tout, monsieur le comte* – s'étaient hissés en tête des best-sellers.

– Tout le monde s'intéresse à la vie privée de la gentry, ce n'est pas votre avis?

– Ma foi, je n'en sais rien, rétorqua Melrose avec un sourire juste avant que Charles Seaingham ne vînt l'arracher à la compagnie de Beatrice pour le conduire auprès d'un jeune homme à l'air timide.

Ce dernier s'avéra n'être autre que William MacQuade, pour lequel Vivian professait la plus vive admiration. MacQuade venait de décrocher plusieurs prix pour un roman dont même Charles Seaingham avait dit du bien – ce qui n'était pas rien. Melrose le trouva sympathique et intéressant, autant parce qu'il portait un smoking qui lui allait atrocement mal que parce qu'il lui sembla intelligent. Au cours des deux minutes que Plant passa en sa compagnie, MacQuade ne proféra pas un seul lieu commun et n'essaya pas une seconde de se faire mousser.

Le grand type à l'air morose qui se tenait près de la fenêtre lorsqu'ils étaient entrés était Frederick Parmenger, le peintre.

Tenant dans une main un gobelet presque plein de whisky, il garda résolument l'autre dans sa poche et se contenta de lui adresser un « Bonjour » assez sec. Il était très beau, bourré de talent, et se moquait pas mal que Melrose fût lord Ardry ou Plant tout court. Après avoir présenté Melrose et Agatha au peintre, Seaingham s'éloigna afin de bavarder avec Vivian. Melrose trouva que c'était faire preuve de bon sens.

— Mon neveu, lord Ardry, ne put s'empêcher de lancer Agatha à Parmenger en lui désignant Melrose dès que le critique d'art eut tourné les talons.

— Melrose Plant, rectifia machinalement l'intéressé pour la énième fois.

Le regard de Frederick Parmenger navigua froidement de l'un à l'autre.

— Mettez-vous d'accord, fit-il d'un ton insolent.

Loin de prendre la mouche, Melrose conclut que l'artiste avait dû s'ennuyer ferme pour lui réserver un accueil aussi belliqueux.

— Melrose adore raconter à tout un chacun qu'il a renoncé à son titre, ajouta Agatha d'un ton suggérant que son neveu était un menteur chronique et avant d'avaler une gorgée de gin tonic.

— Absolument pas, chère tante. C'est vous qui prenez un malin plaisir à dire aux gens que j'adore raconter à tout un chacun que j'ai...

Elle lui coupa la parole, comme à un gamin mal élevé.

Parmenger, qui avait paru commencer à prendre un semblant d'intérêt à ce petit différend familial, reprit un air mortellement ennuyé en entendant Agatha se lancer dans des développements sur la peinture.

Soudain, le piano s'arrêta. Melrose se demanda si c'était

là l'idée que se faisaient ses hôtes d'un récital de musique médiévale. Comme il s'apprêtait à voler au secours de Vivian – que monopolisait lady Assington –, Charles Seaingham s'approcha de lui par-derrière et énonça :

– Cher ami, voici quelqu'un que vous aurez plaisir à rencontrer, j'en suis sûr.

Melrose pivota sur ses talons.

– Lord Ardry, permettez-moi de vous présenter le marquis de Meares. (Seaingham gloussa et adressa un clin d'œil à Plant.) Tommy Whittaker, pour les intimes.

Melrose ouvrit de grands yeux en reconnaissant le joueur de billard entrevu quelques instants plus tôt à *l'Auberge de Jérusalem.*

Tommy Whittaker, marquis de Meares, en fit autant. A en juger par son air ébahi, il était clair qu'il avait, lui aussi, aperçu Melrose lorsque ce dernier s'était aventuré dans l'arrière-salle du pub.

Melrose aurait donné cher pour savoir comment le jeune homme s'y était pris pour regagner Spinney Abbey, se changer pour le dîner et se mettre au piano avant l'arrivée de la Land Rover à l'abbaye.

Tommy Whittaker s'éclaircit la gorge.

– J'aimerais bien qu'on cesse de me présenter en ces termes.

– Lui aussi, fit Vivian avec un soupçon d'insolence en désignant Melrose du menton.

– Je suis trop jeune pour être marquis.

Vivian, qui en était à son deuxième martini et avait décidé de faire de l'esprit, glissa :

– Et lui, il se trouve trop jeune pour être comte. Cela vous fait un point commun.

– A ta place, je ferais attention, ma petite Vivian. C'est toi qui nous as obligés à faire halte à *l'Auberge de Jérusalem...*

Melrose s'interrompit en voyant Tommy Whittaker rougir jusqu'aux yeux. Cette rougeur ne faisait que rendre plus séduisant encore le juvénile marquis, qui était décidément l'un des plus beaux garçons que Melrose ait jamais rencontrés. A n'en pas douter, l'aristocrate devait faire craquer les filles comme des biscottes.

Vivian s'éloigna dignement pour aller bavarder avec Mac-Quade.

Tommy Whittaker s'éclaircit de nouveau la gorge et murmura d'un ton suppliant :

— Vous ne direz à personne que vous m'avez vu là-bas?

— Je serai muet comme la tombe. Si vous me dites comment vous avez fait pour arriver ici avant nous qui étions motorisés.

Tommy Whittaker gratifia Melrose d'un sourire éblouissant. Mais avant qu'il ait pu répondre, lady St. Leger s'approcha de lui en s'appuyant sur sa canne à pommeau d'argent.

— Je vois que vous avez fait la connaissance de mon neveu, dit-elle à Melrose en enveloppant Tommy d'un regard attendri. Tu es arrivé un peu en retard, mon chéri. Je sais bien que tu dois faire tes exercices au piano, mais tout de même... (Se tournant vers Plant, elle lui expliqua que son neveu adorait la musique.)

Sur ces entrefaites, Marchbanks ouvrit la porte à deux battants et annonça, non sans panache et d'une voix bien timbrée, que le dîner était servi. Il eut d'autant plus de mérite à s'acquitter de sa tâche que le dîner attendait depuis une bonne heure et qu'il lui avait fallu veiller à l'installation de Ruthven, cette perle des maîtres d'hôtel.

La salle à manger – avec ses fenêtres à meneaux garnies de petits carreaux de verre rose et mauve, ses lambris de chêne et ses bougies – semblait déverser sur les convives des flots de lumière vieux bronze.

Aussi Susan Assington jeta-t-elle un froid au milieu de cette atmosphère feutrée en déclarant soudain :

— Un meurtre, voilà ce qu'il nous faudrait.

Là-dessus, elle balaya des yeux la table où étincelaient de tous leurs feux la porcelaine et les cristaux, mais où la conversation languissait quelque peu.

— Ce serait *parfait*, poursuivit lady Assington en tapotant son verre à vin à l'aide d'un ongle nacré. (Ayant réussi à capter l'attention générale pour la première fois depuis le début du repas alors que le dessert venait d'être servi, elle attendait avec une inquiétude manifeste que quelqu'un lui réponde.)

Assis à sa droite et voyant que personne ne se décidait à le faire, Melrose se crut obligé de questionner :

— Comment cela?

— Nous sommes tous enfermés ici, bloqués par la neige! Il y a de quoi avoir les nerfs à fleur de peau, non?

Les cheveux bruns de Susan Assington étaient coupés à la garçonne. Sa robe style années 20 bâillait de bizarre façon, à croire que la couturière qui l'avait confectionnée avait perdu l'esprit en cours de route. Melrose nota machinalement tous ces détails cependant qu'elle continuait à parler meurtre tout en faisant des moulinets avec sa cuiller et en mangeant son soufflé au Grand Marnier.

– ... et puis nous sommes douze. (« Au moins elle sait compter », songea Melrose, acerbe.) On se croirait dans un roman. Celui où tous ces gens sont invités à se rendre sur une île et où ils s'entre-tuent les uns après les autres.

– C'est vrai, mais ils n'étaient que dix, corrigea Melrose. Voilà qui devrait vous rassurer.

MacQuade éclata de rire et désigna les fenêtres derrière lui.

– Ce paysage me fait penser aux landes du Yorkshire... Empreintes noires sur la neige blanche... Exactement le genre de symbolisme que j'affectionne.

– J'ai peur que le meurtre n'ait pas grand-chose à voir avec le symbolisme, monsieur MacQuade, sourit Melrose. Pour commencer, comment expliqueriez-vous la présence de ces jolies empreintes noires...

– Oh, par pitié, assez parlé de meurtre, frissonna lady Assington, oubliant de toute évidence que c'était elle qui avait mis ça sur le tapis. Je ne lis pour ainsi dire pas de romans policiers, lord Ardry. (Assise à la table de Charles Seaingham, en compagnie de sommités variées, elle semblait avoir décidé d'afficher des goûts plus littéraires.)

– Eh bien, moi, si, déclara MacQuade, se désolidarisant de Susan Assington. (Il fit tourner son verre de vin entre ses doigts.) J'ai même été jusqu'à essayer d'en écrire un. Sans succès, je l'avoue. Je ne suis pas doué pour ce genre de littérature.

Melrose songea à Polly Praed, son amie, auteur de thrillers :

– Il en existe d'excellents. Et lady Assington, cessez donc de m'appeler « lord Ardry ». « Melrose Plant » suffit amplement à mon bonheur, je vous assure.

Remarque stupide de ma part, se dit-il en voyant les grands yeux de gazelle braqués sur lui. S'il y avait une chose qui devait plaire à Susan Assington, c'étaient les titres – elle-même avait suffisamment peiné pour réussir à en acquérir un. Susan (née Breedlove, ainsi que Melrose l'avait appris en bavardant avec Beatrice Sleight) avait travaillé dans un magasin de modes et c'était là qu'elle avait rencontré la fortune en la personne de son futur mari.

— Mais si vous êtes comte de Caverness... vous avez droit au titre de « lord ». (Plant songea que s'il y avait un livre qu'elle avait dû étudier à fond, ce devait être l'almanach nobiliaire de Debrett.) Je ne comprends pas.

De l'autre bout de la table, Agatha brailla :

— Vous n'êtes pas la seule. Comment peut-on renoncer à être comte ? Franchement, ça me dépasse ! Mais Melrose a toujours été un excentrique.

Avec un soupir, elle accepta de Marchbanks une seconde portion de soufflé et fit signe à Ruthven de lui remettre du vin dans son verre. (Le maître d'hôtel de Plant avait été autorisé à prêter main-forte à Marchbanks, et ce pour la plus grande joie d'Agatha, qui s'obstinait à le considérer comme sa chose.)

Melrose se demanda s'il allait devoir fournir des explications détaillées sur l'étrangeté de sa conduite. Mais Dieu merci, les convives n'avaient pas tous les yeux braqués sur lui. MacQuade souriait, lui qui avait le sourire rare. Vivian contemplait le plafond. Quant à Bea Sleight, assise en face de lui, elle se pencha en avant avec tant d'abandon qu'il crut que ses peignes allaient fondre à la chaleur des bougies. L'œil de rubis de son dragon étincela.

— C'est pourtant simple, dit Melrose, qui n'avait aucune envie de s'étendre sur le sujet. J'y ai renoncé parce que je n'en voulais pas.

Tommy Whittaker prit part à la conversation pour la première fois depuis le début du dîner :

— Vous voulez dire qu'on peut... tout plaquer ?

— Évidemment. En 1963, une loi a été votée, autorisant les membres de l'aristocratie à renoncer à leur titre. A condition qu'ils ne soient pas irlandais. Car les Irlandais, malheureusement pour eux, ne bénéficient pas de cette possibilité.

Beatrice Sleight se pencha encore davantage en avant, sans doute pour mieux exhiber les splendeurs de son décolleté. Lorsqu'elle prit la parole, ce fut d'un ton suggérant que les mobiles de lord Ardry en la circonstance étaient des plus louches.

— Pourquoi avoir renoncé à vos titres? fit-elle, sarcastique. Vous vouliez bénéficier des avantages qui sont ceux des roturiers? Vous teniez à voter, peut-être?

— Pour qui?

Parmenger éclata de rire. Vivian sourit à son assiette. Quant à Susan Assington, elle ramena ses cheveux raides derrière son oreille avec l'air de quelqu'un qui aurait bien aimé pouvoir répondre.

Mais Bea Sleight n'était pas décidée à laisser Melrose s'en tirer si facilement. D'après elle, quand on était né comte on se devait de porter son titre.

— Le problème avec vous, les nobles, dit-elle en secouant la cendre de sa cigarette au milieu des roses de Noël et des bougies qui décoraient le centre de la table, c'est que la décadence de l'aristocratie ne vous fait ni chaud ni froid. Vous fermez les yeux dessus. (Son regard navigua de Melrose à Tommy Whittaker, glissa sur lady St. Leger pour se braquer sur sir George et se poser enfin sur la malheureuse Susan Assington.)

— L'aristocratie n'est sûrement pas plus décadente que le reste de la société, déclara paisiblement Charles Seaingham, assis à l'autre bout de la table près d'Agatha – qu'il avait eu la bonne idée de placer près de lui. (Le bruit courait que Seaingham allait être fait chevalier.)

Grace Seaingham jugea bon de s'interposer :

— Le titre de Mr Plant ne regarde que lui, selon moi.

Et là-dessus, elle repoussa son assiette à laquelle elle n'avait pas touché.

Melrose la remercia d'un sourire et, se tournant vers Beatrice, ajouta :

— Vous semblez prendre un malin plaisir à fustiger l'aristocratie. Je me félicite de ne plus en faire partie.

— C'est dommage, car *vous* me fascinez. (J'espère bien que non, songea Melrose.) Je sais quasiment tout de vous.

— Déjà? Mais je viens à peine d'arriver.

Bea Sleight sourit.

— Charles nous avait avertis de votre venue, alors je me suis documentée sur vous. J'ai consulté Debrett, Burke et *Gentilshommes de province*. Vous figurez dans ces trois ouvrages.

— Et l'almanach de Gotha, vous l'avez compulsé?

— Non, malheureusement; car il est écrit en français.

— Dommage.

La conversation roulant sur un sujet qui lui tenait particulièrement à cœur, Agatha s'empressa de dévider à l'adresse des convives la liste des titres auxquels Plant avait renoncé : baron Mountardry de Swaledale ; vicomte de Nitherwold, Ross et Cromarty ; Clive d'Ardry de Knopf, quatrième vicomte... Et d'un ton monotone, elle continua sur sa lancée.

Melrose avait l'impression d'entendre un chroniqueur sportif annoncer les noms des chevaux courant à l'hippodrome d'Ascot au fur et à mesure qu'ils prenaient place sur la ligne de départ. *Ils sont partis ! Et c'est Vicomte de Nitherwold qui prend la tête...*

Melrose bâilla cependant que la discussion s'orientait vers la guerre des Deux-Roses. Il examina le bouquet placé au centre de la nappe : il y avait des roses de Noël partout.

Pendant que la maison de Lancastre et la maison d'York s'affrontaient autour de la table – Parmenger, toujours pervers, avait pris la défense de Richard III –, Melrose parla jardinage avec lady St. Leger.

— C'est Susan qui les a apportées, dit-elle en jetant un coup d'œil au centre de table. C'est gentil de sa part. Elle est douée pour le jardinage avec ses airs de ne pas y toucher, fit lady St. Leger. Nous avons des jardins immenses à Meares ; j'adorais tripoter la terre dans le temps. Mais maintenant... (Elle haussa les épaules.) Je n'aime pas les jardins trop apprêtés, et vous ?

— Moi non plus, mais je n'arrive pas à empêcher mon jardinier de tailler les haies de façon ahurissante.

— Quelle horreur ! La taille ornementale est une infamie. Je ne comprends pas qu'on puisse mutiler ainsi de malheureux arbustes.

— Je parie que tante Betsy en sait plus long sur les parcs et les jardins d'agrément que miss Sleight sur les pairs, murmura Tommy Whittaker.

Lady St. Leger sourit à son neveu. Mais Beatrice Sleight, qui avait l'oreille fine, surprit ces propos.

— A votre place, je n'en serais pas si sûr, mon mignon.

Les yeux de la jeune femme brillaient d'une lueur méchante. Melrose se demanda si, au fond, Susan Assington n'avait pas raison : un meurtre s'imposait.

Après le piano, le hautbois. Les invités rassemblés dans le salon où ils avaient fini par se rendre en emportant verres et cigares commençaient à en avoir assez de ce pot-pourri musical. En dehors de lady St. Leger, seule Grace Seaingham avait écouté le récital donné par Tommy, preuve que c'était réellement une sainte femme.

Fasciné par sa beauté blême de madone, Melrose alla s'asseoir près d'elle avec son cognac.

— Merci d'être venue à mon secours, dit-il.

Grace Seaingham éclata de rire.

— Vous auriez fort bien pu vous tirer d'affaire tout seul. (Elle jeta un coup d'œil à Beatrice Sleight, qui faisait tout ce qu'elle pouvait pour attirer l'attention de Frederick Parmenger.) Nous connaissons Bea depuis des années. Elle peut être odieuse à l'occasion. (Grace Seaingham dit cela d'un ton tranquille et nullement venimeux.) Est-ce que vous connaissez Freddie Parmenger? Je veux dire, est-ce que vous connaissez son œuvre?

— J'ai entendu parler de lui. Il expose à Londres en ce moment, à l'Académie, non? J'avoue tout ignorer de l'art moderne.

— Freddie ne serait pas content s'il vous entendait, fit-elle avec un rire cristallin. Il ne se considère pas comme un moderne : il est persuadé qu'il est immortel.

— Il est arrogant à ce point?

— L'arrogance n'a rien à voir avec l'art. Je veux dire avec l'art de quelqu'un de l'envergure d'un Freddie ou d'un Bill MacQuade. Qui est certainement l'individu le moins vaniteux que je connaisse. (Elle inclina la tête vers MacQuade, qui lui sourit. Puis elle désigna du menton Parmenger qui lisait, enfoncé dans un fauteuil.) Regardez-le, jouant les grossiers personnages.

Comme c'était envers Bea Sleight qu'il se montrait grossier, Melrose pardonna aussitôt au peintre ses manières d'ours.

La jeune femme, qui faisait mine de s'intéresser au livre de Parmenger, ayant essuyé une cuisante rebuffade, se dirigea d'un air maussade vers Charles Seaingham.

En voyant l'œillade qu'elle lui lança, la facilité avec laquelle elle passa son bras sous le sien, Melrose comprit aussitôt pourquoi elle avait été invitée. Il s'aperçut que

Grace Seaingham braquait sur Charles et Beatrice un regard non de colère mais de désespoir.

Incapable de supporter ce regard sur un si beau visage, il enchaîna :

– Vous prétendez que l'arrogance n'a rien à voir avec l'art? Vous avez probablement raison. Est-ce à dire que vous permettez aux artistes de fonctionner sur un plan moral différent...?

Elle eut un petit sourire.

– Ma «permission» n'a rien à voir là-dedans. De toute façon, moralement parlant, je ne suis peut-être pas au-dessus de tout soupçon.

Melrose ne trouva rien à répondre à cette étrange assertion.

Posant son verre de Sambuca, elle dit :

– Si vous voulez bien m'excuser, monsieur Plant, je vais prendre ma cape et aller à la chapelle.

– Votre cape? Vous voulez... sortir? Il n'y a donc pas de chapelle...

Devant son air surpris, elle rit.

– Rassurez-vous, la chapelle de la Vierge est juste au bout de l'aile est et l'on y accède par une galerie couverte. Cette aile est vide. Elle comporte en tout et pour tout un petit bureau – où travaille mon mari –, une armurerie et un solarium, que j'ai fait installer. Demain, je vous ferai faire le tour du propriétaire.

Il la suivit des yeux tandis qu'elle allait chercher sa cape; il sentit l'irritation le gagner mais sans raison valable. Il se demanda quel effet cela devait faire, à la longue, d'être le mari d'une femme comme elle. Sa bonté – dont il ne mettait pas un instant en doute l'authenticité – ne risquait-elle pas, telle la mer, d'user peu à peu la personnalité de son compagnon?

– Contrairement à ce que vous pouvez penser, monsieur Plant, je ne suis pas dure d'oreille.

Melrose sourit, étonné par le regard espiègle que lui lança lady St. Leger.

– Le marquis manque peut-être un peu d'entraînement.

– Un peu seulement? Vous êtes indulgent. (Elle avait sur les genoux un cerceau à broder et travaillait à un ouvrage compliqué.) Tout le monde doit penser que c'est moi qui ai forcé Tommy à prendre des leçons de musique. En réalité, c'est lui qui a insisté. Je me demande bien pourquoi, d'ailleurs. Mais je me suis inclinée.

— Je vous pardonne volontiers, lady St. Leger. Du moins pour ce qui est du piano.

Les yeux sur son ouvrage, elle ajouta :

— Vous n'aimez pas le hautbois ?

— Franchement, non. Mais je suis sûr que votre neveu saura trouver une autre façon d'exercer ses talents.

— Je l'espère. Car à l'école, il est loin d'être brillant. Sauf en histoire, bizarrement. Le directeur de St. Jude...

— *St. Jude's Grange ?* C'est là qu'il fait ses études ? questionna Melrose, atterré.

— Ma foi, oui. (Elle lui lança un regard vif.) Vous connaissez cet établissement ?

Plant ne le connaissait que trop bien, mais il se serait fait hacher menu plutôt que d'en convenir.

Non qu'à St. Jude il fût de mise d'affamer les pensionnaires ou de les battre. St. Jude était un des endroits les plus anachroniques qu'on pût trouver dans toutes les îles britanniques et il était fréquenté depuis des générations et des générations par tous les rejetons de l'aristocratie. L'école était pourvue de hauts murs et de clochers, et Melrose — pendant le bref séjour qu'il y avait effectué — n'aurait pas été étonné outre mesure de découvrir qu'elle arborait également des douves. Mais tout cela n'était qu'une façade : on s'apercevait vite qu'il n'y avait ni surveillants, ni enseignants dignes de ce nom dans cette honorable maison.

Melrose, qui avait été invité à faire une conférence sur les poètes romantiques français, était bien placé pour savoir à quoi s'en tenir : les rares adolescents binoclards et boutonneux qui avaient assisté à sa prestation avaient en fait passé leur temps à jouer avec des élastiques au dernier rang. L'incroyable était que St. Jude eût réussi à continuer de passer pour une école sérieuse alors que tout le monde savait que les élèves qui en sortaient étaient tout juste capables de compter l'argent se trouvant dans leur porte-monnaie.

La seule chose dont St. Jude pouvait s'enorgueillir était un terrain de cricket impeccable sur lequel évoluaient des joueurs réellement brillants. Melrose avait poussé un long soupir de soulagement lorsqu'il était sorti de l'établissement. Il aurait préféré être emmuré vivant par Poe que de passer un trimestre là-dedans.

— Vous devez me trouver vieux jeu, monsieur Plant, déclara lady St. Leger qui lui parlait des jeunes gens en général et de son neveu en particulier.

— Je le suis moi-même, affirma Melrose, reposant la liqueur italienne que Grace Seaingham lui avait conseillé de goûter.

Elle prétendait que les grains de café flottant à la surface du breuvage étaient souverains pour la digestion. Elle appelait ça de la *Sambuca con Mosca*.

Agatha, qui était toujours à l'affût de la nouveauté en matière de nourriture ou de boissons, déclara que la liqueur avait belle allure et demanda ce que signifiait le *con Mosca*.

— Avec des mouches, répondit Grace, affable. Ce sont les grains de café qu'on appelle ainsi.

Melrose, qui avait horreur des liqueurs, alluma un cigare pour chasser le goût du breuvage.

Chacun des invités semblait avoir sa potion magique préférée. Beatrice Sleight choisit une boisson d'un rouge agressif. Grace Seaingham buvait sa Sambuca couleur cristal qui seyait si bien à son teint. Agatha refusa la liqueur italienne et se rabattit sur de la crème de violette.

Lady St. Leger buvait du Courvoisier, ce qui était une marque d'intelligence de sa part. Elle fumait la cigarette que Melrose lui avait offerte en la tenant soigneusement entre le pouce et l'index à la manière de ceux qui fument rarement.

— Peut-être que j'en fais trop, mais voyez-vous, Tom et moi ne sommes pas parents. Son père et sa mère sont décédés alors qu'il avait dix ans. J'étais leur meilleure amie... Ou plutôt *nous* étions, mon mari et moi, leurs amis les plus proches. Rudolph... mon époux est mort maintenant. (Ses yeux se voilèrent. Ils étaient gris, de la nuance du verre de cristal contenant son cognac.)

— Ils sont décédés en même temps?

— Oui. De la malaria au Kenya. C'étaient de grands voyageurs.

Sans doute fallait-il l'être, songea Melrose, pour se laisser tenter par la découverte du Kenya. Plant pensa avec une pointe de nostalgie à Ardry End et braqua les yeux sur Vivian, qui était en conversation avec Charles Seaingham. Elle lui adressa un clin d'œil et un geste de la main, et ne parut pas se formaliser de voir qu'il ne lui rendait ni l'un ni l'autre.

— ... safari.

Melrose se tourna vers lady St. Leger.

— Je vous demande pardon? Les parents de Tom faisaient un safari, dites-vous? (Plant se laissa glisser au fond de son fauteuil, s'attendant au pire.)

— Oui et c'est au cours de ce safari qu'ils ont trouvé la mort.

— Tom avait dix ans? Cela a dû être un choc terrible pour lui. (Melrose sentit croître à vue d'œil l'antipathie que lui inspiraient déjà les parents de Tommy. Finir écrasé par un train lui paraissait être une fin nettement plus honorable.)

— Ç'a été très dur pour Tom. La mort de son père, surtout. Ils nous l'ont laissé.

Le jeune marquis de Meares aurait tout aussi bien pu être un tableau ou une armoire. Melrose commença à comprendre la triste opinion qu'avait Beatrice Sleight de l'aristocratie britannique.

— Ils étaient assez frivoles, convint lady St. Leger en baissant la voix. (C'est le moins qu'on puisse dire, songea Melrose.) C'est pour cela qu'il m'arrive de serrer la vis à Tom. Je l'aime beaucoup. C'est un charmant garçon. Le problème, c'est qu'il lui faut se montrer à la hauteur : il a un nom et il doit s'en montrer digne. Il ne peut pas tout envoyer promener comme cela... Oh, excusez-moi.

C'était bien une *lady*. Melrose sourit intérieurement et inclina gracieusement la tête pour lui montrer qu'il lui pardonnait.

En hâte, elle revint aux projets qu'elle formait pour son neveu. Collège de Christ Church à Oxford. Puis médecine ou droit. Ou, s'il tenait absolument à tâter de la vie de bohème – elle jeta un regard en direction de Parmenger et MacQuade, qui n'avaient nullement l'air d'artistes bohèmes –, elle consentirait à le laisser composer de la musique ou écrire des romans pendant quelque temps.

Pauvre Tom Whittaker. Sa vie semblait décidément toute tracée. Après un bref séjour dans quelque rue chaude et sordide de Paris, il ne lui resterait plus qu'à aller moisir dans une banque de la City.

— Vous devez me trouver bien sévère.

Melrose fut surpris qu'Elizabeth St. Leger tînt à avoir son sentiment sur l'avenir qu'elle concoctait pour son neveu.

— Je n'ai pas à porter de jugement, affirma Melrose.

(Voyant Agatha traverser la pièce, Plant se dit qu'elle, du moins, n'hésiterait pas à donner son avis sur le sujet.) Mais je pense que chacun doit mener son existence à sa guise. Après tout, on n'en a qu'une.

— C'est exactement ce qu'ont fait les parents de Tom. Même si je suis mal placée pour les juger : Rudy et moi faisions, nous aussi, des safaris. A Nairobi. Maintenant, avec le recul, je trouve ça grotesque. La vie à la dure sous la tente dans la jungle africaine. Quelle fichaise! Figurez-vous que nous allions jusqu'à nous mettre en tenue de soirée pour dîner! Et puis, la chasse est un sport inhumain. La chasse au renard, par exemple, me... (Elle frissonna.)

— Vous êtes contre la chasse?

— Et vous, monsieur Plant, vous êtes pour ce sport sanguinaire?

Melrose n'aimait certes pas la chasse mais il ne se sentait pas d'humeur à poursuivre la conversation. D'autant qu'Agatha menaçait de fondre sur eux à tout moment.

— J'ai tué une antilope, un jour. J'en ai gardé un souvenir affreux. Mais pour en revenir à votre neveu, je ne le trouve guère frivole. (Tommy Whittaker était planté près du feu, qu'il contemplait en silence.) Je le trouve même beaucoup trop sérieux pour son âge.

Lady St. Leger secoua la tête.

— Vous vous trompez, monsieur Plant. Tommy ressemble hélas beaucoup à ses parents. La musique est la seule chose qu'il prenne au sérieux. (C'est bien dommage, songea Melrose.) Pour le reste, il est très frivole.

— Comment cela?

D'une pichenette, elle fit tomber de sa robe un peu de cendre de cigarette.

— Il joue au billard. (Ses yeux gris clouèrent littéralement Melrose à son fauteuil.)

— Juste ciel! s'exclama Melrose, se dressant d'un bond en voyant arriver Agatha. (Elle prit place dans le fauteuil qu'il venait de laisser vacant comme s'il lui appartenait de toute éternité.)

— Eh bien, Betsy, vous brodez, vous aussi!

Aussi? s'étonna Melrose, qui n'avait jamais vu Agatha qu'une tasse de thé ou un gâteau à la main.

— J'ai bien aimé votre livre, déclara Melrose à William MacQuade.

— Mon livre? s'étonna vaguement le jeune homme.

— *Le Skieur*. Vous ne l'avez pas oublié tout de même? Il a remporté le Booker Prize.

MacQuade rougit. De toute évidence, lorsque Melrose l'avait rejoint, il était à cent lieues de là, plongé dans ses pensées. Et s'il fallait en croire la direction de son regard, c'était à Grace Seaingham qu'il songeait.

— Excusez-moi. Je n'essayais pas de jouer les modestes, vous savez.

Melrose ne mit pas un instant sa parole en doute. MacQuade semblait être la discrétion même. Qualité qui allait de pair avec le véritable talent... Quoi que pût en penser l'auteur de *Mort d'un marquis*.

— Charles Seaingham en a dit beaucoup de bien, ce qui est une référence, car vous n'ignorez pas à quel point il est difficile. Mais peut-être le mot est-il mal choisi... En le qualifiant de « difficile », j'ai l'air de le faire passer pour un maniaque ou un iconoclaste. Alors que c'est tout bonnement quelqu'un qui ne triche pas, qui dit ce qu'il pense. Ce ne doit pas être commode d'être critique, car il y a peu de bonnes choses dans le monde des arts et des lettres à l'heure actuelle. Il faut donc être bougrement fort pour plaire à Seaingham. Je crois me rappeler que le dernier roman dont il a dit du bien était *Guerre et paix*.

Melrose s'était lancé dans ce petit développement pour essayer de mettre du baume au cœur de MacQuade. Ce devait être terrible d'être amoureux de la femme d'un homme qui s'était fait votre champion.

— Il n'est pas si vieux que ça! rit MacQuade.

MacQuade devait sans nul doute souhaiter que Seaingham fût plus âgé. Le critique avait une soixantaine bien tassée, mais grâce à son mode de vie ascétique, il semblait jouir d'une santé proprement insolente.

Au contraire de sa femme, qui avait l'air diaphane d'une personne atteinte d'une maladie chronique. Sa maigreur – non dénuée de charme, au demeurant – n'était pas celle d'une coquette qui cherche à avoir coûte que coûte une silhouette de mannequin.

Melrose fit remarquer à MacQuade que Grace Seaingham lui rappelait la femme en blanc de Wilkie Collins.

– C'est exact, acquiesça MacQuade en rougissant de nouveau comme s'il craignait que son interlocuteur ne lise dans ses pensées. Elle ne devrait pas sortir par ce froid. Vraiment, il ne devrait pas la laisser... (L'irritation de MacQuade allait croissant.)

Afin de le calmer, Melrose enchaîna :

– Que voulez-vous... Noël approche. Et quand on est porté sur la religion... (Personnellement, il ne se serait jamais amusé à se draper dans une cape pour aller faire un saut à la chapelle, celle-ci ne fût-elle qu'à quelques mètres de là.) Y a-t-il longtemps que vous la connaissez?

– Je... Eh bien, non. Mais je crois cependant la connaître mieux que Seaingham.

MacQuade s'éclaircit la gorge et jeta à Melrose un regard qui l'aurait trahi si ce n'avait déjà été fait depuis longtemps.

Melrose s'était approché des rayonnages de la bibliothèque et y avait pris un recueil de poésie française, non pour le lire, mais pour observer Frederick Parmenger et Bea Sleight. La rousse incandescente était parvenue à éloigner Vivian, qui avait, elle, réussi à arracher momentanément le peintre à sa lecture. Vivian glissa près de Plant sans même lui accorder un regard – sans doute pour aller bavarder avec quelqu'un de plus intéressant.

– Tu ne peux t'empêcher de voir rouge en la voyant, n'est-ce pas, mon chou? remarqua Vivian, qui en était à son second cognac.

Parmenger s'employait à ignorer superbement Beatrice Sleight et il y parvenait à merveille. Ayant réussi à faire déguerpir Vivian, qui semblait intéresser Parmenger, Beatrice s'était littéralement collée à la chaise du peintre dans l'espoir de lui faire perdre le fil de sa lecture. Sans lever les yeux de sa page, Parmenger lui dit quelque chose qui la fit se lever en hâte de l'accoudoir sur lequel elle s'était perchée. Melrose sourit. Grossier personnage, pensa-t-il, mais sympathique au fond... Sans doute parce qu'il refusait de se laisser...

– Il peint mon portrait, monsieur Plant. C'est pour cela qu'il lui faut nous supporter.

La voix interrompit net les réflexions de Melrose. Grace Seaingham était revenue de la chapelle. Elle semblait être de ces gens en présence desquels il est dangereux de penser.

– « Supporter » ? Le terme me paraît mal choisi en ce qui vous concerne, madame Seaingham.

Elle rit d'un rire aussi cristallin que sa voix.

– Voyons, monsieur Plant. Vous n'êtes pas homme à donner dans la flatterie.

– Précisément. Je l'ai dit comme je le pensais.

Ravie, elle rougit légèrement. Il y avait vraiment trop peu de couleur dans ce visage blême, et la touche de rose qui coloriait ses pommettes semblait empruntée à la rose de Noël qu'elle avait cueillie sur la table et tenait à la main. Geste de gratitude enfantine à l'égard de Susan Assington, qui lui avait fait cadeau des fleurs. Geste typique de Grace Seaingham, il en était sûr.

– J'aimerais beaucoup voir votre portrait. Est-ce qu'il est terminé ?

– Oui. C'est Charles qui a eu cette idée, ajouta-t-elle avec un petit haussement d'épaules comme pour lui faire comprendre qu'il ne s'agissait pas d'un caprice de femme. Charles trouve Parmenger terriblement doué. D'ordinaire, ne peint pas de portraits. Je me demande comment Charles a réussi à le faire changer d'avis.

Seaingham était décidément un homme auquel on ne refusait rien. Il avait fait sortir MacQuade de son grenier, n'est-ce pas ? Seigneur, il avait même réussi à convaincre Vivian de se rendre chez lui. Et Dieu sait que Vivian n'était pas du genre à se mettre en avant.

Grace Seaingham s'excusa en voyant Susan Assington lui faire signe. Tandis qu'elle se dirigeait vers ses autres invités, Melrose se demanda si par hasard elle n'était pas trop bien pour être sur terre.

12

– Aconit, déclara Cullen. C'est le roi des poisons. Vous avez déjeuné? s'enquit-il en faisant glisser le rapport d'autopsie vers Jury comme s'il s'agissait d'une assiettée de nourriture.

Jury avait rejoint Cullen et Trimm dans un minuscule restaurant de Washington, baptisé le *Geordie Nosh*. Trimm avalait d'impressionnantes quantités de viande et de légumes. Sans doute parce qu'il était trois heures de l'après-midi, il n'y avait pas d'autres clients qu'eux dans le petit établissement.

– J'ai mangé dans le train, merci.

Une femme à l'air avenant s'approcha de la table. Jury lui demanda du café.

– Si vous appelez ça manger... Comment avez-vous trouvé Londres?

– Inchangé. Si vous m'en disiez davantage...

Cullen entreprit de lui fournir des détails tout en mastiquant consciencieusement.

– C'est une substance mortelle. Le médecin légiste prétend qu'un cinquantième de gramme suffit à vous occire un bonhomme. Les Grecs en enduisaient l'extrémité de leurs javelots et de leurs flèches. (Il marqua une pause.) Vous avez vu *Moi, Claudius*? C'est avec ça que l'un des vieux réussit à...

– Je ne vous demande pas de me faire un cours d'histoire, coupa Jury, ignorant le regard venimeux que lui lança Trimm, et qui aurait fort bien pu – lui aussi – être badigeonné de poison.

Cullen poursuivit :

— Engourdissement. Fourmillements puis anesthésie des extrémités. Spasmes musculaires. Incoordination. Vertiges. Fibrillation cardiaque. Tels sont les symptômes, d'après le médecin légiste. En d'autres termes, elle a dû se rendre compte que quelque chose clochait, mais elle n'a pas eu le temps de faire quoi que ce soit. Ce truc-là agit bigrement vite.

Le constable Trimm continuait de manger d'un air concentré, engloutissant steak et légumes comme si son assiette était la seule chose qui comptât au monde.

Jury lisait le rapport du médecin légiste.

— Aurait-elle pu avaler cette substance accidentellement ?

Cullen secoua la tête en signe de dénégation.

— En aucun cas. Ce toxique est extrait de racines du napel. En gros, ça ressemble à des navets.

Trimm, qui mâchait ses navets bouillis, continua sans un battement de cils et précisa :

— Certains ont baptisé l'aconit le tue-loup. Les loups déterrent cette plante l'hiver quand ils n'ont rien d'autre à se mettre sous la dent. (Fourchette au poing, il s'attaqua à sa viande, qui était si tendre qu'il aurait pu la couper avec le doigt. Il se fourra un énorme morceau de steak dans la bouche puis désigna le rapport du bout de sa fourchette :) Ça me rappelle quelque chose... Est-ce qu'il n'est pas possible de transformer ce truc-là en une poudre incolore ?

La bouche pleine, Cullen opina :

— Si. Un soupçon de poudre répandu par mégarde sur une coupure même infime suffit à vous envoyer ad patres.

Jury fit glisser le sucrier jusqu'à lui.

— Ça ressemble à du sucre, cette poudre ?

Cullen fronça les sourcils :

— Aucune idée. Tout ce que je sais, c'est que ça a un goût douceâtre.

— Il arrivait à Helen Minton d'offrir le thé à certains visiteurs, au manoir.

— Et l'un ou l'autre de ces visiteurs aurait versé la poudre dans le sucrier ? (Cullen continua à mastiquer d'un air pensif.)

La serveuse revint prendre les commandes pour le dessert. Trimm avait saucé abondamment son assiette avec un morceau de pain. Il posa couteau et fourchette en travers de son assiette. Cela fait, il commanda une charlotte aux pommes. Jury refusant de commander quoi que ce soit, Cullen insista :

— Prenez un dessert, mon vieux. Tout est fait maison ici. Vous ne trouverez pas de meilleure cuisine à des kilomètres à la ronde. Et surtout pour ce prix-là. Est-ce que vous avez réussi à retrouver le cousin peintre?

Jury fit non de la tête.

— J'ai mis quelqu'un sur le coup. (Jury se replongea dans le rapport.) La mort a été instantanée?

— Avec l'aconit, ça peut prendre quelques minutes comme ça peut prendre plusieurs heures. Tout dépend de la dose qu'elle a ingérée.

— Est-ce que vous connaissez un pub qui s'appelle l'*Auberge de Jérusalem*?

Trimm sortit un cure-dents de son étui et rota.

— Dans un endroit paumé? Du côté de Spinneyton? Il y a des bagarres sans arrêt.

— Et un gosse nommé Robin Lyte?

Trimm haussa les épaules.

— Ça me dit rien du tout, fit-il, manifestement peu disposé à se montrer coopératif.

Jury se tourna vers Cullen :

— Est-ce que « Lyte » est un nom répandu dans la région?

— A ma connaissance, non. (Cullen émit un petit rire.) Si vous cherchez l'assassin d'Helen Minton là-bas, vous êtes peut-être sur la bonne piste. Seulement, Spinneyton est bloqué par la neige, à ce qu'il paraît. (Cullen prit un air lugubre.) Le match avec Sunderland a dû être annulé.

— Personne n'aurait pu gagner Washington avec toute cette neige, c'est ce que vous voulez dire?

— A moins d'être venu ici à ski, dit Cullen en éclatant de rire. Vous pensez que c'est quelqu'un de là-bas qui a fait le coup?

Jury haussa les épaules.

— Je ne sais que penser. Il y a un hôtel non loin d'ici qui s'appelle le *Margate*...

— C'est à Cheels, l'interrompit Trimm. Sur la côte de Sunderland.

— South Shields, traduisit Cullen. Je connais cet hôtel. Il est en piteux état aujourd'hui. C'était un endroit charmant dans le temps. A propos, le sergent Wiggins a téléphoné.

Comme il n'arrêtait pas d'éternuer, j'ai eu du mal à le comprendre. Il faut que vous appeliez Scotland Yard.

— Merci. Vous retournez au commissariat ?

— Mouais... Allons, Trimm. Dépêchez-vous, mon vieux, on n'a pas que ça à faire.

Le constable Trimm termina la crème anglaise de Cullen et laissa la cuiller retomber avec bruit dans le ramequin.

— J'ai fini, patron, annonça-t-il de l'air satisfait d'un homme qui vient d'accomplir une tâche difficile.

— Elle était enceinte, dit Wiggins. (Le craquement aurait pu provenir de la ligne. A moins que Wiggins ne fût en train de retirer l'emballage de cellophane d'une nouvelle boîte de pastilles pour la toux.) L'école n'a pas pu la garder, m'a dit l'ancienne directrice. Il m'a fallu du temps pour mettre la main sur elle. Elle séjourne dans un endroit près de la mer. (Le sergent marqua une pause pour laisser à Jury le temps de s'apitoyer.)

Jury s'en garda bien. C'est tout juste s'il n'entendit pas gémir les sinus de Wiggins. A croire qu'ils étaient doués d'une vie propre.

Le sergent Wiggins poursuivit courageusement sur sa lancée.

— Selon Maureen... Je... euh... je suis retourné chez miss Minton pour tailler une petite bavette avec Maureen. Vous ne m'aviez pas dit d'y aller, mais j'ai pensé...

Jury, qui n'avait pas douté un instant que Wiggins céderait à l'envie de retourner à Eaton Place, se borna à sourire :

— Vous avez bien fait, Wiggins. A mon avis, Maureen en sait beaucoup plus long qu'elle n'en dit.

— Justement, elle m'a parlé, monsieur. Elle savait qu'Helen Minton était enceinte. Bien sûr, elle a préféré garder ça pour elle, elle ne tenait pas à passer pour indiscrète. Mais quand elle a vu que j'étais au courant, elle a confirmé.

— Qu'avez-vous appris d'autre ?

— Parmenger, l'oncle d'Helen, s'est foutu dans une rogne épouvantable en apprenant la nouvelle. Il paraît qu'il était dans tous ses états.

Jury garda un moment le silence.

— Ou il dramatisait parce qu'il était puritain, ou alors...

Wiggins conservait un silence prudent.

– Wiggins? Que vous a-t-elle raconté d'autre?

Wiggins s'éclaircit la gorge.

– Je suis censé ne le répéter à personne...

Jury appliqua le récepteur froid contre son front pour s'empêcher de pousser une gueulante. Puis il dit d'un ton patient :

– Je travaille pour Scotland Yard, Wiggins. Vous pouvez peut-être faire une exception pour moi. Je vous promets d'être discret. Maureen est d'avis que le père était Frederick Parmenger, n'est-ce pas?

– Excusez-moi, monsieur. C'est exactement ça. Elle a l'air certaine que c'était lui.

– Cela expliquerait pas mal de choses. Parmenger senior croyait peut-être à ces histoires de bonnes femmes concernant les unions entre cousins.

– Je l'ignore. A propos, nous avons réussi à retrouver la piste de Frederick Parmenger, monsieur.

Jury se mit en devoir d'allumer une cigarette.

– Félicitations. Où se trouve-t-il?

– Dans un endroit qui s'appelle Spinney Abbey. Tout près de là où vous êtes. A vingt kilomètres de Durham environ.

Jury faillit se brûler les doigts avec son allumette.

– Spinney Abbey? C'est à côté de Spinneyton, ça, si je ne m'abuse?

– Absolument, monsieur. L'abbaye appartient à un certain... Attendez un instant... Charles Seaingham. Il écrit dans...

– Je le connais. C'est un de nos critiques les plus distingués. Poursuivez.

– Frederick Parmenger se serait rendu là-bas il y a trois semaines pour exécuter une commande. Seaingham lui aurait demandé de peindre le portrait de sa femme.

Jury resta silencieux, réfléchissant.

– Monsieur?

– Merci, Wiggins. Beau travail.

Normalement, un compliment de Jury aurait guéri les sinus de Wiggins en moins d'une seconde. Toutefois, c'est d'un ton préoccupé qu'il s'enquit :

– Vous voulez que je vous rejoigne, monsieur?

Visiblement, il n'était pas chaud pour rejoindre son supérieur.

– Bien sûr.

Silence.

— C'est à Newcastle-upon-Tyne.

— Je sais.

— Le pays des mines de charbon. Et il va falloir que je prenne le train. Je hais les gares, vous le savez, monsieur. (Jury ne proférant pas un mot d'encouragement, Wiggins ajouta tristement :) Comme je n'étais pas de service demain, j'avais prévu d'accompagner Maureen à Stevenage, chez son frère.

— Très bien. C'est Noël, je veux bien me montrer compréhensif : vous prendrez le train de Stevenage. (Jury laissa Wiggins grommeler, puis conclut :) Parfait. A demain, donc. Et prenez un train rapide, Wiggins.

— Il faut être prudent avec les rapides...

— Eh bien, soyez prudent, coupa Jury.

13

Jury balaya le rivage du regard. L'hôtel *Margate* – long bâtiment blanc à la façade morne et nue – dressait sa masse faiblement éclairée sur fond de sable mouillé, tel le squelette d'un navire rongé par la marée.

Aucun signe de vie sur la plage. Si ce n'est, au-delà d'une barrière de rochers, un homme et une femme qui marchaient enlacés, et que le soleil couchant faisait ressembler à des flaques d'ombre noires.

Sous le porche du *Margate*, des fauteuils à bascule épars grinçaient sous la poussée du vent, à moins que ce ne fût sous le poids des fantômes d'anciens clients. Le porche était désert. Difficile d'imaginer qu'une station balnéaire pût être un endroit animé en plein cœur de l'hiver, songea Jury. Toutefois, il se dégageait de l'établissement quelque chose qui amena le policier à se demander si le *Margate* n'était pas – même en été – voué à la solitude. Pas commode d'évoquer des baigneurs bariolés sur cette plage, les piaillements aigus des enfants munis de leurs seaux, les bonnets de bain aux couleurs éclatantes.

Ce n'est qu'en s'approchant et en voyant la vaste porte d'entrée ouverte qu'il comprit que l'établissement n'était pas barricadé pour la saison. Il distingua bientôt d'autres signes de vie : éclats de voix en provenance de l'extrémité du hall plein d'ombre, ouverture et fermeture de tiroirs dans une pièce ouvrant sur le comptoir de la réception.

Lorsque Jury jeta un coup d'œil sur sa gauche, par l'entrebâillement d'une porte, il aperçut les silhouettes de deux ou trois personnes âgées assises immobiles, telles des statues. De l'une des femmes, il ne distingua qu'une natte grise dépassant du dossier d'une chaise. Sa voisine devait être endormie, tête inclinée sur le côté. Il perçut en outre le mouvement d'une main tournant les pages d'un magazine.

Une jeune fille, qui arrivait de la pièce du fond portant des papiers, s'arrêta net, stupéfaite de voir un client potentiel à cette saison. Agée de vingt-cinq ou vingt-six ans, elle était jolie à sa façon, encore qu'un peu négligée. Sans doute pensait-elle qu'il était inutile de se maquiller et de se poudrer dans cette maison. Toutefois, en découvrant Jury, elle chercha des yeux un bout de miroir ébréché posé sur un coin de bureau. Elle se mordit la lèvre pour la faire paraître plus rouge et se passa machinalement la main dans les cheveux.

– Vous voulez une chambre?

Elle glissa une fiche dans un étui en plastique et poussa le tout vers lui. Son sourire, qui se voulait aguicheur, était hélas gâté par de vilaines dents.

Dans un premier temps, Jury préféra lui laisser ses illusions:

– Il n'y a pas grand monde à cette période de l'année, n'est-ce pas? remarqua-t-il.

Une expression de dégoût se peignit sur son visage pétulant.

– Ça, c'est bien vrai. Nous n'avons ici que des retraités, des gens du troisième âge. Des gens à problèmes. Mrs Krimp – la propriétaire – leur fait des prix. (Elle haussa ses maigres épaules.) Il faut la comprendre... les clients ne se bousculent pas au portillon. (De son sac posé sur le comptoir, elle extirpa un bâton de rouge et commença à se farder. Puis elle sortit un peigne et du vernis à ongles comme si elle comptait aller faire la tournée des grands ducs en compagnie de Jury.) Enfin, moi, ça me permet de bosser. Alors je vois pas pourquoi je me plaindrais. J'ai beau être sténo diplômée, y a pas moyen de décrocher un job dans le coin. Vous êtes pas de la région, vous, ça se voit.

– Je suis de Londres.

– Londres, dit-elle d'un ton rêveur. J'y ai jamais mis les pieds. Vous en avez du pot.

Jury sourit:

– Londres a aussi des inconvénients. Pour commencer, l'air n'y est pas aussi salubre qu'ici.

– En été, c'est vrai que c'est assez chouette, la région. Je connais deux ou trois endroits à Shields où on s'amuse bien. (Elle laissa Jury imaginer à quel genre de passe-temps elle faisait allusion.) Et il y a des coins sympas à Washington aussi. Au nouveau centre commercial. Une discothèque qui reçoit des groupes de rock, notamment. Vous connaissez? (Jury fit non de la tête.) Vous aimez pas le disco, peut-être? Ce soir, il y a les Kiss of Death.

— Quoi?

— Oh, me dites pas que vous les connaissez pas! Les Kiss of Death. C'est l'un des meilleurs groupes du coin. Vous êtes quand même pas si vieux que ça.

— Hélas, si.

Le menton dans les mains, elle le gratifia de son peu appétissant sourire :

— Vous faites pas votre âge. De toute façon, moi, j'ai une préférence pour...

Les hommes mûrs, songea Jury, terminant intérieurement la phrase à sa place.

— En fait, ce n'est pas d'une chambre que j'ai besoin, mais de renseignements.

Le visage de la jeune fille se durcit, à croire qu'il venait de la larguer au terme d'une liaison torride. Sous le maquillage et la poudre, elle changea de couleur.

— Quelle sorte de renseignements?

Jury sortit de sa poche la photo d'Helen Minton.

— Cette femme est descendue chez vous à plusieurs reprises. Vous la connaissez?

La fille ne jeta même pas un coup d'œil à l'instantané. Ses yeux s'étrécirent.

— Vous êtes de la police?

— Oui, fit Jury en posant sa carte sur le bureau.

— Scotland Yard? s'étonna-t-elle, fronçant les sourcils.

A l'évidence, il regagnait sur le plan professionnel le prestige perdu sur le plan personnel. Elle avait l'air sidérée en songeant que le *Margate* ait pu éveiller l'intérêt de Scotland Yard. Elle contempla la photo, faillit faire non de la tête, se ravisa et l'examina de nouveau.

— Elle a dû venir deux ou trois fois chez nous.

— La dernière fois que vous l'avez vue, c'était quand?

— Je m'en souviens pas exactement. Il y a une semaine peut-être.

— Combien de temps est-elle restée?

145

Elle haussa les épaules :

— Deux jours.

— Pensez-vous qu'elle se soit liée avec l'un ou l'une de vos pensionnaires ?

— Vous rigolez! Avec qui elle se serait liée? Mais j'y pense... attendez une minute, que je réfléchisse. Il me semble l'avoir vue discuter le coup avec miss Dunsany. Mais la plupart du temps, elle sortait se promener sur la plage. Elle aimait respirer l'air de la mer. (S'accoudant au comptoir, elle se pencha vers Jury, une lueur pétillant soudain au fond de ses prunelles ternes.) Qu'est-ce qu'elle lui veut, au juste, la police ?

— Vous est-il arrivé de la voir en compagnie d'un homme ? Venait-elle ici accompagnée d'un homme ?

— Non, pas que je sache. C'est pas vraiment le genre du patelin. Si jamais un type m'emmenait passer un week-end dans un trou comme ça...

Jury l'interrompit avant qu'elle ne se lance dans des détails sur sa vie amoureuse.

— Donc elle venait seule et faisait de longues promenades. Ça ne vous a jamais paru bizarre ?

La fille haussa les épaules.

— Je me suis toujours demandé ce que quelqu'un d'aussi jeune — jeune par rapport aux vieux débris qui descendent ici... (elle désigna le salon d'un mouvement de menton)... pouvait fabriquer au *Margate*.

Elle ôta le bouchon de sa bouteille de vernis à ongles et commença à se peindre l'ongle de l'auriculaire en rouge sang. Jury ne semblant pas décidé à lui faire des confidences sur Helen Minton, la jeune personne tuait le temps comme elle pouvait.

— Vous m'avez dit qu'il lui arrivait de bavarder avec une de vos clientes.

— Ouais. Miss Dunsany.

— Où se trouve cette miss Dunsany ?

— Dans le salon, je suppose. Maxine va leur apporter le café dans un instant. Ils aiment le prendre là-bas, une fois le dîner terminé. Ils se figurent sans doute être au *Ritz*.

Au même instant, une fille en tablier aux airs de souillon — Maxine, de toute évidence — longea le couloir, un plateau dans les mains.

— De l'eau chaude, de l'eau *chaude*, qu'ils me réclament.

J'en ai ma claque, Glo, de tous ces aller et retour. (Elle s'adressait manifestement à la réceptionniste. Habituée aux jérémiades de Maxine, la nommée Glo ne leva même pas le nez de son ongle sanguinolent. Elle se borna à hausser les épaules tandis que la porteuse d'eau se dirigeait d'un pas traînant vers le salon.)

— Pourriez-vous me dire laquelle de ces dames est miss Dunsany ? s'enquit Jury.

Glo ne fit pas mine de descendre de son tabouret.

— Vous aurez pas de mal à la reconnaître : c'est celle qui est assise près du feu.

Miss Dunsany était effectivement assise auprès du feu mais ce n'était certainement pas pour se réchauffer, car l'âtre ne semblait pas avoir servi depuis des lustres. Avant de les voir de près, Jury crut d'ailleurs que les bûches empilées dans la cheminée étaient factices.

La pièce était d'autant plus glaciale que le crépuscule noyait lentement d'ombre le mobilier disposé en dépit du bon sens, les canapés et les chaises d'un marron douteux, dont certaines étaient recouvertes de housses fanées.

Vivant sans doute dans le souvenir de temps anciens où les salons étaient des endroits chaleureux et chauffés, la vieille demoiselle était engoncée dans une bergère à oreillettes, près de l'âtre sans feu. Elle était vêtue de crêpe de Chine bleu nuit et avait un châle autour des épaules.

Tout en s'approchant, Jury la vit prendre sa tasse à deux mains pour plus de sûreté. Il n'y avait que deux autres personnes dans la pièce, une femme aux allures d'oiseau et un homme à l'estomac proéminent qui examinait le pot d'eau chaude. Aucun des pensionnaires ne parlait.

— Miss Dunsany, attaqua Jury, prenant place en face d'elle dans un fauteuil obèse. Permettez-moi de me présenter : Richard Jury, de Scotland Yard. Je travaille à la Police judiciaire. (La voyant lever les yeux vers lui d'un air apeuré, il s'empressa d'ajouter :) Je suis un ami d'Helen Minton.

Cette précision ne parut pas la rassurer.

— Helen Minton. Il lui est arrivé quelque chose, c'est cela ?

— J'en ai peur.

La vieille dame fixa le feu non allumé en femme qui a l'habitude de recevoir de mauvaises nouvelles.

– Accepteriez-vous une tasse de café, monsieur... ? Je vous prie de m'excuser, ma mémoire n'est plus aussi bonne qu'elle l'était.

– Jury. Mais appelez-moi Richard.

– Moi-même, je me prénomme Isobel. Qu'est-il arrivé, je vous prie ?

– Un accident. Helen est morte.

Elle détourna les yeux, balayant la pièce d'un regard pensif signifiant que c'était le seul genre de nouvelles que l'on pût espérer apprendre dans un endroit comme le *Margate*.

– Je suis... bien triste. J'avais de l'affection pour Helen. Que s'est-il passé ? Je sais qu'elle prenait des médicaments pour le cœur, mais vous ne seriez pas venu me voir si son cœur avait flanché, n'est-ce pas ?

– Nous ne savons pas exactement comment c'est arrivé. C'est par sa voisine que j'ai appris qu'Helen vous connaissait.

Isobel Dunsany fixa l'âtre.

– J'ai toujours trouvé bizarre qu'Helen vienne se perdre dans un endroit comme celui-ci. C'est assez sinistre, non ? (Le visage de miss Dunsany était ridé et flétri mais son sourire était malicieux.) C'est l'habitude qui me pousse à descendre au *Margate*. Dans le temps, ce n'était pas comme ça, je vous assure. Si je voulais, je pourrais aisément m'offrir quelque chose de plus reluisant.

L'espace d'un instant, Jury prit cette déclaration pour de la vantardise. Vantardise de vieille personne qui accepte mal de devoir se serrer la ceinture sur ses vieux jours et doit se contenter d'un mobilier hideux, d'un service d'une désinvolture frisant l'insolence, de chambres vides lui chuchotant *Voilà ce que tu as fait de ta vie, voilà ce que tu mérites*.

Toutefois, en examinant les vêtements de son interlocutrice – la qualité du crêpe de Chine, la laine fine du châle – ainsi que ses bijoux – broche en argent et bagues nombreuses –, il comprit qu'elle ne faisait qu'exprimer la stricte vérité. Elle aurait certainement pu s'offrir un hôtel d'un standing plus relevé.

Tripotant nerveusement sa tasse vide, elle poursuivit :

– Je venais ici avec mes parents quand j'étais jeune. C'était une station balnéaire très fréquentée dans le temps. Et très animée. (Ses yeux bleus errèrent autour de la pièce.) Le mobilier du salon était de style Louis XV, bordeaux et or... Il doit d'ailleurs rester deux petites chaises de cette époque. Là-bas, je crois. (Jury suivit la direction de son regard et aperçut en effet deux petits sièges correspondant à sa description.) Au milieu de la pièce trônait un immense canapé rond, sur lequel j'adorais m'installer. Je faisais semblant d'attendre le Prince charmant. Il y avait des soirées dansantes, alors. Il y a une salle de bal, derrière. Mais aujourd'hui, elle est fermée. Trop difficile à chauffer. (Elle resserra son châle autour de ses épaules et fixa le feu inexistant.) J'aimerais tellement qu'ils fassent du feu.

— Rien de plus simple, fit Jury en prenant des allumettes dans sa poche.

Le papier et les brindilles prirent presque instantanément et, en quelques minutes, les bûches commencèrent à rougeoyer et crépiter.

Cet événement proprement stupéfiant capta l'attention des deux autres pensionnaires, qui se levèrent non sans peine de leurs sièges et vinrent s'asseoir près de la cheminée. Ils restèrent ainsi, immobiles, à contempler la flambée, pour eux véritable merveille.

La chaleur dut se faufiler jusque dans le couloir car elle attira également l'attention de Mrs Krimp, la directrice, qui s'engouffra dans le salon comme une furie afin de voir ce qui se passait et quel était celui de ses clients qui osait contrevenir ainsi au règlement.

A la voir, on comprenait tout de suite pourquoi Mrs Krimp faisait des économies de bois : ce personnage haut en couleur semblait en effet doté d'un système de chauffage propre. Par-dessus son pantalon bleu électrique, elle portait un chemisier orange. Les flammèches de sa chevelure fraîchement permanentée étaient d'un roux agressif et flamboyaient littéralement. Ses yeux jaunes comme ceux d'un chat jetaient des flammes.

— Monsieur Bradshaw! lança-t-elle, rouge d'indignation. Vous savez pourtant bien qu'il est interdit de faire du feu après le dîner. A quoi bon chauffer alors que vous êtes sur le point de monter dans votre chambre! Miss Gibbs, je suis étonnée...

En découvrant Jury, elle s'arrêta net. Peut-être n'était-il pas de bonne politique de rudoyer de vieux pensionnaires en présence de quelqu'un qui était sans doute un client potentiel. A la perspective de louer une quatrième chambre, elle se passa une langue concupiscente sur les lèvres. Il y avait chez Mrs Krimp du vampire, indubitablement.

Glo s'empressa de lui ôter ses illusions. Ayant entendu le début de la diatribe patronale, et se disant qu'un peu d'animation ne lui ferait pas de mal, la jeune fille s'était précipitée dans le salon à la suite de la directrice, à l'oreille de laquelle elle se mit à chuchoter fébrilement.

— La police! piailla Mrs Krimp. Ce n'est pas une raison pour venir mettre la pagaille chez moi...

Jury se leva, prenant tout son temps. Il n'était pas homme à cultiver les effets mais il avait une façon de se mettre debout qui le faisait paraître plus grand de cinq bons centimètres au moins. Quant à sa voix, d'une trompeuse douceur en temps ordinaire, il arrivait à la rendre absolument cinglante dans le registre feutré lorsque c'était nécessaire. Aussi Mrs Krimp esquissa-t-elle un pas en arrière lorsqu'il lui dit en détachant ses mots :

— Vous n'ignorez pas, madame, que les hôtels doivent respecter certaines normes de confort. Or ce feu ne semble pas avoir été allumé depuis au moins une semaine. (Il sortit son calepin et se mit à griffonner dedans.) Certes, je ne suis pas chargé de l'inspection des hôtels. Mais j'ai bien l'intention de faire venir un inspecteur qualifié chez vous... (il lui adressa un sourire désarmant)... dans les plus brefs délais.

Mr Bradshaw étouffa un rire. Miss Gibbs, frêle demoiselle à silhouette de moineau, redressa sa fine tête et fixa Mrs Krimp. *Qu'est-ce que vous dites de ça, vieux chameau ?*

Mrs Krimp rougit, bafouilla, se tut.

Sentant qu'elle était en position de force, miss Dunsany en profita pour lancer du ton de quelqu'un qui a l'habitude de parler aux domestiques :

— Pendant que nous y sommes, madame Krimp, pourrions-nous avoir autre chose que du consommé de tomate en boîte au dîner? (Et, avec panache, elle ajouta :) Un détail encore : nous aimerions prendre un verre de porto.

— Du porto? Qu'est-ce que cela signifie? Le bar est vide en hiver...

— Chère madame, c'est de mon porto que je parle. N'oubliez pas que je vous ai confié une caisse de Cockburn que vous deviez mettre dans votre cave.

Jury se dit que Mrs Krimp avait dû faire ses délices du Cockburn en question, à en juger par le réseau de fines rides rouges qui agrémentait son visage.

150

Mrs Krimp le prit de haut et se mit à pester. Toujours jurant, elle quitta le salon, jetant littéralement des flammes.

Quelques minutes plus tard, Maxine, qui avançait cette fois sans traîner les pieds, fit son apparition avec un plateau sur lequel étaient posés des verres de toutes les tailles ainsi qu'une bouteille de Bristol Milk.

Miss Dunsany sourit.

— Sortie tout droit de sa réserve personnelle. Je pense que je peux dire adieu à mon Cockburn.

Au cours de la demi-heure qui suivit, ils prirent chacun deux verres de sherry. Sauf Mr Bradshaw, qui profita de ce que miss Dunsany contemplait le feu pour en siffler un troisième. Et ils bavardèrent tout en sirotant à petites gorgées. Bradshaw et miss Gibbs finirent par sombrer dans le silence et dodeliner de la tête, cependant que miss Dunsany égrenait ses souvenirs d'enfance à l'hôtel *Margate*. Les planches – depuis longtemps disparues –, les cabines, les dames avec leurs parasols et les messieurs en pantalon blanc et veste à rayures. Pendant qu'elle parlait, Jury entendait le vent secouer l'établissement, malmenant les volets, faisant grincer quelque porte mal fermée, bref cherchant à s'engouffrer dans la bâtisse. A mesure qu'Isobel Dunsany dévidait le passé, les jours anciens semblaient renaître et traverser en flottant le salon.

— Helen Minton, finit par dire miss Dunsany lorsqu'elle comprit qu'il était inutile de chercher à tourner autour du pot plus longtemps. Ce n'était pas le genre de personne qu'on aurait pu s'attendre à voir descendre au *Margate*.

Sortant son paquet de cigarettes, Jury en offrit une à miss Dunsany – qui l'accepta – et il les alluma.

— Quel genre de femme était-ce donc?

— Une femme malheureuse mais qui savait écouter. Je crois bien qu'elle a réussi à en savoir plus long sur moi que moi sur elle. Elle n'avait pour ainsi dire pas de famille. Juste un cousin, qu'elle voyait peu, un artiste. J'ignore ce qui est arrivé exactement à ses parents. Son père avait été mêlé à une affaire louche. Détournement de fonds, non? (Elle jeta un regard interrogateur à Jury.) Sa mère est morte peu de temps après, incapable de supporter le scandale. Si c'est vrai, c'est qu'elle était rudement fragile. Mon mari... Mais passons. Helen fut envoyée en pension dans un établissement qu'elle exécrait. Cela doit être dur pour une adolescente de se retrouver orpheline. D'après elle, dès que les gens vous savent seule, ils vous font tout pour que vous le soyez plus encore. A l'entendre évoquer cette école, on avait l'impression qu'elle parlait d'un mauvais rêve et non de la réalité. Les autres élèves étaient froides, les couloirs tenaient du labyrinthe. A l'âge de seize ou dix-sept ans, son oncle la tira de cet enfer aussi soudainement qu'il l'y avait plongée.

— Pourquoi cela?

— Je l'ignore.

Jury réfléchit un instant.

— Vous m'avez dit qu'elle avait fini par en savoir long sur vous. Vous posait-elle beaucoup de questions?

Isobel Dunsany eut l'air troublée. De toute évidence, elle n'avait pas pensé à cet aspect du problème.

— Helen n'était pas du genre fouineur. Elle m'écoutait radoter avec une patience admirable. Tout comme vous. (Elle jeta sa cigarette dans la cheminée.)

Derrière eux, Bradshaw et Gibbs se querellaient à mi-voix à propos de la bouteille de sherry.

— Et si elle était venue ici pour vous voir, miss Dunsany?

Elle braqua sur Jury ses beaux yeux bleus.

— Ce n'est pas impossible, à la réflexion. Elle paraissait porter un intérêt tout particulier aux anecdotes concernant mes domestiques. J'avais une bonne, dans le temps. Danny. Son vrai prénom était Danielle. Je crois me rappeler que sa mère était une Française. Ou une prétentieuse qui avait trouvé malin de l'affubler d'un nom de baptême exotique.

— Comment cette bonne a-t-elle atterri chez vous?

— Elle avait travaillé plusieurs années avant de se marier. Elle avait d'excellentes références et c'était une brave fille. Son mari l'avait plaquée, comme on dit, et elle était restée seule avec un enfant à élever. Je crois même que ce joli monsieur avait décampé en emportant les économies de Danny. C'est pour cela qu'il lui avait fallu retravailler.

— Ça remonte à quand?

Elle eut un rire un peu gêné.

— Je suis fâchée avec les dates. A une douzaine d'années, peut-être davantage.

— Qu'est devenue Danny?

— Je l'ai perdue de vue. Je suis désolée. (Elle appuya ses

doigts contre son front, puis releva la tête d'un air satisfait.)
Lyte. Ça me revient à l'instant.

— L-y-t-e?

— C'est cela, oui. Danny Lyte. Je m'en souviens maintenant. C'était le nom d'une vieille famille de Washington. C'est drôle qu'Helen se soit intéressée à elle.

— Et l'enfant de Danny, vous vous en souvenez?

Le sherry, la flambée inattendue dans la cheminée paraissaient avoir comblé miss Dunsany, qui ne semblait plus tellement d'humeur à battre le rappel de ses souvenirs.

— Danny habitait à Washington. Dans le vieux village. Je n'ai vu le petit garçon qu'une fois. Voyons, comment s'appelait-il déjà?

Jury attendit, mais miss Dunsany secoua la tête en signe d'impuissance.

— Robin?

Elle lui décocha un regard plein d'enfantine stupeur. Scotland Yard avait donc le don de double vue?

— Vous avez raison. Il se prénommait Robin. Il portait le même prénom que le père de Danny. Robin. (Le nom parut aider la vieille demoiselle à visualiser le garçonnet, un petit brun aux yeux marron et à l'air perdu.) C'était bien triste. L'enfant était un peu... attardé. Oui, c'était bien triste.

— Et Helen Minton, elle s'intéressait à ce petit garçon?

Un deuxième point pour Scotland Yard.

— Oui. Comment le savez-vous?

— J'ai deviné, c'est tout, fit Jury avec un sourire.

Mr Bradshaw et miss Gibbs, à force de taper dans la bouteille de sherry, avaient fini par se mettre à chanter. Malheureusement ils avaient choisi des chants de Noël différents et il résultait de leurs efforts une intéressante cacophonie.

Jury remercia Isobel Dunsany et se leva. Un inspecteur, lui assura-t-il, viendrait prochainement passer l'établissement au peigne fin. Il n'y aurait peut-être pas de soirées dansantes comme autrefois, mais la soupe en boîte risquait fort d'être rayée de la carte.

— J'espère que vos recherches aboutiront. Au revoir, monsieur Jury.

Et elle se tourna vers le feu, qui semblait en passe de s'éteindre.

14

« *Je vais me coucher de bonne heure, annonça lady Stub-bings.* » C'était une réplique dont Melrose se serait volontiers passé – n'allaient-ils pas toujours se mettre au lit de bonne heure ? Dans le cas présent, toutefois, il trouva qu'elle était particulièrement bienvenue et souhaita qu'ils puissent tous se coucher comme les poules.

Melrose bâilla et abandonna *Meurtres à Stubbings*. Il avait deviné le nom du meurtrier depuis un bon bout de temps et était heureux de voir qu'elle – puisqu'en l'occurrence il s'agissait d'une femme – avait décidé de se retirer de bonne heure dans ses appartements...

Il se demanda pourquoi, au lieu de se coucher tôt, les personnages ne décidaient pas plutôt de traîner au lit le matin. Ainsi qu'il le faisait lui-même. Ils se seraient ainsi épargné le désagrément de se faire assassiner, auraient privé leur meurtrier du douteux privilège de les faire passer de vie à trépas et permis au lecteur de faire l'économie d'une lecture ennuyeuse.

C'était depuis sa rencontre avec Polly Praed qu'il s'était mis à lire des romans policiers. Il avait lu deux fois de suite les ouvrages de miss Praed de façon à pouvoir saupoudrer les lettres qu'il lui adressait de remarques pertinentes et particulièrement astucieuses. Ces dernières ne semblaient pas toutes avoir atteint leur but, miss Praed n'hésitant pas à lui donner du *lord Ardry* – quand ce n'était pas des *Votre Grâce* – à tour de bras.

Melrose tapota ses oreillers pour leur redonner du gonflant. Puis il prit, sur la pile posée sur la table de chevet, un roman intitulé *L'Empreinte au plafond*. En s'apercevant que ce roman était l'œuvre d'une certaine Wanda Wellings Switt, il mit illico l'ouvrage au rebut, jugeant qu'un nom pareil constituait à lui seul un critère de rejet. Il se fichait éperdument de savoir comment l'empreinte avait atterri au plafond. Et il se moquait encore bien davantage de savoir s'il s'agissait de l'empreinte laissée par une mouche blessée.

Le Troisième Pigeon, par Elizabeth Onions. La jaquette s'ornait de pigeons – les plus malins de la bande, sans nul doute – volant en formation serrée sur fond de ciel menaçant. Au premier plan figurait le demeuré de la troupe, qui n'avait pas pensé à s'enfuir en voyant le fusil pointé vers lui à travers les buissons. Que quelqu'un pût s'amuser à prendre des pigeons pour personnages d'un roman alors que le monde regorgeait de bipèdes qui les valaient bien passait l'entendement.

Melrose se dit qu'il ferait mieux de se lever. La migraine matinale qu'il avait prétextée pour paresser au lit ne pourrait lui permettre de fuir éternellement les autres invités. Encore qu'Agatha lui eût affirmé qu'il ne fallait jurer de rien avec les migraines. La tête grise de sa tante n'avait cessé de pointer dans l'entrebâillement de la porte tandis qu'elle égrenait la liste des maladies qu'il était susceptible d'avoir attrapées.

Melrose se leva et se dirigea vers la haute fenêtre, espérant secrètement que, sous l'effet de quelque coup de baguette magique, le temps s'était amélioré, et qu'il allait pouvoir fourrer ses bagages dans le coffre et...

De la neige.

Partout de la neige. Encore et toujours de la neige. Lady Assington lui avait assuré qu'ils avaient la chance de vivre une « merveilleuse aventure ». Comme s'ils étaient obligés de frotter des baguettes les unes contre les autres pour faire du feu et de se nourrir de graisse de baleine... Mais ils étaient loin de mener une vie d'aventuriers à l'abbaye! N'avaient-ils pas droit à de somptueuses flambées, à des cigares, à du Grand Marnier, à de la Sambuca?

Ruthven entra et demanda si monsieur le comte prendrait le thé avec les autres cet après-midi.

Melrose examina le plafond, le trouva aussi nu qu'un plafond de cloître et vierge de toute empreinte.

Le thé était un repas singulier qui eût suffi à satisfaire l'appétit de tout autre qu'Agatha pendant des jours entiers. Il se composait, en effet, de sandwiches au saumon fumé, de terrine de perdreau, d'un mystérieux pâté garni de lamelles de truffes et d'un assortiment de gâteaux, dont lady Ardry était en train de s'occuper avec le plus grand sérieux.

Les invités intéressants comme Parmenger et MacQuade ayant apparemment fait vœu de silence, Beatrice Sleight et Agatha faisaient une fois de plus la conversation.

Ayant laissé de côté les titres des Ardry-Plant, Agatha attaquait maintenant le chapitre de leur fortune. Ne possédant pas un sou vaillant, elle dépensait allègrement, en paroles du moins, l'argent de son neveu.

— ... ainsi que l'une des plus belles collections de vases de Lalique. Nous devons d'ailleurs aller chez Christie's le mois prochain, à une vente...

Melrose n'écouta même pas la suite. A une vague question, Agatha répondit par un éclat de rire :

— Mon défunt mari, l'Honorable Robert Ardry...

La laissant divaguer, Melrose sortit de la salle à manger et s'en fut dans le vestibule, non sans l'avoir entendue rétorquer, en réponse à une question de Beatrice Sleight :

— Moi ? Oh mais non, ma chère. Pas un sou. (Elle eut un rire qui sonna faux.) Il ne me reste que mes diamants. Et... ma devise.

Les diamants appartenant à la mère de Melrose, il était normal qu'Agatha tentât de se raccrocher à un petit quelque chose.

— Ne vous brûlez surtout pas les doigts, dit Melrose qui se promenait dans le salon après le déjeuner, en voyant Tommy Whittaker assis au coin du feu. Vous ne pourriez plus jouer du hautbois.

Tommy leva les yeux et sourit. Il avait un beau visage et un teint parfait mais ne semblait guère du genre à s'admirer dans les miroirs.

— Je suis mauvais, n'est-ce pas ? Je devrais m'entraîner davantage.

— Pas ici, je vous en prie.

— Désolé de vous avoir imposé ça, fit Tom en éclatant de rire.

– Inutile de vous excuser.

– Vous lisez?

– Je sais lire, en effet, répondit Melrose en allumant un cigare.

– Je me demande si je m'y remettrai un jour. (Il regarda par-dessus son épaule.) Tous ces auteurs...

– Vous vous priveriez du plaisir de découvrir *Le Troisième Pigeon* ainsi que les œuvres complètes d'Elizabeth Onions? (Tom prenant un air intrigué, Melrose poursuivit :) Cette dame écrit des romans policiers. Rassurez-vous, vous ne la rencontrerez pas ici : je doute que Mr Seaingham apprécie les auteurs de thrillers.

Tommy poussa un soupir.

– Un meurtre, c'est peut-être ça qu'il nous faudrait. Je pourrais jouer le rôle de la victime. (Le menton dans ses mains, il semblait se demander s'il n'allait pas se jeter dans les flammes.)

– Cela part d'un bon sentiment. Mais ce noble sacrifice me semble inutile. Et pourtant, je comprends ce que vous voulez dire.

– Je suis heureux que quelqu'un me comprenne.

Melrose n'était pas certain de vouloir passer pour un homme compréhensif : ce genre de réputation vous attirait toujours des ennuis.

– Et si on allait faire un tour? proposa Tom en se levant.

– Un tour? Où donc?

Le jeune marquis haussa les épaules en signe d'impatience :

– Dehors! Dans les ruines, par exemple.

– Pour avoir de la neige jusqu'aux genoux? Quelle bonne idée!

– Eh bien, alors, allons nous promener dans le cloître ou dans ce qui en reste, nous asseoir à la chapelle. Je ne sais pas, moi.

Le cloître, la chapelle, réjouissant programme. Melrose avait envisagé, quant à lui, de remonter dans sa chambre, de se faire porter pâle de nouveau et de se fourrer au lit avec *Le Troisième Pigeon*.

– Je voulais vous dire un mot au sujet de ce soir. A l'abri des oreilles indiscrètes.

– Ce soir? Parce qu'il se passe quelque chose ce soir?

157

– Oui.

Tom Whittaker se dirigea vers le portemanteau.

Plus ils avançaient le long de l'interminable galerie au bout de laquelle se trouvait le bureau de Charles, plus la température baissait. La galerie se trouvait dans l'aile est du corps de bâtiment principal, qui avait jadis abrité les appartements de l'abbé. Elle se terminait par une espèce de solarium qui devait être très agréable en été, mais ressemblait pour l'instant à un aquarium plutôt sinistre. La chapelle de la Vierge – où Grace Seaingham récitait ses prières du soir – était au bout d'un passage couvert sur la droite et les ruines du cloître sur la gauche. Le cloître – ou ce qui en restait – était couvert, et c'était déjà ça. De l'endroit où ils se tenaient, ils avaient vue sur l'entrée principale et l'allée à demi enfouie sous la neige qu'avait remontée la Land Rover conduite par Charles Seaingham la veille.

L'air était frais et piquant, le vent était tombé. En étudiant les ruines de près, on aurait pu y lire en raccourci toute l'histoire de l'ordre cistercien. Melrose, qui n'avait déjà pas très chaud, frissonna de plus belle en songeant aux moines en robe de bure se rendant à la chapelle pour y chanter matines.

Une phrase de Tommy l'arracha bientôt à cette vision historique.

– Des *skis!* Vous voulez que je mette des skis et que je vous accompagne à *l'Auberge de Jérusalem?*

– Allons, n'en faites pas une montagne! Si vous préférez, vous pouvez chausser des raquettes de trappeur. Il doit y en avoir dans l'armurerie, c'est là que Mr Seaingham entrepose sa collection d'équipements sportifs.

– Hé là, un instant! Je n'ai jamais skié ni chaussé de raquettes de ma vie.

– Moi non plus. Il a fallu que je me retrouve coincé ici pour m'y mettre. Du train où vont les choses, nous risquons de rester enfermés dans cette abbaye pour le restant de nos jours...

– Ne parlez pas de malheur! murmura Melrose.

– Le ski, ça n'est pas sorcier, lui assura Tommy. Vous avez lu *Le Skieur*, n'est-ce pas? Ce bouquin est un véritable manuel à l'usage de ceux qui veulent s'initier à ce sport.

C'est en le lisant que j'ai appris à me débrouiller sur des planches. MacQuade est un skieur de fond expérimenté. Et le ski de fond, c'est le sport que nous allons pratiquer. (Tommy désigna du doigt la campagne environnante.)

— Si vous avez tellement envie de faire de la randonnée, pourquoi ne pas demander à MacQuade de vous accompagner?

— Parce que je ne peux pas parler aux adultes.

Je n'en suis pas un, moi? songea Melrose.

— Pourquoi tenez-vous tant à vous promener sur des skis?

— C'est à cause du match qui doit avoir lieu à *l'Auberge de Jérusalem*. Cela fait un bout de temps que je joue dans ce pub : Meares Hall est à deux pas de Spinneyton. Ne me dites pas que vous l'ignoriez. Tante Betsy et les Seaingham ont toujours été très amis. C'est normal. Il n'y a pas grand-monde avec qui frayer dans le coin.

— Vous oubliez l'Éventreur de Spinneyton.

— Jamais entendu parler de lui. (L'Éventreur ne semblait guère faire peur à Tommy Whittaker, qui ne s'intéressait qu'au billard.)

— Ce n'est pas au billard que je joue mais au snooker! rectifia-t-il en fronçant les sourcils comme si son nouvel ami venait de commettre une horrible gaffe. *L'Auberge de Jérusalem* est un endroit génial. Évidemment, il a fallu que j'invente des prétextes pour m'y rendre. Et les habitués ignorent qui je suis. Je peux vous apprendre à vous tenir debout sur des skis en cinq minutes. Le tout est d'attendre qu'il fasse nuit. Comme ça, personne ne nous verra.

— Les autres invités s'apercevront de mon absence au moment du pousse-café, remarqua Melrose, sachant fort bien qu'à ce stade personne n'était plus en état de remarquer quoi que ce soit.

— Racontez-leur que vous êtes malade. Comme ce matin.

Tout en parlant, ils étaient arrivés devant la porte de la chapelle.

— Je ne suis pas un menteur.

— Oh que si! Écoutez, vous avez oublié ce que c'était qu'être jeune? Ne pas pouvoir agir à sa guise. Ne pas pouvoir fumer, ni boire, ni jouer au snooker. Car, à la maison, je suis privé de snooker. Nous avons une immense salle de billard; mais tante Betsy, après avoir découvert à quel point j'aimais y jouer, a eu peur... peur que je finisse comme mon père, pour tout dire. C'est pourquoi elle a demandé à Parkin – notre maître d'hôtel – de veiller à ce que cette pièce soit toujours fermée à clé.

– C'est aller un peu loin, je vous l'accorde. Cet endroit est ravissant. (Ils se tenaient dans la nef. Devant la statue bleu et or de la Vierge, des cierges brûlaient.)

Mais Tom Whittaker se moquait bien du ciel.

– « Un peu loin », vous êtes gentil. Si je vous disais à quelles ruses je suis contraint de recourir pour réussir à m'entraîner... Car l'important au snooker, c'est de jouer tous les jours.

– Pourquoi diable avez-vous besoin de moi? Après tout, cela fait deux jours que vous parcourez la campagne à ski...

– Il me faut un alibi.

– Quoi?

– Si mes escapades arrivaient aux oreilles de tante Betsy, je n'aurais pas fini d'en entendre. Tandis que si l'on me voit avec vous, je pourrai toujours raconter que j'étais parti me promener dans les ruines en votre compagnie, ou un truc dans ce goût-là. Je vous fais confiance : vous trouverez bien un mensonge astucieux à lui servir, le cas échéant.

Melrose contempla le visage de Marie qui souriait d'un sourire énigmatique. Il aurait juré que c'était à lui que ce sourire s'adressait, qu'elle lui lançait un défi.

– Très bien, capitula Melrose d'un ton suffisamment bourru pour que le jeune marquis ne se mette pas de folles idées en tête et ne s'avise pas de l'entraîner dans d'autres aventures du même genre.

Comme Tom lui assenait une tape amicale sur l'épaule, Melrose se dit que tout valait mieux qu'une nuit en compagnie du *Troisième Pigeon*.

15

Robbie titillait le jeu vidéo et Nell Hornsby était derrière
le bar. Le petit chat avait réintégré la paille de la mangeoire,
qu'Alice avait laissée libre.

A la suite de Jury, quelques-uns des habitués firent leur
apparition au bar. Dickie – qui n'avait toujours pas remis
son dentier – était déjà là, son poireau près de lui. Il sourit à
Jury :

— Je me jetterais bien une p'tite bière derrière la cravate.
J' vous en offre une?

Jury le remercia. Dickie n'était pas radin, ça c'était certain.

Nell Hornsby mit sa serviette sur son épaule et servit deux
pintes de bitter. Elle posa celle de Jury sur le comptoir et
apporta la sienne à Dickie.

— Vous prendrez bien quelque chose avec nous, Nell? fit
Jury. (Se retournant, elle se servit un doigt de whisky.) Vous
savez où se trouve Spinney Abbey?

— Oui. Vous traversez Spinneyton, et après vous tournez à
droite. Alors, comme ça, vous aussi?

— Comment ça, moi aussi?

— Hier soir, quatre personnes sont venues nous demander
le chemin de l'abbaye. Il y avait un comte parmi elles. Ils
sont entrés juste au moment où Nutter... Voilà! J'arrive,
j'arrive! (Elle haussa le ton afin de réussir à se faire
entendre de Nutter, qui était assis à l'autre bout de la salle.)
J'ai pas quatre bras!

— A quoi ressemblait-il?

— Il était un peu moins grand que vous. Il avait les cheveux clairs et les yeux verts. C'était un beau garçon. (Elle parut sur le point d'ajouter : « Moins séduisant que vous, tout de même », mais se retint.)

— Et les autres ?

— Je les ai pas vus. D'après Joe, l'un semblait être le domestique de celui que je viens de vous décrire. Il y avait aussi une vieille dame avec eux. Et une jeune. Assez jolie, d'après mon mari. Paraît qu'elle ressemblait à une actrice de cinéma... Je trouve plus son nom...

— Vanessa Redgrave, marmonna Jury, s'adressant à son verre plus qu'à Nell.

— Oui, c'est ça. Vous le connaissez ?

— Ils se rendaient chez les Seaingham, vous dites ? questionna Jury en hochant la tête.

— Oui.

Le commissaire aurait été bien incapable de dire ce que Melrose Plant fabriquait à Spinney Abbey, mais il était rudement content de le savoir là-bas. Plant avait déjà eu maintes fois l'occasion de lui donner un coup de main.

Nell Hornsby but son whisky et s'enquit :

— Vous aimez le snooker ? Il y a une partie dans la salle du fond. Clive est là.

— Merci. Je vais jeter un œil, fit Jury, peu pressé de se rendre à l'abbaye.

Plus il tarderait, plus l'élément de surprise jouerait en sa faveur.

Et plus il différerait le moment de se retrouver en présence de Vivian Rivington.

L'arrière de l'auberge était constitué d'une vaste pièce carrelée où régnait un froid polaire, malgré tous les efforts d'un petit radiateur qui semblait ridicule, placé comme il l'était au milieu de l'immense cheminée.

Comme l'endroit était réservé aux rencontres de snooker, la modeste table de billard américain avait été reléguée dans la salle de devant. Les joueurs ne semblaient pas plus gênés par le froid que les spectateurs, dont la plupart venaient de quitter la partie se déroulant sur la table du bar pour venir assister à celle qui était sur le point de commencer. Clive, qui portait des lunettes fumées, adopta la posture du boxeur pour ouvrir le jeu.

Jury se demanda comment il s'en sortait avec ces verres teintés. Bien que le commissaire possédât du snooker une connaissance à peu près aussi approfondie que celle qu'il avait de l'opéra italien – c'est-à-dire quasiment nulle –, il ne put s'empêcher de trouver que la position de Clive laissait à désirer. La main gauche du joueur semblait former un chevalet insuffisant pour la queue, alors que ses doigts boudinés constituaient déjà un handicap substantiel. Néanmoins, à en juger par la foule que sa présence avait attirée, Clive semblait bien être le champion local. Il contempla un long moment le triangle de billes rouges avant d'empocher la boule extérieure tout en faisant remonter la blanche en deçà de la ligne de départ, jusque derrière les trois couleurs. Jury trouva le coup formidable, car la blanche était en position idéale pour permettre de blouser la jaune dans la poche latérale. Clive blousa ainsi trois rouges et trois couleurs avant de faire fausse queue sur un coup difficile où sa boule était collée contre la bande. Mais il avait réussi une belle série et ne semblait pas mécontent de lui.

Jury se dirigea vers le joueur, qui se réchauffait en avalant une gorgée de bière, et il lui fourra sa carte sous le nez.

– Désolé de vous interrompre, mais d'après Mrs Hornsby, vous avez parlé avec cette femme.

Clive jeta un regard circonspect au cliché et haussa les épaules.

– On a bu un coup, c'est tout. Elle m'a pour ainsi dire rien dit. (Il se tourna vers le billard.) Faut que j'y aille, vous permettez? (Il interrogea Jury du regard et, sur un signe de tête affirmatif du commissaire, s'approcha de la table.)

Derrière Jury, une petite voix chuchota soudain :

– J'ai les vêtements qu'il faut, cette fois.

C'était Chrissie, portant le gros poupon enveloppé dans des chiffons qui lui donnaient l'air d'une victime d'accident de la route ou d'un cadavre en instance de départ pour la morgue.

– Très bien, approuva Jury. Maintenant, ta poupée ressemble au petit Jésus.

La fillette semblait attendre des félicitations plus nourries. Voyant que rien ne venait, elle se détourna et regarda la partie.

– Tu y joues, toi, à ce jeu?

Sa petite voix perçait sans problème l'épais nuage de fumée.

Comme Clive, dont la bille était collée à la bande, s'apprêtait à jouer un coup délicat, Chrissie fut priée de se taire.

A cet instant précis, la porte de derrière s'ouvrit et, en même temps qu'une rafale de neige, deux individus entrèrent tout en retirant leur passe-montagne.

Clive fit fausse queue et lâcha un juron bien senti.

Jury, qui avait l'avantage sur son ami Melrose Plant, n'eut aucun mal à rester de marbre. En voyant Richard Jury dans la salle, Plant le fixa, bouche bée.

— Qu'est-ce que c'est que ce débarquement? s'enquit Jury, son regard naviguant de Melrose à Tom. Les forces de police spéciales de Spinneyton?

— Je ferais sans doute mieux de ne pas te poser de questions, dit Jury.

— Sans doute, reprit Melrose. Nous avons laissé les skis dehors.

— Vraiment?

Melrose regardait Tommy bavarder avec les autres joueurs comme s'il avait passé toute sa vie dans ce pub.

— Je... je suppose que tu es venu jusqu'ici en voiture?

— C'est mon mode de locomotion habituel, en effet. Si tu fais partie des invités de Charles Seaingham, tu as certainement rencontré la personne que je cherche : Frederick Parmenger.

— Parmenger? Qu'est-ce que tu lui veux?

— Figure-toi qu'on a retrouvé une femme dans la chambre du manoir d'Old Hall avant-hier...

— De quel manoir parles-tu?

— Du manoir de Washington, qui appartient à la Société pour la conservation des sites et monuments historiques. Tu ne lis pas les journaux?

— Les journaux? Encore faudrait-il les recevoir! On voit bien que tu ne sais pas à quel point Spinney Abbey est isolé. Voilà trois jours que nous sommes coincés dans l'abbaye, à cause de la neige. (Melrose acheva d'ôter son passe-montagne.) Tu ne penses pas que c'est par plaisir que je me suis accoutré de la sorte?

— J'espère que non. Parmenger est le cousin de la femme que l'on a retrouvée. Elle s'appelait Helen Minton.

— Retrouvée... comment?

— Morte.

Melrose alluma un cigare.

— Ça, je m'en doutais. Ce que j'aimerais savoir, c'est de quoi elle est morte! Et qui l'a retrouvée? La Société pour la conservation des monuments historiques?

— Des touristes, répondit Jury.

— Elle a été assassinée. Sinon pourquoi t'aurait-on envoyé te perdre par ici?

— Dans ce trou paumé? Je te le demande!

Jury parla à son ami de sa visite éclair à Newcastle et de sa rencontre avec Helen Minton.

Melrose demeura quelques instants silencieux.

— Je suis désolé, mon vieux, marmonna-t-il en tirant sur son cigare.

Jury haussa les épaules et but sa bière.

— Inutile d'être désolé. C'est à peine si je la connaissais. (Un horrible sentiment d'abandon le submergea tandis qu'il jetait un coup d'œil machinal à la partie qui se terminait. Clive avait gagné plusieurs fois de suite. Et son adversaire, beau joueur, s'inclinait.)

— Qu'est-ce que tu lui veux, à Parmenger?

— C'est... c'était le cousin d'Helen Minton. Il m'a fallu deux jours entiers pour le retrouver.

— Franchement, c'est le seul des invités de Seaingham qui ait une once de jugeote; il est à l'abbaye pour travailler, pas pour s'amuser: il fait le portrait de Grace Seaingham. Je me demande ce qui a pu le décider à entreprendre ce voyage dans le Nord. Il n'est pas du genre à se plier aux caprices d'autrui. Quant à toi, ne me dis pas que tu es venu affronter les rigueurs du climat nordique uniquement pour dire à Parmenger d'aller identifier le corps de sa cousine! Alors, qu'est-ce que tout ça cache?

Jury regarda Clive qui remettait les billes en place.

— Elle a été empoisonnée. (Son regard se riva sur les trois boules de couleur — jaune, marron et vert — que Clive plaçait sur la ligne de départ.)

— Qu'est-ce que tu bois?

— La même chose que d'habitude, fit Melrose en lui jetant un bref coup d'œil.

Tandis qu'Hornsby tirait une pinte d'Old Peculier et une autre de Newcastle, Jury se retourna et constata que le poupon emmitouflé dans ses pansements avait réintégré la mangeoire. Sans savoir pourquoi, il en éprouva un sentiment de tristesse insondable et ne put s'empêcher de penser à Mrs Wasserman et au père Rourke.

— La seule façon d'arriver à Spinney Abbey, c'est à ski? s'enquit-il en tendant sa chope à Melrose.

— Absolument pas, mais c'est certainement la plus rapide. Et c'est aussi le seul moyen de filer si l'on est un fanatique de... (Melrose indiqua Tommy Whittaker)... billard américain.

— De snooker, tu veux dire, rectifia Jury.

— Pour moi, c'est du pareil au même.

— Le snooker est beaucoup plus complexe. (Il regarda Clive mettre du bleu sur son procédé. Si Jury avait bien compris, Clive allait affronter le jeune homme qui venait d'entrer avec Melrose Plant. Il allait demander à son ami de lui expliquer qui était Whittaker, lorsqu'il entendit Plant déclarer :)

— ... la route est dégagée maintenant. J'ai donc l'intention de boucler mes valises au plus vite. Agatha et Viv... (Melrose s'arrêta net et contempla le bout incandescent de son cigare.)

— Vivian? Qu'est-ce qu'elle fabrique ici? Je croyais qu'elle devait épouser ce duc italien?

— Il n'est pas duc mais comte, et il est à Venise. Vivian aura eu peur de l'humidité.

— Oh... se borna à déclarer Jury.

La dernière fois qu'il avait vu Vivian, ç'avait été à Stratford-on-Avon, en compagnie de son aristocrate italien. Il se demanda pourquoi il fallait toujours qu'il tombe sur des gens qui apparaissaient et disparaissaient. Cessant de ruminer, il tendit sa chope à l'aide de laquelle il désigna la seconde table.

— Il va jouer contre Clive?

— Clive qui?

— Le type qui vient de remporter la dernière partie. Je ne connais pas son nom de famille. Qu'est-ce que tu fiches en compagnie de ce jeune homme, et sur des skis, encore? Et puisqu'on y est, peux-tu m'expliquer à quoi rime cette histoire de marquis, et pourquoi il t'a envoyé un coup de pied dans les mollets?

– Tu n'en rates pas une, Richard. Si tu veux tout savoir, fit Melrose avec un long soupir, il me fait peine, ce petit. Même si c'est sur mon sort que je ferais mieux de m'apitoyer : songe donc que je suis bloqué dans cette abbaye glaciale, forcé d'écouter des récitals de piano et de hautbois. Mais ce n'est pas sa faute. Il a une tante qui...

– Une tante! Tout s'éclaire! s'exclama Jury.

– Je dois préciser que sa tante l'aime beaucoup. Le problème, c'est qu'elle ne peut pas le laisser respirer tranquille. Elle a peur qu'il ne tourne mal – comme ses parents – et ne se transforme en un play-boy écervelé. Vois-tu, il est marquis de Meares et elle tient à ce qu'il fasse honneur au nom qu'il porte.

– Seigneur, il est bien jeune pour être marquis.

– Chuuut, murmura Melrose, regardant Tommy boire une gorgée de bière.

Tout était en place, la partie de snooker allait s'engager.

– L'ennui, c'est que sa tante prend ces leçons de piano et de hautbois beaucoup trop au sérieux. Il joue de façon atroce. Mais qu'est-ce qu'il fabrique? C'est son étui à hautbois!

De fait, Tommy Whittaker avait bel et bien apporté son étui à hautbois, d'où il se mit en devoir d'extirper deux cylindres de bois. Après les avoir vissés en un tournemain, il enduisit le procédé de bleu.

– Une queue! lança Melrose à Tom. C'était donc ça! Vous transportez une queue de billard dans votre étui!

Le regard de Tommy navigua de Plant à Jury. Sans l'ombre d'un sourire, il laissa tomber :

– Vous avez déjà essayé de jouer au snooker avec un hautbois?

V

Manœuvre de diversion

16

Tommy se défendait nettement mieux au snooker qu'avec un hautbois.

Il jouait contre Clive, qui – de toute évidence – était déjà dans tous ses états avant l'arrivée de son adversaire, et rata d'ailleurs un coup facile après une série de vingt-quatre points.

Tommy prit donc possession de la table et marqua plus de quarante points d'affilée, grâce à une succession de coups magnifiques sur la noire. Clive, impuissant, en était réduit à jouer le rôle de spectateur. Tommy se débarrassa de la dernière rouge tout en faisant remonter la blanche en deçà de la ligne de départ pour pouvoir jouer les billes de couleur. Il blousa la jaune en mettant suffisamment d'effet pour ramener la blanche derrière la verte, qu'il empocha sans aucune difficulté en utilisant la même technique que pour la jaune, de façon à régler son compte à la bille marron. Sur ce dernier coup, il dut faire deux bandes pour revenir en bonne position ; mais il ne parvint pas à remonter la blanche assez loin, ce qui l'empêcha d'empocher la bleue. Il se contenta donc d'un coup défensif ne laissant pas de possibilités bien intéressantes à son adversaire.

Lorsque Clive se leva enfin pour jouer, Tommy avait fait une série de cinquante-quatre points, score tout à fait digne d'un joueur professionnel. Mais ce n'était pas tant la précision diabolique des coups que la vitesse du jeu qui avait laissé Jury pantois.

Bien que Tom n'eût jamais semblé souffler ni s'arrêter pour réfléchir, il était manifeste qu'il suivait un plan préétabli et « voyait » le jeu plusieurs coups à l'avance, un peu à la manière d'un spécialiste des échecs. A cette différence près que le rythme de jeu de Tom relevait davantage de la tornade que de l'allure hiératique du joueur d'échecs.

– Où diable avez-vous appris à jouer ainsi ? s'étonna Melrose Plant en lui tendant son étui à cigares.

– Simple question d'entraînement, laissa tomber Tommy, refusant le cigare qu'on lui offrait pour regagner la table de billard.

Comme la blanche était coincée contre la bande, Clive – dans l'impossibilité d'empocher une boule quelconque – avait laissé Tommy en position de snooker [1].

Ce dernier se tira néanmoins brillamment de cette situation périlleuse par un sensationnel coup bande avant, qui blousa la bleue et mit la blanche en excellente position pour la rose. Cette dernière fut un jeu d'enfant. La noire suivit. La partie était terminée.

– Si ce n'est qu'une question d'entraînement, vous avez dû commencer à l'âge d'un an ! s'exclama Melrose, sidéré.

– A cinq ans seulement, sourit Tommy. Mon père adorait le billard et je montais sur une caisse pour pouvoir me mesurer à lui.

– Je n'ai jamais vu personne jouer aussi vite, remarqua Jury.

– Alors c'est que vous n'avez jamais vu jouer Hurricane Higgins.

– Tu refuses de me prendre dans ta voiture ? s'étonna Melrose, que la perspective de regagner l'abbaye à ski n'enchantait guère.

Hornsby, qui avait annoncé la fermeture du pub une demi-heure plus tôt, aboyait maintenant pour décider les derniers piliers de bar à plier bagage.

– Il vaudrait mieux que nous arrivions à Spinney Abbey chacun de notre côté. (Jury désigna le jeune marquis d'un mouvement de menton. Tommy bavardait avec Clive, qui semblait bien encaisser sa défaite.) En outre, tu dois veiller à ce que ce jeune homme rentre sain et sauf au bercail...

– Tommy ? Il atteindrait l'Antarctique s'il était sûr d'y

---

1. *Snooker* : position d'impasse dans laquelle un joueur ne peut frapper en ligne droite la bille qu'il doit normalement atteindre. (*N.d.T.*)

trouver une table de snooker! De toute façon, tu n'espères pas que notre amitié restera secrète bien longtemps? Telle que je la connais, Agatha va se faire une joie de raconter à tout le monde que nous sommes de vieilles connaissances.

— On peut lui faire confiance! Toutefois, tu me rendrais service en ne donnant pas aux invités de Seaingham l'impression que nous travaillons main dans la main sur cette affaire.

— Sur quelle affaire travaillons-nous donc, alors? Qu'espères-tu trouver à l'abbaye, au juste?

— Frederick Parmenger, pour commencer. Alors sois gentil : fais-moi le plaisir de mettre tes skis. De toute façon, tu arriveras probablement là-bas avant moi. Je traverse Spinneyton et je tourne à droite, c'est bien ça?

— C'est ça. Une fois que tu es sur cette route, tu ne peux pas rater l'abbaye. C'est le seul bâtiment qui soit éclairé à des kilomètres à la ronde. Mais est-ce qu'il n'est pas un peu tard pour aller sonner chez les gens quand on est commissaire de Scotland Yard?

— Si, mais j'aime bien prendre les gens par surprise. (Jury sourit et empocha ses cigarettes.) Ils seront sûrement tous couchés.

— C'est probable. La vie à la campagne est tellement morne...

— A ta place, je ne serais pas aussi affirmatif, rétorqua Jury.

Pour rien au monde il n'aurait accepté d'en convenir, mais, même avec le vent qui lui cinglait le visage, Melrose ne trouvait pas désagréable de glisser en silence dans l'obscurité. Peut-être était-ce son côté Jack London qui ressortait, car il s'imaginait dans la peau du héros du *Skieur*. Alors même qu'il se demandait s'il n'aurait pas fait un bon chercheur d'or, il évoqua Ardry End, son porto et sa cheminée, et décida que – toute réflexion faite – il n'était pas taillé pour faire concurrence au héros du roman de MacQuade.

Tommy songeait apparemment lui aussi à cet ouvrage car il déclara soudain :

— Il y a un suspense formidable dans le bouquin de MacQuade. Ce ne doit pas être commode d'écrire un roman avec un seul personnage et de réussir à tenir le lecteur en haleine de cette façon.

— C'est un vrai tour de force, convint Melrose. Pas étonnant que l'ouvrage ait raflé tous les prix. En outre, son
auteur me semble être un garçon éminemment sympathique.

Le peu de lune qui brillait dans le ciel se trouvant masqué
par un paquet de nuages, la seule lumière provenait du
cadran lumineux de la boussole de Tom.

— Nous sommes dans la bonne direction. L'abbaye n'est
plus qu'à huit cents mètres. Je reconnais ce pan de mur. Je
crois que c'est celui d'une vieille ferme.

Melrose ne distingua, quant à lui, qu'une silhouette noire.

— Au fait, à propos de mur, comment faites-vous pour
jouer au billard à St. Jude? Il doit vous falloir vous entraîner
rudement sérieusement pour réussir à jouer comme vous le
faites. Cela ne doit guère vous laisser le temps d'étudier.

— Précisément : je n'étudie pas. Les professeurs se
demandent parfois où je suis passé; mais de la même façon
qu'ils s'étonneraient de la disparition momentanée de leur
pipe ou de leurs lunettes. Comme je ne fais pas partie de
l'équipe de cricket, ils ne cherchent jamais à tirer le mystère
au clair. Je n'ai donc aucun mal à faire le mur pour aller
jouer au village. Et, évidemment, je dois rattraper les cours
après l'extinction des feux afin d'essayer de me maintenir à
flot. Je me suis arrangé pour devenir incollable sur la Mésopotamie : de cette façon, ils se figurent que je suis un puits
de science dans les autres matières également. C'est fou, les
gens s'imaginent que vous êtes un crack si vous possédez
des connaissances étendues sur un sujet qui laisse la quasi-
totalité des individus indifférents. En fait, ce n'est pas à St.
Jude, mais à la maison que j'ai le plus de mal à m'entraîner.
Tante Betsy a le billard en horreur. Ce sport lui rappelle
mon père, qui ne s'intéressait à moi que lorsque je disputais
une partie de snooker avec lui. En un sens, elle n'a pas tort,
Père était bien un homme « frivole » comme elle se plaît à le
claironner, une espèce de play-boy. Il n'a jamais travaillé de
sa vie et passait son temps à claquer son fric. Non qu'elle
cherche à calomnier mes parents, notez bien. Lorsque je suis
à la maison, il me faut inventer toutes sortes de stratagèmes
afin de ne pas perdre la main. Les leçons de piano, c'est
pour me dégourdir les doigts que j'ai demandé à en
prendre. Surtout pas par goût pour la musique! D'ailleurs,
vous savez quel exécrable pianiste je fais! s'exclama-t-il
presque avec fierté.

— On ne saurait trouver pire.

Tom éclata de rire.

— Et le hautbois, c'est pour pouvoir quitter la maison avec ma queue de billard. Ce n'est pas facile de passer inaperçu quand on se trimballe avec une queue de billard. Au cas où cela vous intéresserait, je suis également un excellent fusil.

— Avec quoi tirez-vous? s'enquit Melrose.

— Un fusil. Des pistolets. Nous avons un stand de tir. Mon père l'avait fait installer pour pouvoir s'entraîner. Mais depuis que tante Betsy s'est mise à bêtifier à propos des animaux, la chasse est interdite sur nos terres. Mr Seaingham essaie de lui faire entendre raison, car il adore chasser le gibier à plume. Les faisans, la grouse et la perdrix. Chaque fois que Seaingham vient nous rendre visite, il voit des volées de faisans jaillir des fourrés...

— Des pigeons, vous n'en avez pas à Meares? s'enquit Melrose, gravissant une faible pente. Mais, si je puis me permettre, quel rapport y a-t-il entre le tir et le snooker?

Ils repartirent, s'aidant de leurs bâtons pour glisser sous les étoiles qui luisaient d'un éclat métallique.

— C'est excellent pour le bras gauche, expliqua Tom. Cela m'aide à ne pas trembler. Quand on tire au fusil, il ne faut pas trembler.

— Et vous vous donnez tout ce mal pour pouvoir jouer au snooker?

— Si je pouvais jouer autant que je le souhaite, je n'aurais pas à ruser de la sorte. Seulement, quand on ne peut pas faire ce qu'on veut, on est bien obligé de se débrouiller pour contourner l'obstacle.

Melrose songea que la tante de Tommy avait de la chance d'avoir un neveu aussi motivé, même si elle n'en avait pas conscience.

Tommy continua de parler du pub situé près de son pensionnat.

— Inutile de préciser que les gens ne savent pas que je viens de St. Jude ni que je suis affligé de ce titre de malheur.

Ils glissèrent un instant en silence puis Tommy remarqua :

— Comment votre famille a-t-elle réagi lorsque vous avez renoncé au vôtre?

— Mon père et ma mère étaient décédés. Lady Ardry est ma seule parente.

– Oh... J'ai perdu mes parents lorsque j'avais dix ans.

– Vous vous souvenez d'eux?

– Oui. Maman était une femme superbe. Elle n'aimait pas que je froisse ses vêtements : elle n'était pas du genre expansif. Mon père était sympa, surtout quand nous jouions au billard. (Il rit.) Mais ils étaient toujours par monts et par vaux. Les trois quarts du temps en Europe. (Il marqua une pause.) Dommage qu'ils ne m'aient pas emmené avec eux. Je restais toujours à la maison avec tante Betsy. (Comme pour rectifier le tir, il ajouta :) Non que je ne l'aime pas. Elle est la seule à avoir pris soin de moi. Je ferais n'importe quoi pour elle. (Et il ajouta :) Évidemment, vous n'étiez plus tout jeune lorsque vous vous êtes débarrassé de votre titre.

– Je n'avais pas quarante ans, je n'étais pas franchement âgé, protesta Melrose.

Tom ne releva même pas.

– Je me débarrasserais bien du mien. Mais ça ferait de la peine à tante Betsy. Et je ne veux pas lui causer inutilement du chagrin. Pour elle, l'honneur de la famille, c'est sacré.

– Mais il s'agit de votre vie. Personne ne peut la vivre à votre place.

Tommy éclata de rire et, prenant de l'élan, fonça vers l'abbaye, qui était à environ quatre cents mètres de là.

Dix minutes s'écoulèrent avant que Melrose, qui avait de plus en plus l'impression d'être un phoque monté sur patins à glace, eût réussi à atteindre la petite porte pratiquée dans le mur de l'abbaye. Il arriva juste à temps pour entendre un cri et voir Tom Whittaker s'effondrer, comme s'il avait été abattu d'une balle dans le dos.

Les skis émergeaient à angle droit de la neige dans laquelle Tommy était tombé, le visage en avant, lorsque Melrose réussit à le rattraper.

– Sacré bon sang de bonsoir ! s'écria Tom. Aidez-moi à me relever, vous voulez bien?

A son grand soulagement, Melrose constata que la voix assourdie par la neige et le passe-montagne était celle d'un homme en parfaite santé.

Relever Tommy avec ses skis aux pieds s'avéra être une entreprise ardue, mais Melrose finit par y parvenir. Tommy arracha son passe-montagne et se passa la main sur le visage pour chasser la neige qui lui emplissait les yeux et la bouche.

— D'où diable est sorti ce machin? On aurait dit un tronc d'arbre. (Il réussit à faire pivoter ses skis afin de pouvoir se baisser et se mit à explorer le sol en tâtonnant.) Vous n'auriez pas une torche?

— Non, répondit Melrose. C'est la première fois que je suis un cours de survie.

— On dirait le corps d'un animal... Ou un... Oh, mon Dieu...

— Qu'y a-t-il?

— Ce n'est pas un animal, c'est la cape d'hermine de Mrs Seaingham.

— N'y touchez pas, ordonna précipitamment Melrose.

Il avait fini par se débarrasser de ses skis. A cet endroit, près de l'allée, il avait de la neige jusqu'à la cheville seulement. Il se mit à patauger courageusement dedans.

— Pourquoi donc? s'étonna Tommy.

Melrose s'agenouilla et, de la main, tâta la neige avec précaution. L'hermine en était à demi recouverte. La forme qui était sous la cape était allongée sur le ventre.

— Parce que ce n'est pas sur une cape que vous avez trébuché, mon garçon.

Il se demanda qui avait bien pu vouloir assassiner Grace Seaingham.

Melrose eut un second choc lorsque, une fois que l'alarme eut été donnée par Marchbanks et Ruthven – qui s'étaient chargés de réveiller Seaingham et ses invités –, la première personne qui apparut au pied de l'escalier du grand salon, vêtue de satin blanc, s'avéra être Grace Seaingham.

Elle lui demanda pourquoi il la regardait avec ces yeux-là et à quoi rimait ce remue-ménage.

Avec autant de tact que possible, Melrose expliqua :

— J'ai l'impression, madame Seaingham, que l'un de vos invités a... disparu.

Si l'un des invités avait disparu, ce n'était certes pas lady Ardry.

Car elle descendit bruyamment l'escalier en robe de

chambre et charlotte, voulant savoir pourquoi Ruthven l'avait ainsi tirée du lit. Pourquoi Melrose était ainsi accoutré. Pourquoi... pourquoi... pourquoi...

Les yeux braqués sur Tommy, lady St. Leger semblait manifester une soif égale d'explications.

— Où est-ce que... d'où viens-tu donc, Tommy ? Que fabriquais-tu dehors à pareille heure ?

— Je skiais, répondit-il sans chercher le moins du monde à faire de l'esprit.

A ces mots, MacQuade ne put s'empêcher de rire.

Melrose ne comprit qu'en voyant Vivian qu'il avait retenu son souffle. A sa vue, il respira plus librement.

Elle avait les cheveux en bataille et une robe de chambre trois fois trop grande pour elle. Ce n'était pas une de ces jolies femmes qui sont à leur avantage quand on les tire du sommeil à l'improviste. Elle avait l'air droguée. Sans doute avait-elle forcé sur le cognac de l'après-dîner. Il ne lui répondit pas lorsqu'elle lui demanda dans un bâillement s'il s'agissait d'un nouveau jeu.

Tous les invités, ainsi que Seaingham, s'étaient rassemblés dans le salon. La plupart s'étaient dirigés vers le bar.

Melrose jeta un coup d'œil autour de lui et énonça avec simplicité :

— Beatrice Sleight a été assassinée.

A l'exception de Susan Assington, qui renversa son verre, les autres invités restèrent figés, l'air aussi ahuri qu'incrédule.

Ce fut Frederick Parmenger qui rompit le charme en éclatant de rire :

— Voilà qui est original !

Ils se remirent tous en branle en même temps. Les uns riant nerveusement, les autres se laissant tomber dans des fauteuils. Agatha lâcha un soupir et repoussa un bigoudi sous la charlotte qui donnait à son crâne l'air d'un champignon géant.

— Ne faites pas attention à ce que dit Melrose. Il aime le mélodrame.

Seul Charles Seaingham eut le bon sens de se rendre

compte de l'absence de Beatrice Sleight. Son allure guindée fondit comme neige au soleil lorsqu'il regarda Melrose :

— Mon Dieu... Que s'est-il... Où...?

Il balaya la pièce du regard comme s'attendant à découvrir un corps allongé sur le tapis à ses pieds.

— Dehors, expliqua Melrose. C'est Tom et moi qui l'avons découverte. Près du passage qui conduit à la chapelle de la Vierge.

Tout le monde se figea. Chacun retenait son souffle.

— Vous ne voulez pas dire... commença Grace Seaingham.

Se rendant compte que c'était exactement ce que Tommy et Melrose voulaient dire, elle s'accrocha au bras de son mari.

— Elle est morte, vous en êtes certain? s'enquit George Assington.

— Oui.

— Allez voir, George, s'il vous plaît, dit Seaingham.

— Il vaudrait mieux attendre l'arrivée de la police, conseilla Melrose.

— Ça va prendre des heures, murmura Seaingham.

— Je ne crois pas, dit Melrose.

17

C'est pourquoi, lorsqu'ils entendirent l'énorme anneau de bronze heurter par deux fois le battant de la porte d'entrée massive, les invités de Charles Seaingham réagirent de la même manière que lady Macbeth entendant frapper à la porte.

Quand Jury fut introduit dans le salon par Ruthven – qui portait une vieille robe de chambre rayée avec autant de dignité que s'il eût été en queue-de-morue –, Melrose regretta de ne pas avoir eu davantage de temps pour rassembler ses esprits.

Lady Ardry, quant à elle, se leva vivement de son canapé en bois de rose et, sans se soucier des bigoudis qui dégringolaient de sous sa charlotte, lança d'une voix de stentor :

– Mon Dieu ! Mais c'est l'inspecteur Jury !

Lorsqu'ils s'étaient rencontrés pour la dernière fois, Jury n'était encore qu'inspecteur principal. Melrose avait eu beau dire et répéter à sa tante qu'il était devenu commissaire entre-temps, elle n'avait jamais réussi à le croire, n'ayant pas été consultée sur le fait de savoir s'il était en droit ou non de se voir accorder cette promotion. Un léger sourire aux lèvres, Jury lui serra la main. Ayant apparemment oublié qu'il y avait une morte, dehors, dans la neige, Agatha parut sur le point de se mettre à faire les présentations.

Melrose vit le regard de Jury se braquer sur Vivian Rivington, dont le sourire contraint eût fort bien pu être celui d'une meurtrière. Elle s'empressa de s'éloigner du feu et de reculer afin d'être dans l'ombre.

Coupant préventivement la parole à Agatha, Melrose lança :

— Vous devriez aller jeter un coup d'œil dehors, commissaire.

Jury, qui s'était agenouillé près du corps, se releva et s'administra de grandes tapes pour faire tomber la neige restée collée sur sa jambe de pantalon.

— Blessure par balle.

S'aidant de la torche que Marchbanks lui avait fournie, il balaya l'endroit où gisait le corps.

— Jolie pagaille! Une chatte n'y retrouverait pas ses petits.

— Excuse-moi. Nous ne pouvions pas savoir que nous allions tomber sur un cadavre.

— Tu es tout excusé. Où est l'arme? (Il semblait s'adresser à la nuit plus qu'à Melrose Plant.)

— Accrochée au râtelier de Seaingham, si tu veux mon avis. (Melrose tendit le doigt.) Dans l'armurerie. C'est là que notre hôte range ses équipements sportifs. C'est juste à côté du solarium. (Il reporta les yeux vers le sol.) Depuis combien de temps est-elle morte, à ton avis?

Jury secoua la tête.

— Peu de temps, je crois. C'est à peine si le visage et le cou sont raides. Mais tu es sûrement mieux placé que moi pour évaluer l'heure du décès. (Il éteignit la torche.) Quand l'as-tu vue pour la dernière fois?

— Aux alentours de neuf heures. Tom et moi sommes partis juste après le dîner. Seaingham et ses invités se rendaient dans le salon pour y prendre un dernier verre.

Jury haussa les épaules.

— Admettons qu'elle y ait passé une heure. Celui qui a fait le coup a attendu que tout le monde soit monté se coucher. Il ne doit pas y avoir plus d'une heure qu'elle est morte. Que sais-tu d'elle?

— Qu'elle n'était pas très populaire.

— C'est ce que je vois, rétorqua Jury.

Du bureau de Charles Seaingham, Jury téléphona au commissariat de Northumbrie. Cullen, qui se trouvait être de service, en profita pour se plaindre amèrement de la bande de loubards qui avaient réduit en bouillie le mobilier d'un pub situé dans l'enceinte du centre commercial. Jury lui annonça que la nuit était loin d'être finie pour lui et qu'il allait avoir encore du pain sur la planche.

— Seigneur! C'est comme ça partout où vous allez?

— Je vous signale que je n'y suis pour rien : je ne lui ai pas tiré dessus.

Cullen marqua une pause avant d'ajouter :

— C'est bon. Je vais appeler mes collègues de Durham et leur demander d'envoyer leurs gars; ils arriveront là-bas avant moi. Est-ce que cette saloperie de route est dégagée, au moins?

— Oui.

— Et merde, bougonna Cullen en raccrochant.

Lorsque Jury expliqua à Melrose Plant qu'ils allaient devoir attendre l'arrivée de Cullen, Plant s'étonna.

— Pourquoi? N'avons-nous pas un as du Yard ici même?

— Personne ne m'a demandé de mettre la main à la pâte. Nous allons donc nous armer de patience et attendre Cullen. Pour l'instant, si tu me disais lequel de ces messieurs est Parmenger?

Pendant que s'effectuaient les présentations, Susan Assington réussit à se placer au beau milieu du champ visuel de Jury et, au lieu de se contenter de lui tendre la main, elle lui tendit un verre de cognac. D'une voix de petite fille que l'émotion avait rendue singulièrement rauque, elle expliqua :

— Buvez, vous devez en avoir besoin. C'est tellement horrible, ce qui est arrivé.

Un petit frisson la secoua des pieds à la tête, faisant joliment palpiter le satin de son peignoir.

Jury lui sourit vaguement. Ignorant le suggestif peignoir de satin et la chevelure lustrée de Susan, il braqua les yeux sur Vivian. Le nez baissé, celle-ci contemplait sa robe de chambre élimée avec tristesse, comme un enfant qui a réussi à se crotter partout.

— Miss Rivington, je suis ravi de vous revoir. Il y a bien longtemps que je n'ai eu le plaisir de...

Melrose poussa un soupir. *Miss Rivington*, sacré nom d'un chien, voilà qui ne manquait pas de sel! Nul doute qu'elle allait lui donner du *monsieur le commissaire!* C'était couru d'avance!

— Commissaire Jury, dit-elle d'une toute petite voix en essayant de repousser les cheveux qui lui tombaient sur les yeux. Cela fait plusieurs années, en effet. Enfin, une, pour être exacte. Encore qu'on ne puisse pas vraiment... Je veux dire, ç'a été si rapide...

Melrose avala une bonne rasade de cognac. Il était probable qu'ils allaient continuer comme ça longtemps. Quelles banalités allaient-ils encore sortir?

— Pardonnez-moi, j'ai dit « miss », mais peut-être que...

Agatha ne laissa pas à Vivian le temps de souffler:

— Vous avez bien fait, inspecteur. Elle n'a pas encore épousé cet abominable Italien.

Melrose arracha Jury aux griffes d'Agatha et le conduisit auprès de Frederick Parmenger qui, l'air sombre, son verre de whisky soda à la main, était planté près des étagères de la bibliothèque.

— Pourrais-je m'entretenir un instant seul à seul avec vous, monsieur Parmenger? s'enquit Jury.

— Avec moi? Pourquoi? Vous me trouvez une mine de meurtrier? Certes, je ne pouvais pas souffrir cette fille, mais de là à...

— Il ne s'agit pas de miss Sleight.

Parmenger ne parvint pas à dissimuler sa surprise en entendant ces mots.

— Et de quoi, alors, au nom du ciel?

Lorsqu'ils furent entrés dans le bureau de Seaingham, Jury se rendit compte qu'il avait du mal à annoncer la nouvelle à Frederick Parmenger. Sans doute parce qu'il n'avait pas envie d'évoquer les faits une fois de plus.

Le bureau du critique d'art était une pièce de petite taille, une sorte de sanctuaire, nettement plus accueillant que la chapelle où allait se recueillir Grace. Les boiseries sombres luisaient. Sur les étagères de la bibliothèque fermée par des portes vitrées s'alignaient des ouvrages aux reliures raffinées. La table de travail du maître de maison disparaissait sous les coupures de presse, les magazines, une carafe pleine de whisky, une lampe. Des carreaux superbes ornaient le pourtour de la minuscule cheminée. Le canapé était en cuir fauve, et le fauteuil en velours feuille-morte bien patiné. Il n'y avait pour ainsi dire pas d'objets, à l'exception de quelques canards et faisans sculptés à la main. L'ordonnancement des lieux ne devait absolument rien à la patte d'un décorateur. On sentait que si chaque chose était à sa juste place, c'était parce que Charles Seaingham en avait décidé ainsi.

Les toiles valaient à elles seules une petite fortune. Un Manet, une gravure de Picasso, un Munch. Et un Parmenger. Cette dernière se trouvait sur le chevalet qui occupait presque tout le centre de la pièce. Parmenger avait manifestement exécuté le portrait de Mrs Seaingham ici même, ce qui en disait long sur les relations unissant Seaingham et sa femme.

— Il s'agit d'Helen Minton, finit par déclarer Jury.

— *Helen ?* Eh bien, quoi, Helen ?

Jury crut percevoir de l'inquiétude dans la question du peintre, mais il n'aurait su dire si elle était réelle ou feinte. Quoi qu'il en soit, répugnant à lui annoncer la nouvelle, il tenta de gagner du temps :

— Vous n'avez pas lu les journaux ?

— Quels journaux ? La neige nous a empêchés de mettre le nez dehors. Alors, Helen ?

— Je suis navré d'avoir à vous l'apprendre, monsieur Parmenger. Il y a eu un accident. Helen est morte.

Parmenger s'enfonça plus profondément dans son fauteuil. L'espace d'un instant, Jury crut qu'il allait manquer d'oxygène et s'évanouir.

Mais il n'en fit rien. Se levant, il se dirigea vers le bureau, prit la carafe et remplit son verre de whisky. Ses phalanges crispées autour du gobelet étaient blanches.

— C'est impossible. Comment se peut-il...?

— Quand l'avez-vous vue pour la dernière fois ? s'enquit Jury.

— Il y a deux mois. (Parmenger regarda Jury avec des yeux de noyé.) Comment est-ce possible ?

— C'était votre cousine ?

Comme si la proximité de son travail pouvait le rassurer et l'arracher à la vision de la mort, Parmenger alla se planter devant le portrait de Grace Seaingham.

– Oui, se borna-t-il à répondre.

Jury attendit la suite.

Parmenger finit par se tourner vers lui.

– Bon Dieu, à quoi rime tout ceci? Comment se fait-il que ce soit un policier de Scotland Yard qui vienne m'annoncer la mort d'Helen?

– Il se trouve que j'ai eu l'occasion de la rencontrer. Très brièvement. Et tout à fait par hasard. C'était une femme... merveilleuse.

Jury regarda le visage du peintre, s'attendant à le voir se craqueler, tel un pare-brise cassé.

Parmenger parut osciller imperceptiblement mais il ne trahit pas autrement son émotion.

– Merveilleuse. Vous avez dit le mot.

Il braqua sur Jury un œil noir, comme un Romain qui a bonne envie de supprimer le messager porteur de mauvaises nouvelles. Sa physionomie aux traits acérés n'aurait d'ailleurs pas déparé une pièce de monnaie ancienne.

Il y eut un silence, que les deux hommes mirent à profit pour s'observer.

– Vous ne m'avez pas demandé comment elle était morte, finit pas énoncer Jury.

– Le cœur, sans doute?

– Non. Elle a été empoisonnée.

A ces mots, Frederick Parmenger pivota sur ses talons et se replongea dans la contemplation de sa toile. Au bout de quelques instants, il murmura :

– Je ne vous crois pas.

Jury consulta sa montre. Il y avait vingt minutes qu'il avait appelé Cullen. Cullen allait sans doute mettre encore une vingtaine de minutes pour arriver jusqu'à l'abbaye : il avait donc tout son temps. Il attendrait que Parmenger se décide à parler.

Le portrait de Grace Seaingham la représentait vêtue d'une robe ivoire à manches longues – très simple –, dont tout l'éclat venait de la richesse du tissu. Parmenger avait merveilleusement rendu la texture de la soie laiteuse; de la même façon, il avait magistralement rendu la lumière hivernale entrant à flots par la fenêtre et dessinant des zébrures sur le tapis chinois au pied de son modèle. La lumière donnait à Grace un aspect fantomatique. Jury n'aurait pas été étonné de voir les contours de la bibliothèque à travers son corps tant il semblait impalpable.

— La mort de Beatrice Sleight ne semble pas vous perturber plus que ça, monsieur Parmenger.

— En effet. Vous ne pouvez savoir à quel point j'ai été soulagé d'apprendre que la victime n'était pas Grace Seaingham. Grace est une femme d'une grande bonté – et d'une piété assommante. Mais nul n'est parfait, n'est-ce pas? (Il avala la moitié de son verre.) Beatrice Sleight, par contre, était une vraie garce. Un tête-à-tête d'une heure avec elle m'aurait, j'en suis certain, donné envie de la réduire en bouillie. Or, rendez-vous compte, il y avait trois jours que nous la subissions à l'abbaye. Seigneur, je suis étonné qu'elle ait réussi à vivre aussi longtemps!

— Selon vous, qui avait une raison valable de la tuer?

— Tout le monde. (Il vida son verre et s'en versa un autre.)

— Personne en particulier?

— Pas moi, en tout cas. Vous allez sans doute me demander où j'étais à l'heure du crime, et toute cette sorte de choses?

Il se laissa aller dans son fauteuil, renversant la tête en arrière comme pour mieux étudier son œuvre, puis répondit à la question qu'il avait lui-même posée :

— J'étais dans ma chambre, fit-il en continuant d'examiner son travail d'un œil critique. Il y a quelque chose qui cloche dans ce foutu truc. (A l'évidence, il s'intéressait davantage à la peinture qu'aux cadavres. Mais peut-être jouait-il la comédie...) Dans ma chambre, oui, comme tout le monde. Nous étions montés nous coucher de bonne heure. Les soirées au coin du feu, ça commençait à bien faire!

— Vous n'avez rien entendu de spécial? Ni coup de feu ni quoi que ce soit de ce genre?

Parmenger secoua négativement la tête, se leva, son verre toujours à la main. Ayant pêché un pinceau dans un bocal en verre, il mélangea un soupçon d'ocre et une larme de blanc cassé et rajouta à sa toile un trait presque imperceptible. Puis il remit le pinceau en place et revint s'asseoir.

— Rien. Les chambres donnent du côté opposé à la chapelle. Et il y avait un vent du diable. Je n'aurais même pas entendu tonner le canon.

— Vous ne vous étiez cependant pas encore mis au lit,

remarqua Jury en regardant Parmenger, sanglé dans son costume.

— C'est exact. Je n'allais pas me déshabiller pour sortir régler son compte à Bea Sleight. (Il jeta à Jury un regard d'impatience.)

— Y a-t-il quelqu'un ici, à votre connaissance, qui aurait pu souhaiter la mort d'Helen Minton?

— Ici? (Il eut un rire bref ressemblant à un grognement.) Seigneur Dieu, non. Personne ici ne connaissait Helen.

— Ailleurs, alors?

Parmenger secoua lentement la tête.

— Helen était une fille trop bien élevée pour avoir des ennemis.

— Il faut croire qu'elle en avait au moins un, dit Jury qui se leva en entendant le bruit d'un moteur ouaté par la neige.

18

Le sergent Roy Cullen était né et avait grandi à Sunderland. En conséquence, même s'il n'était pas franchement
pour la violence, il n'était pas complètement contre non plus.
Sur le plan théorique, du moins. Pour se débarrasser de son
agressivité, toutefois, il aimait mieux s'occuper des retom-
bées agitées des matchs de football de Newcastle que de se
trouver mêlé à de prétendues affaires de meurtre impliquant
des membres de la haute société. Aux yeux de Cullen, la plupart des invités rassemblés à Spinney Abbey pouvaient être
considérés comme des chômeurs – au même titre que les
habitants des environs de Newcastle et de Sunderland. Et
toujours selon Cullen, si ces gens-là avaient du fric – et Dieu
sait qu'ils en avaient –, c'était parce qu'il leur était tombé
pour ainsi dire tout rôti dans le bec. Gagner sa vie en écrivant
des romans n'avait, en effet, rien de comparable avec la façon
dont Cullen gagnait péniblement sa croûte.

D'abord, il y avait eu cette saloperie de neige dans
laquelle il lui avait fallu patauger. Le corps de la femme à
moitié enfoui dedans, qu'il avait dû examiner. Le match de
football de samedi, qui allait probablement être annulé
compte tenu du mauvais temps. Et bien sûr, le meurtre
commis au manoir d'Old Hall. Alors comment s'étonner,
avec tout ça, que le sergent Cullen fût d'une humeur de
dogue? A dire vrai, il était rare qu'il fût de bonne humeur.
Toutefois, la vue du maître d'hôtel qui – avec son nez à
piquer des gaufres – l'avait débarrassé de son chapeau et de
son pardessus comme s'il mourait d'envie de les épouiller
avait fini de le mettre de mauvais poil.

Quant aux invités rassemblés dans le salon, il éprouvait pour eux autant de sympathie qu'il en éprouvait d'ordinaire pour la ligne d'avant de Newcastle.

Charles Seaingham se faisait plus de pognon en une année en écrivant dans les journaux que Cullen en gagnerait jamais pendant toute sa vie. Même les vêtements de nuit des dames avaient l'air d'avoir coûté les yeux de la tête. Le médecin – qui devait avoir son cabinet à Harley Street, sûrement – portait une robe de chambre en soie. Un autre invité – plus jeune que le médecin et à l'air rudement malin – appartenait vraisemblablement à la noblesse campagnarde et devait posséder une écurie de chevaux de course. L'intellectuel – pour Cullen, tout ce qui portait lunettes à monture en corne entrait d'office dans cette catégorie – devait pondre des pièces à succès sulfureuses ou s'occuper d'autres foutaises du même style, qui rapportaient un maximum de pognon. Il y avait également un adolescent parmi tout ce joli monde. Un garçon qui avait l'air brave, encore qu'il ne dût pas être du genre à apprécier le football et fût certainement un enfant gâté.

Mais le plus dur à avaler dans tout ça, c'était quand même la présence de Scotland Yard. Non que Cullen cherchât à tout prix à défendre son territoire. Simplement, il trouvait irritant en diable que le commissaire du Yard eût réussi à lui damer le pion et à arriver premier sur le terrain. A croire que ce petit monde s'imaginait avoir droit à ce qui se faisait de mieux : Fortnum pour l'épicerie, Scotland Yard pour résoudre ses affaires de meurtre.

Ainsi réfléchissait Cullen tout en balayant la pièce et ses occupants du regard. Après avoir adressé aux invités de Charles Seaingham ce qui correspondait pour lui à un sourire – et qui n'eut pas particulièrement l'air de les réconforter –, il ajouta :

– Je vous présente le constable Trimm.

Cullen avait de l'affection pour Trimm. Il l'aimait pour sa petite taille et pour son air faussement innocent. Cullen emmenait Trimm partout avec lui, comme on trimballe un bébé dans un couffin, de façon à faire croire aux gens qu'il interrogeait que rien de désagréable ne pourrait leur arriver tant que le constable serait dans les parages.

Or Trimm était cent fois pire que Cullen dès lors qu'il s'agissait de mettre au pas le *Lumpenproletariat* – terme englobant aussi bien les voyous des rues sordides de Sunderland que les supporters de l'équipe de football de Newcastle. Et ce en recourant à des méthodes peut-être pas tout à fait orthodoxes, mais qui avaient néanmoins le mérite de donner des résultats d'une rapidité diabolique. Nul doute qu'avec les invités de Seaingham il faudrait user de moyens plus subtils, observer les règles du rituel policier de façon plus scrupuleuse.

— Navré de vous obliger à veiller, fit Cullen d'un ton sec. (C'était plus fort que lui. Ils avaient tellement l'allure de... privilégiés.) Nos collègues de Durham sont en train d'inspecter les lieux. Quel est celui d'entre vous qui a découvert la victime?

— C'est moi... Ou plus exactement, c'est nous.

Le propriétaire de l'écurie de chevaux de course. Et le gamin.

Le gosse, il allait n'en faire qu'une bouchée. Mais l'autre, c'était moins sûr.

— Votre nom, monsieur? s'enquit Cullen avec une politesse exagérée.

— Melrose Plant.

— Comte de Caverness, jeta la vieille qui portait une charlotte.

Un comte. Cullen se dit qu'il avait dû mettre en plein dans le mille pour les chevaux.

— Melrose Plant. (Rectification.)

Cullen plia une tablette de chewing-gum en deux et se la fourra dans la bouche. Puis, avec une feinte bonhomie, il s'enquit :

— Dois-je vous appeler monsieur le comte ou monsieur tout court? Vous n'avez pas l'air d'accord, cette dame et vous.

— Fiez-vous à moi : je sais de quoi je parle, dit le propriétaire de chevaux.

Cullen haussa les épaules. Après tout, les titres, il s'en battait l'œil.

— C'est donc ce jeune homme et vous qui avez trouvé le corps.

— C'est exact, confirma Tommy Whittaker, qui épela son nom de famille à l'intention de Trimm.

A ce moment précis, l'autre dame âgée — qui semblait avoir un maintien plus digne que celui de la dame à la charlotte — précisa :

– N'oubliez pas d'ajouter que Tommy est marquis de Meares.

Nom de Dieu, songea Cullen. On lui presserait le nez qu'il en sortirait encore du lait et ce petit est déjà marquis!

– A ski? (Cullen se pencha au-dessus des papiers apportés dans le bureau de Charles Seaingham par son collègue de Durham et fixa Melrose. Il secoua la tête puis gratifia son interlocuteur d'un simulacre de sourire.) Vous voulez me faire croire, monsieur Plant, que vous et... (il se tourna vers Trimm, qui lui souffla le nom de l'intéressé) le jeune Whittaker vous promeniez à ski dans la campagne?

Plant fit circuler son étui à cigares à la ronde, essuya deux refus, et s'en alluma un.

– C'est exact. Nous revenions du pub local. *L'Auberge de Jérusalem.*

– Ouais, je connais. C'est à la sortie de Spinneyton. Pouvez-vous nous dire ce qui vous avait attirés là-bas?

– Le match de snooker, sergent. C'est en rentrant du pub que nous avons découvert le corps.

Cullen le fixa, les yeux étrécis.

– Je peux vous affirmer qu'il n'y était pas lorsque nous avons quitté l'abbaye.

– Comment le savez-vous?

– Nous avons emprunté le même trajet au retour qu'à l'aller. Tommy avait noté... (Melrose s'interrompit. Il était inutile d'entrer dans les détails.)

Mais les deux policiers étaient loin d'être bêtes. Le constable Trimm leva le nez et, son visage de chérubin baigné par la clarté de la lampe, il s'enquit :

– Qu'est-ce qu'il avait noté?

– Pas grand-chose. L'itinéraire à suivre. De façon à nous éviter de nous égarer en rentrant.

– A quelle heure avez-vous quitté l'abbaye?

– Après dîner. Aux environs de neuf heures.

– Et à quelle heure êtes-vous rentrés? questionna Cullen.

– Peu après la fermeture de *l'Auberge de Jérusalem.* Nous avons dû quitter le pub à onze heures dix. Si on compte vingt minutes pour le trajet du retour, cela nous mène aux environs de...

– Onze heures et demie, énonça fièrement Trimm, comme si Plant ne savait pas compter.

— C'est cela.

— Que s'est-il passé ensuite? s'enquit Cullen.

— Whittaker, qui était devant moi, a heurté le corps avec ses skis et il est tombé. Je l'ai aidé à se relever.

Cullen secoua la tête avec un air d'infinie tristesse, comme si Trimm et lui venaient d'assister au pathétique numéro d'un menteur totalement dénué de talent.

— J'aimerais que nous revenions un peu en arrière, monsieur Plant. Vous prétendez avoir, Whittaker et vous, décidé tout d'un coup de vous rendre à ski à *l'Auberge de Jérusalem.* Peut-on savoir pourquoi?

— Disons que sur le moment, ça nous a paru être une bonne idée. Nous nous sommes laissés entraîner par le démon de l'aventure.

— L'aventure. (Cullen leva le nez de ses papiers et enchaîna :) Vous vous rendez compte que le jeune Whittaker et vous êtes dans de sales draps? Parce que si quelqu'un a eu la possibilité de faire le coup, c'est vous! Les autres n'étaient pas dehors en train de faire du ski de fond, eux! (Il décocha à Melrose un sourire en forme de flèche.)

— Je ne sais que vous dire, sergent. Je n'ai pas eu le rapport du médecin entre les mains, j'ignore l'heure de la mort de... Et puis d'ailleurs, qu'est-ce que Beatrice Sleight serait allée fabriquer à cet endroit, à pareille heure?

— C'est moi qui pose les questions, si vous n'y voyez pas d'inconvénient.

La réplique semblait sortir tout droit du *Troisième Pigeon.* Melrose poussa un soupir.

— On lui a tiré dans le dos avec un fusil de petit calibre. L'arme n'a pas été retrouvée. Où croyez-vous qu'elle puisse être?

La question semblait purement rhétorique.

— Dans l'armurerie.

— Vous êtes passés devant en sortant et en rentrant.

— Vous ne pensez pas sérieusement que nous serions allés à *l'Auberge de Jérusalem,* à ski, avec un fusil?

— Comment savoir? (Cullen plia une autre tablette de chewing-gum en deux et se la fourra dans la bouche avec un mince sourire. Puis il se replongea dans l'étude de ses papiers.) Vous êtes comte de Caverness?

— Plus maintenant. Désormais je m'appelle Melrose Plant.

— Pourquoi avoir renoncé à votre titre?

— Parce que je ne tenais pas à le conserver.

Visiblement, le comportement de Plant ne correspondait en rien à ce que ces deux contempteurs de la noblesse attendaient d'un aristocrate.

— Désolé de voir que vous ne m'approuvez pas, s'excusa Plant.

— Vous l'avez fait pour des raisons politiques ?

— Non. Mais croyez-vous que cette histoire de titre soit importante, sergent ? Après tout, vous avez un meurtre sur les bras.

— Savez-vous manier une arme à feu, monsieur Plant ? Étant comte, vous devez chasser, fit Cullen en souriant.

— Non.

Le sergent et le constable l'examinèrent d'un air dubitatif.

Plant songea que leur scepticisme ne manquerait pas de croître lorsqu'ils apprendraient que le marquis de Meares était, lui, un excellent fusil.

Tommy eut toutefois l'impression de s'en être sorti haut la main, comme il ne manqua pas de le confier à Melrose.

— Je crois leur avoir fait bonne impression. Surtout au petit joufflu.

— *Bonne impression ?* Mais, mon vieux, il ne s'agit pas d'un concours de popularité. Que voulez-vous dire, au juste ? (Melrose avait des fourmillements dans les jambes. Il était sûr — si toutefois on le laissait regagner son lit — qu'il se réveillerait avec des crampes atroces.)

— Je leur ai expliqué que ce n'était pas un fusil que je transportais dans mon étui à hautbois mais une simple queue de billard. Le constable Trimm a eu l'air fasciné. Son supérieur aussi : ils sont tous deux fanas de snooker. Encore que nos goûts diffèrent. Car ils semblent avoir une préférence pour les joueurs méthodiques, style Ray Reardon. Alors que moi, j'admire les rapides comme Hurricane Higgins. Je leur ai demandé de bien vouloir garder pour eux la raison de ma présence à l'*Auberge de Jérusalem*, évidemment.

— Évidemment, reprit Melrose.

— Désolé. Vous devez trouver que j'ai un cœur de pierre. Parler snooker comme ça, alors que cette pauvre Beatrice Sleight...

— Aucune importance, coupa Melrose. Si Cullen et Trimm n'y trouvent rien à redire, je ne vois pas pourquoi je serais plus royaliste que le roi.

Après avoir passé cinq minutes en compagnie de Charles Seaingham, Jury se félicita de n'être ni peintre ni écrivain – ou du moins de ne pas être un artiste raté. Seaingham était un homme que l'on se sentait obligé de croire, non seulement à cause de sa force de conviction mais aussi parce qu'il allait droit au but.

Sans chercher à tourner autour du pot, il parla à Jury de sa liaison avec Beatrice Sleight.

— Je me suis conduit comme un idiot. Il m'est arrivé de faire des bêtises dans ma vie, mais c'est la première fois que j'en fais à cause d'une femme. Tout ce que j'espère, c'est que Grace n'en saura rien : je ne voudrais surtout pas la faire souffrir. Je n'ai aucune excuse.

Il leva à demi les bras au ciel puis les laissa retomber et s'enfonça dans son fauteuil de cuir.

Idiot, peut-être. Jury se demanda cependant si le fait que Seaingham eût jeté son dévolu sur Beatrice Sleight n'avait pas quelque chose d'inévitable. Il se dit que, selon toute vraisemblance, ce qui avait attiré le critique chez la jeune femme, c'était la vulgarité de son esprit bien plus que son sex-appeal. Peut-être Seaingham était-il las, au fond, de ne se pencher que sur les belles choses, fussent-elles marquées au sceau du génie.

Ils bavardaient dans le petit bureau au milieu duquel trônait le portrait de Grace. Sur la table, près du fauteuil de Seaingham, était posé un exemplaire du *Skieur*. Voyant Jury y jeter un coup d'œil, le critique remarqua :

— MacQuade est le premier écrivain réellement doué que j'aie lu depuis longtemps. J'espère que son amour malheureux le servira.

— J'ai peur de ne pas vous suivre, fit Jury avec un sourire.

— Il est amoureux de Grace. Mais il n'est pas le premier à qui cela arrive. Je pense parfois qu'elle aurait dû vivre dans l'Angleterre des années 20 et tenir un *salon*. Elle s'en serait sortie à la perfection. Grace possède un don rare : elle donne aux gens confiance en eux. Ce n'est pas mon cas. Cigarette ? (Il tendit à Jury un étui de cuir noir.) Pas du tout mon genre, j'en ai peur. Parfois, j'en viens à détester mon métier. On ne peut pas dire qu'un critique aide les talents à se révéler. Les véritables talents finissent toujours par percer seuls.

— J'ai lu des extraits du roman de MacQuade. Il devrait donner des cours de survie. Que pensez-vous de lui personnellement?

Seaingham chercha des yeux le Manet, comme s'il avait besoin du secours de l'Art pour franchir un cap difficile.

— C'est un type sympathique. Il ne ferait pas de mal à une mouche. Du moins en suis-je persuadé. Il sait tenir un fusil, certes. Mais on peut en dire autant de la plupart d'entre nous. Nous chassons la grouse et le faisan par ici.

Jury répéta à Seaingham ce qu'il avait dit à Parmenger :

— Le meurtre de Beatrice Sleight ne semble pas vous affecter outre mesure...

Seaingham l'interrompit vivement :

— Le fait qu'elle ait été assassinée, si. Mais pas sa mort. Cette fille commençait à être... gênante. C'est affreux à dire, mais c'est la pure vérité. C'était une enquiquineuse.

— Comment cela?

— Elle semblait penser pouvoir m'obliger à avoir bonne opinion des romans lamentables qu'elle écrivait en me menaçant de révéler notre liaison à Grace.

— Et vous étiez prêt à tout pour l'empêcher de mettre sa menace à exécution?

— Vous voulez savoir si je l'ai tuée? J'aurais pu le faire, mais je ne l'ai pas fait.

Jury eut l'impression que Seaingham ne s'attendait nullement à la question suivante.

— Connaissez-vous une femme nommée Helen Minton? Le critique se leva pour se servir un verre de whisky.

— Vous prenez quelque chose? proposa-t-il à Jury.

Jury se dit qu'il essayait de gagner du temps.

— Non, merci.

— Helen comment, dites-vous?

— Helen Minton.

— Je ne crois pas.

— Vous avez lu les journaux aujourd'hui?

— Il y a des jours que je ne les ai lus. Nous sommes bloqués par la neige. Pourquoi?

— Helen Minton, qui était originaire de Londres, vivait à Washington. Son corps a été retrouvé au manoir d'Old Hall il y a deux jours.

– Mon Dieu, murmura Seaingham, perplexe. Je ne vois pas le rapport avec... (Il indiqua d'un geste la galerie et le solarium.)

– Helen Minton se trouvait être la cousine de Frederick Parmenger.

Jury crut que Seaingham n'arrivait pas à assimiler la nouvelle en le voyant secouer la tête, l'air de plus en plus perplexe.

– Parmenger ne vous a jamais parlé d'elle?

– Ma foi... non. A aucun moment. Mais il ne parle pour ainsi dire jamais de lui. Est-ce que vous avez pensé à poser la question à Grace? Elle est de ces femmes qui attirent les confidences.

Jury préféra ne pas répondre et enchaîna :

– Ma présence à l'abbaye n'est pas entièrement fortuite, monsieur Seaingham. (Jury sourit.) Si je suis venu jusqu'ici, c'est afin d'avoir un entretien avec Parmenger. Et le hasard a voulu que je tombe sur une nouvelle affaire de meurtre.

Lorsque Seaingham se leva pour remplir de nouveau son verre, Jury remarqua que sa main tremblait légèrement. Il se dit qu'il devait en falloir beaucoup pour faire perdre son sang-froid au critique.

MacQuade, lui, semblait nettement plus émotif. D'après Jury, du moins. Il s'en fallut de peu que l'écrivain se mette à bafouiller en répondant aux questions les plus anodines. Non, il n'avait rien entendu qui ressemblât à un coup de feu.

Jury avait à portée de main un exemplaire du *Skieur*.

– J'ai lu les papiers des critiques ainsi que des extraits de votre livre. (Il désigna *Le Skieur*.) Il avait été question de lui attribuer deux autres prix.

– Et les critiques attendent que je me ramasse... Ils en ont été pour leurs frais. (MacQuade se laissa aller contre le dossier de son siège et parut se détendre.) Vous êtes rudement bien renseigné sur ce qui se passe dans le petit monde des lettres, commissaire. Charles Seaingham aurait dû vous mettre sur sa liste d'invités.

– Vous deviez détester Beatrice Sleight.

– En effet.

L'allumette craquée par Jury mit bien en évidence les yeux de MacQuade, qui brillaient comme des braises.

– Vous avez déjà lu des échantillons de sa prose? Infect! Tout écrivain normalement constitué ne pouvait qu'avoir envie de la descendre... elle faisait vraiment trop laid dans le paysage.

Très astucieux, songea Jury. Il s'en tire bien.

– Mais, poursuivit MacQuade, si Bea avait une liaison avec Charlie... cela me donnait autant de raisons en moins de la... (Il s'interrompit net, se rendant compte qu'il venait pratiquement de dévoiler les sentiments qu'il éprouvait pour Grace Seaingham.)

S'efforçant de reprendre un air indifférent, MacQuade poursuivit :

– Je ne crois pas que je l'aurais tuée sous prétexte que c'était une minable, qui était incapable d'aligner trois mots proprement. Comprenez-moi bien, commissaire, je sais tenir un fusil : je pourrais aisément vous crever un œil à trois cents mètres. Et je suis maintenant un champion en matière de ski de fond : il m'a fallu faire des recherches approfondies pour mon bouquin... (Il faillit faire tomber le livre par terre.) Je n'aurais aucun mal, par exemple, à gagner Washington à ski en pleine nuit. Je vous dis cela pour le cas où...

– Qui vous a parlé d'Helen Minton?

– Parmenger. (MacQuade regarda Jury bien en face.) Je n'avais jamais entendu prononcer son nom auparavant.

Jury pénétra dans le bureau alors que Cullen était en train d'interroger sir George Assington.

Sur un signe de tête affirmatif du sergent, il prit place sur une chaise contre le mur. A peine installé, il eut l'impression d'assister à une représentation théâtrale.

Non que Cullen et Trimm se comportassent en acteurs. C'était plutôt sir George qui semblait se conduire en vedette et monopoliser la conversation. Jury se dit que le grand homme devait penser qu'il avait une réputation à soutenir. Las de l'entendre discourir sur l'hématologie et les groupes sanguins, Trimm se décida à l'interrompre.

– Vous venez ici pour chasser?

– Le faisan et la grouse, oui. Pas mes semblables. C'est bien ainsi que vous l'entendez, je suppose? Si vous voulez savoir si je suis capable de tenir un fusil, la réponse est oui, *constable*.

Sir George prononça ce dernier mot de façon à bien faire sentir à Trimm qu'il y avait un monde entre eux.

Cullen prit le relais et Trimm s'adossa contre les étagères de la bibliothèque.

— Vous êtes le médecin traitant de Mrs Seaingham, n'est-ce pas? (Sir George opinant, Cullen poursuivit :) De quoi souffre-t-elle?

— Je ne peux malheureusement pas vous répondre. Je n'étale pas les problèmes de mes malades sur la place publique.

Jury vit Cullen se fourrer une nouvelle tablette de chewing-gum dans la bouche, l'air toujours aussi froid et impassible.

— Vous pourriez faire une exception pour la police. Cela nous simplifierait la tâche.

— J'ai une importante réunion au Royal Hospital demain... ou plutôt aujourd'hui, déclara sir George pour toute réponse. M'autoriserez-vous à y assister? Ou sommes-nous tous obligés de rester enfermés ici?

— Il est possible que oui, fit Cullen. J'imagine, poursuivit-il en froissant le papier de chewing-gum et l'expédiant dans une corbeille, que votre travail consiste à la maintenir en vie.

Sir George poussa un soupir.

— L'état de Mrs Seaingham est loin d'être brillant...

— Il le sera encore moins si quelqu'un s'amuse à lui tirer dessus.

— J'avoue avoir du mal à vous suivre, sergent. Je croyais que nous parlions de la blessure par balle qui avait causé la mort de miss Sleight. (Le ton impatient de sir George semblait suggérer que la police de Northumbrie n'était même pas capable de se souvenir du nom de la victime.)

Cullen se laissa aller contre le dossier de sa chaise et posa les pieds sur le bureau impeccablement ciré de Charles Seaingham.

— Oh, mais la mort de miss Sleight est le résultat d'une erreur. C'est Mrs Seaingham qui était visée. (Méthodiquement, il continua de mâcher.)

Imitant l'attitude décontractée de Cullen, Jury se renversa en arrière, le dossier de sa chaise touchant le mur, et sourit légèrement. La toux de sir George vint mettre fin au silence qui régnait dans la pièce.

– Grace? Pourquoi diable voudrait-on assassiner Grace Seaingham?

– Dites-le-moi, comme ça nous serons deux à le savoir. D'après ce que j'ai entendu dire d'elle, je vois mal ce que miss Sleight serait allée faire à la chapelle. Et enveloppée dans la cape de Mrs Seaingham, encore. Une balle dans le dos dans un endroit non éclairé. Pourquoi ne pas nous parler des problèmes de santé de Mrs Seaingham? Cela nous ferait gagner du temps. Ce n'est pas votre avis, commissaire?

Tandis que sir George se tournait vers lui, outré par ce qu'il considérait comme une manœuvre d'intimidation, Jury se borna à remarquer :

– Certes. Je me demandais si je pouvais poser une question à sir George.

D'un simple hochement de tête, Cullen lui fit signe d'aller de l'avant.

– Vous souvenez-vous d'un certain Dr Lamson? Au XIXᵉ siècle.

Sir George éclata d'un rire qui sonnait faux.

– Je ne suis pas si vieux que ça, commissaire.

– J'en conviens. Est-ce que ce Lamson n'avait pas empoisonné un jeune homme...

Sir George l'interrompit.

– C'est parfaitement exact. Avec de l'aconit. *Aconitum napellus*. (Il semblait à la fois surpris de voir que le policier connaissait l'affaire et incapable de résister au plaisir de faire étalage de ses connaissances en matière de poisons.) A cette époque, les empoisonnements à l'aconit étaient pratiquement impossibles à déceler. Il a fait croire à sa victime que c'était un médi... (Sir George s'interrompit net.)

– Un médicament, c'est bien cela, compléta Jury. L'affaire a fait grand bruit. Lamson avait mis le poison dans une gélule, exact?

Le regard de sir George navigua de Cullen à Trimm puis à Jury, et il se leva avec lenteur.

– Vous ne voulez pas dire qu'un médicament que j'ai prescrit à Mrs Seaingham ait pu... (Le visage congestionné, les poings crispés, il se pencha au-dessus du bureau.) Cela fait maintenant plusieurs mois que Mrs Seaingham n'est pas bien. Elle a perdu du poids. Et au début, j'avoue m'être demandé si elle n'était pas anorexique.

Dans son dos, Jury énonça :

– Elle ne mange pour ainsi dire rien, n'est-ce pas?

Sir George regarda Jury comme il aurait examiné un spécimen flottant dans un bocal de formol.

– C'est exact. Elle n'a jamais rien voulu me dire de précis, se contentant de me déclarer qu'elle ne se sentait pas bien.

– Des examens de sang permettraient peut-être...

Sir George se redressa. Avec son maintien quasi militaire, il avait l'air imposant.

– Grace refuse tout examen de sang. Ce n'est pas faute d'avoir insisté... Elle est persuadée qu'avec l'aide de Dieu cela passera. (Sir George bourra sa pipe presque avec violence; il semblait furieux que Grace pût lui préférer Dieu.)

– Oh, pour passer, ça passera, fit Cullen avec un sourire sans joie.

19

Grace Seaingham était une énigme. Que Parmenger avait réussi à saisir dans sa totalité. Le peintre était parvenu, perçant la blonde carapace de détachement de son modèle, à appréhender le monde de contradictions qui se dissimulait sous cette apparence lisse. Il avait réussi à rendre la beauté froide et les manières chaleureuses de Grace, la fragilité extrême comme la grande force intérieure qui l'habitait, le tempérament confiant et l'approche réaliste des problèmes.

Ce fut avec réalisme, d'ailleurs, qu'elle répondit à la question de Jury se rapportant à son mari et à Beatrice Sleight :

— Il y a un certain temps que je suis au courant, commissaire.

Ce style direct était déconcertant. C'était comme si, ayant mis à l'abri ce qui avait vraiment de la valeur, elle pouvait se permettre d'être franche.

Et de poursuivre sur ce ton mesuré, que Jury trouva vaguement irritant :

— D'une certaine façon, je pouvais difficilement lui en vouloir. Le premier moment de stupeur passé, ajouta-t-elle sur un ton d'excuse presque enfantin.

— Pourquoi vous être crue obligée de surmonter le choc?

Jury avait sorti son calepin, mais au lieu de prendre des notes, il gribouillait. Cela l'aidait à réfléchir.

Grace Seaingham inclina la tête de côté d'un air indulgent et sourit.

— Ne vaut-il pas mieux s'efforcer de... viser le long terme, commissaire?

Il lui sourit en retour :

– Prendre du recul et voir les choses de plus haut, vous voulez dire? En un mot, pardonner, comme Dieu pardonnerait?

Elle remua la tête, faisant voleter ses cheveux blonds que Jury ne pouvait s'empêcher de comparer à des cheveux d'ange, mais garda le sourire.

– C'est cela. Dieu passerait l'éponge, lui.

– J'avoue ignorer ce qui se passe dans la tête de Dieu.

Elle détourna les yeux, baissa le nez et contempla ses mains croisées sur ses genoux enveloppés de satin blanc. C'était une robe de chambre superbe. Il se demanda si elle portait toujours du blanc.

– Cela n'a pas dû être facile pour vous de la recevoir ici, poursuivit Jury. Je suis assez surpris, je ne vous le cacherai pas, que vous ayez tenu à avoir tous ces gens à Spinney Abbey à la veille de Noël.

– Je n'y tenais pas, en réalité, mais Charles est habitué à la trépidante vie londonienne. J'aime le calme; mon mari, non. Il a l'habitude d'être entouré de monde. On ne peut pas obliger un homme comme Charles... à rester enfermé entre quatre murs, n'est-ce pas?

Pensant aux hauts murs de pierre de l'abbaye, Jury se demanda si ce n'était pas à cela qu'elle faisait allusion. C'était elle – comme elle le lui avait confié peu de temps auparavant – qui avait déniché l'abbaye et l'avait achetée. A l'évidence, Grace Seaingham était riche à millions, ayant hérité de la fortune d'un père dont elle se plaisait à dire qu'il avait été « dans les affaires ».

– Pourquoi miss Sleight serait-elle, revêtue de votre cape, allée faire un tour du côté de la chapelle, madame Seaingham? D'après ce que j'ai entendu dire, ce n'était pas une femme portée sur la religion.

– Je n'en ai pas la moindre idée. Ce que je sais, en revanche, c'est qu'elle convoitait cette cape. Croyez-vous que le meurtrier aurait pu jeter l'hermine sur elle pour dissimuler le corps? (Grace Seaingham avait l'air abasourdi de quelqu'un qui ne sait que penser.) Franchement, je ne vois pas pourquoi on aurait voulu... la tuer.

– Elle ne semblait pas très populaire... Mais la question n'est pas là. Je ne voudrais pas vous inquiéter, toutefois permettez-moi de vous faire remarquer que si quelqu'un avait l'habitude d'aller faire un tour à la chapelle, tard le soir, c'était *vous*. Et pas elle.

— Vous voulez dire que c'était *moi* qu'on visait? fit-elle en semblant perdre quelque peu son sang-froid.

Jury acquiesça.

— L'hypothèse que vous avez émise à propos du meurtrier qui aurait cherché à dissimuler le corps sous votre hermine est intéressante, seulement il se trouve que la balle a traversé la cape. C'est donc que miss Sleight portait votre fourrure. Le solarium ne sert jamais en hiver, m'avez-vous dit, et il est toujours plongé dans l'obscurité. L'assassin aurait pu se dissimuler dans le noir, voir arriver la personne qu'il attendait, emmitouflée dans cette longue cape à capuche. Vous. Seulement, ce n'était pas vous.

— Je n'ai pas d'ennemis, commissaire. En tout cas, certainement pas parmi les gens qui étaient ici. C'est impossible.

— Si vous me parliez d'eux? Vous les connaissez depuis longtemps?

— Certains depuis plus longtemps que d'autres. J'ai rencontré les Assington il y a peu. Bill MacQuade est plus l'ami de mon mari que le mien. (En voyant le rose lui monter aux joues, Jury se demanda si c'était vrai. Peut-être souhaitait-elle que cela le fût. Grace Seaingham ne semblait pas être de ces femmes prêtes à s'offrir un amant – encore moins sous le toit de leur mari.) C'est un remarquable écrivain. Charles a une très haute opinion de lui. Et mon mari n'est pas quelqu'un qui a l'admiration facile. Il n'est pas de ces critiques qui se laissent acheter.

— Pas même par Sa Majesté? fit Jury en continuant de gribouiller dans son carnet.

— Je vous demande pardon? fit-elle, surprise.

— Le bruit court qu'il doit être fait chevalier.

Grace sourit :

— Son Altesse Royale, à ma connaissance, n'a commis ni tableau ni roman qu'elle souhaiterait soumettre à la sagacité des critiques.

Jury la regarda. De toute évidence, elle était loin d'être sotte.

— Je voulais seulement dire que nous avons tous un point faible, enchaîna le policier. Il suffit d'appuyer au bon endroit.

Elle ne fit aucun commentaire.

— Quelles étaient les relations de MacQuade avec Beatrice Sleight?

– Les relations ? Il n'avait pas de relations avec elle. Je ne crois pas qu'il l'ait jamais vue avant de mettre les pieds chez nous. Bill mène une vie très... (elle parut avoir des difficultés à trouver le mot adéquat)... retirée.

– Hum. Et les Assington ? Ils la connaissaient ?

– A peine. Ils ont dû la rencontrer un jour qu'elle dédicaçait ses livres. Comme tous ceux qui fréquentent le microcosme littéraire. Si tant est que le qualificatif puisse s'appliquer à Bea... ajouta-t-elle d'un ton sévère. Sir George est un médecin de grand renom, Susan est sa troisième femme.

– Les autres sont de bons amis ?

– Oui. La poésie de Vivian Rivington a beaucoup plu à Charles, qui avait assisté à une petite soirée organisée par son éditeur. Il a été ravi qu'elle lui amène les autres. Charles pense que plus on est, mieux c'est. Lady Ardry, je crois, est une vieille amie de Betsy... je veux dire lady St. Leger.

Jury sourit. Il avait de sérieux doutes sur la question mais les garda pour lui.

– Continuez.

– Nous connaissons Betsy depuis des années. Elle a repris les rênes de Meares Hall.

– « Repris » ?

– Après la mort des parents de Tommy – Irene et Richard –, Betsy s'est avérée être la seule qui s'intéressât suffisamment à Tommy pour s'occuper de lui. Croyez-moi, elle n'avait nul besoin de l'argent des Whittaker. Pas plus que de leur prestige, d'ailleurs. Les St. Leger ont des titres en veux-tu en voilà. Betsy était la sœur du grand-père de Tommy, onzième marquis de Meares.

– Vieille famille.

Grace hocha la tête.

– Et Betsy a un faible pour Tommy. Elle-même n'a pas d'enfants. Son mari – Rudy – est mort il y a quelques années. Il était peintre, lui aussi. Malgré ce que peut penser Freddie Parmenger.

– Il y a longtemps que Frederick Parmenger est à Spinney Abbey ?

– Plusieurs semaines. Il fait mon portrait. (Elle rougit un peu.) C'est Charles qui lui a passé cette commande.

– Je l'ai vu. C'est une réussite.

– Freddie jouit d'une belle réputation.

– Connaissez-vous sa famille ?

Intriguée, elle fit non de la tête.

— Il n'en parle jamais.

— Il ne vous a jamais parlé de sa cousine? Elle s'appelait Helen Minton.

Grace Seaingham eut l'air de trouver bizarre que Jury connût la cousine de Parmenger.

— Jamais. Pourquoi « s'appelait »? Elle est morte?

Jury s'aperçut qu'il avait dessiné le carré du père Rourke sur son bloc.

— Oui. La police de Northumbrie l'a découverte, il y a deux jours, au manoir d'Old Hall, à Washington. Empoisonnée.

Le visage de Grace Seaingham devint aussi blanc que sa robe de chambre. Elle se leva lentement de son fauteuil, plus troublée par la mort d'une étrangère que par la menace qui semblait peser sur sa propre existence.

— Mais c'est horrible. Pauvre Freddie... Il est au courant?

— Oui, c'est moi qui lui ai appris la nouvelle. Comme vous étiez bloqués par la neige, vous étiez sans journaux. Avant que les résultats de l'autopsie n'aient été connus, la mort avait été jugée accidentelle. (Jury marqua une pause.) Mr Parmenger s'est-il absenté de Spinney Abbey pendant son séjour chez vous?

Le petit froncement de sourcils de Grace ne sembla guère altérer la placidité de son expression.

— Oui, bien sûr. Comme nous tous. Pour se rendre à Durham ou à Newcastle. Pourquoi?

— Je me demandais s'il n'était pas allé faire un tour à Washington. Comme c'est à deux pas d'ici... Et que c'est un site intéressant, historiquement parlant...

— Vous voulez dire... qu'il serait allé voir sa cousine? S'il l'avait fait, il nous en aurait parlé. C'est effectivement à deux pas. J'aurais été ravie de la recevoir ici.

Mais peut-être Frederick Parmenger n'aurait-il pas été ravi de l'amener à l'abbaye, songea Jury.

— Il vous en a fallu du temps pour vous décider à vous occuper de nous, inspecteur, lança lady Ardry, agacée, avec un mouvement de menton en direction de lady St. Leger et de Vivian, qui resserra les pans de sa volumineuse robe de chambre autour d'elle et s'efforça de poser les yeux ailleurs. Je serais heureuse de vous faire part de mes impressions...

– Merci infiniment, lady Ardry. Je ne doute pas que vous ayez fait fonctionner votre remarquable sens de l'observation. Toutefois, pour l'instant, c'est avec lady St. Leger que j'aimerais m'entretenir.

Agatha – qui avait fait mine de se lever – se rassit, furieuse de devoir jouer les seconds rôles.

Elizabeth St. Leger, qui semblait pressée d'en finir, attaqua bille en tête :

– Si vous avez des questions à me poser, commissaire, je me ferai un plaisir d'y répondre. Bien que j'aie peur de ne pas avoir grand-chose à vous apprendre.

Comme elle se mettait debout, Agatha posa une main potelée sur son bras.

– Je ne vois pas pourquoi Mr Jury ne nous interrogerait pas ensemble. Après tout, il y a des années que nous nous connaissons. Et il sait pertinemment que *je* ne suis pour rien dans cette malheureuse histoire.

Lady St. Leger sourit et se leva.

– Parlez pour vous, Agatha. En ce qui me concerne, je ne peux malheureusement pas invoquer pour ma défense une longue amitié avec un officier de police du Yard. (Ses yeux se mirent à pétiller.)

– Désolée de ne pas sembler prendre cette affaire suffisamment au sérieux, s'excusa lady St. Leger une fois qu'elle se fut assise en face de Jury dans le bureau de Seaingham. Pour ne rien vous cacher, je suis plus préoccupée par mon neveu – et par le rôle qu'il a pu jouer dans l'affaire – que par la mort de Beatrice Sleight. A dire vrai, le décès de cette jeune femme me laisse indifférente.

Elizabeth St. Leger esquissa un sourire et donna un coup de canne sur le plancher. Sa canne avait un pommeau d'argent, comme celle de Melrose Plant. Mais Jury se dit que la ressemblance devait s'arrêter là, et que ce n'était sûrement pas une canne-épée.

– Vous n'aimiez pas beaucoup miss Sleight.

Elizabeth St. Leger parut s'efforcer de choisir ses mots avec soin.

– Je ne pouvais pas la souffrir, convint-elle avec un nouveau sourire. Alors si vous êtes en quête d'un mobile... (elle donna un autre coup de canne par terre)... inutile d'aller chercher plus loin.

Jury lui rendit son sourire.

— Si l'antipathie était un mobile suffisant, nous ramasse-rions des cadavres à tous les coins de rues. J'ai peur qu'il ne vous faille faire mieux que ça.

Le léger froncement de sourcils de son interlocutrice l'amusa : il eut l'impression qu'elle s'efforçait, en effet, de faire mieux que ça pour le convaincre. Et c'est alors qu'il se dit que tel était peut-être le cas. Jusqu'où était-elle prête à aller pour protéger son neveu, qui – après tout – avait été retrouvé sur les lieux du crime? Il se plongea dans ses réflexions.

— A votre place, je ne me ferais pas trop de mauvais sang pour Tommy. Il n'a pas vraiment eu la possibilité de commettre le meurtre. Pour commencer, il était en compa-gnie de Mr Plant. Or je connais Mr Plant depuis des années.

— Mr Plant est un garçon charmant. Un peu iconoclaste peut-être, mais charmant.

— Oui, et il sert aussi d'alibi à Tom. Alors ne l'accablez pas.

— Vous avez raison. En ce qui me concerne, je suis montée me coucher en même temps que les autres. Peu de temps après le dîner.

Jury sortit son carnet de sa poche.

— A quelle heure environ?

— Hum... Dix heures, dix heures et demie? Plutôt dix heures et demie. Je me rappelle avoir entendu l'horloge son-ner la demie. Aucun d'entre nous ne semblait tenir à prolon-ger la soirée; quant à moi, je suis censée me mettre au lit de bonne heure. (Elle se tapota la poitrine.) Je souffre d'angine de poitrine. Mes médecins m'ont ordonné de me reposer. Faute de quoi, je risquerais de disparaître plus vite que prévu, ajouta-t-elle d'un air macabre. Ma chambre est à l'autre bout de la maison. Comme toutes les chambres, d'ail-leurs.

— Vous n'avez pas entendu d'allées et venues? Des bruits de portes s'ouvrant ou se fermant?

— Si, bien sûr. Les chambres ne sont pas toutes équipées d'une salle de bains particulière car l'abbaye n'a pas encore été entièrement rénovée. J'ai effectivement entendu des pas, mais sur le moment je n'y ai guère prêté attention. Je suis moi-même descendue chercher un livre. Je n'aurais pas dû : mes médecins m'interdisent de monter et descendre les escaliers. Je me suis rendue dans la bibliothèque.

La bibliothèque était près de la salle à manger.

– Quelle heure était-il ?

– C'était un peu après être montée. (Elle parut compter sur ses doigts.) Un quart d'heure après, environ.

– Vous avez rencontré quelqu'un ? Des domestiques ?

– Personne, commissaire. Absolument personne. (Elle leva les bras.) Vous le voyez, je n'ai pas d'alibi. Tom... (Elle s'interrompit, l'air préoccupé.)

– Tom en a un, lui.

– J'aimerais bien savoir ce qu'il fabriquait dehors, sur des skis, avec votre ami Mr Plant.

– Le ski, en hiver, c'est de saison. (Jury sourit.) Il y a longtemps que vous connaissez les Seaingham ?

– Une éternité. Je les connaissais déjà du vivant des parents de Tommy. Les Seaingham étaient des amis à eux. Charles et Richard – le père de Tom – avaient coutume de chasser ensemble.

– Vous les accompagniez ?

– Très habile de votre part, commissaire. Vous voulez savoir si je suis capable de tenir un fusil ? La réponse est oui.

Jury remarqua qu'elle s'efforçait de tenir sa canne de façon à dissimuler l'arthrose qui déformait deux au moins de ses doigts.

Ce n'était peut-être plus l'excellente tireuse qu'elle avait été. Toutefois, Jury se sentait impressionné non seulement par le sang-froid de lady St. Leger, mais aussi par son désir de venir en aide à tout prix à son neveu au cas où l'alibi du jeune marquis serait susceptible de s'écrouler.

Les yeux gris et brillants de lady St. Leger se posèrent sur Jury, lui rappelant ceux d'Helen Minton. Il se demanda s'il réussirait jamais à inspirer à une femme l'amour forcené que Tommy Whittaker inspirait manifestement à sa tante.

– Pourriez-vous demander à miss Rivington de passer me voir en allant vous coucher ?

Mis à part le fait qu'elle portait une robe de chambre de flanelle trois fois trop grande pour elle et que ses cheveux étaient en désordre, Vivian Rivington était rigoureusement telle qu'il l'avait vue lorsqu'il avait fait sa connaissance, des années plus tôt, dans des circonstances similaires.

En la voyant ce soir dans ce peu flatteur accoutrement, Jury songea que leur précédente rencontre – qui avait tenu davantage de la collision, Vivian donnant alors le bras à son fiancé italien – aurait pu ne jamais avoir lieu. Lorsqu'il l'avait vue pour la première fois, elle était entrée dans son existence tel un mannequin habillé par Oscar de la Renta. Pour l'instant, dans son volumineux peignoir terne, elle avait l'air d'avoir été mise honteusement à la porte.

Une bûche dans la cheminée craqua et se fendilla, et des étincelles crépitèrent. Pour une raison qui lui échappa totalement, il se sentit ramené des années en arrière. À l'époque où, tout gamin, il dévorait les aventures de la Taupe et du Blaireau. C'était un parallèle trivial et peu séduisant. Il se dit qu'il ne manquait plus que Melrose Plant dans le rôle du Rat pour compléter le tableau. Et le trio du *Vent dans les Saules* serait reconstitué. Il transperça d'une flèche le cœur qu'il avait gribouillé sur une feuille de son bloc et cessa de sourire, ayant soudain soif d'autre chose.

Une autre chose sur laquelle il aurait été incapable de mettre un nom.

La jeune femme avait l'air tellement vulnérable dans cette vieille robe de chambre et ces pantoufles en tapisserie qu'il aurait voulu lui tendre la main, l'attirer contre lui. Peut-être même...

– Bonsoir, Vivian.

– Bonsoir. C'est celle d'Agatha, au cas où vous vous poseriez la question.

Il sourit sans comprendre :

– Quoi ? Qu'est-ce qui est à Agatha ?

C'était merveilleux, en un sens. Il avait l'impression qu'ils s'étaient vus tous les jours au cours de ces dernières années, et non pas une seule fois. S'étant dit l'essentiel, il ne leur restait plus qu'à échanger des propos anodins.

– La robe de chambre. Je vous vois faire des yeux comme des soucoupes, alors je vous explique. Comme j'avais oublié la mienne, j'ai dû en emprunter une à Agatha. Elle en emporte toujours au moins trois dans ses valises. (Elle sourit brièvement avec chaleur. Puis, considérant peut-être que les circonstances ne s'y prêtaient pas, elle fronça les sourcils.)

– Elle vous va comme un gant. Asseyez-vous.

De nouveau, il eut envie de rire en lui voyant cette mine courroucée. Elle se percha à l'extrême bord du fauteuil que

Grace Seaingham avait occupé avant elle. Il y avait une foule d'autres sièges dans la pièce, qui semblaient tous beaucoup plus confortables que celui-ci. Mais Vivian n'avait jamais été femme à prendre ses aises.

Tandis qu'il attrapait son carnet, il la vit essayer de se peigner furtivement avec ses doigts. Elle cessa aussitôt qu'elle sentit son regard sur elle. Vivian n'avait qu'un défaut : elle avait peur de paraître vaine.

– Je ne sais pas pourquoi vous avez tenu à m'interroger. Cette affaire est horrible, j'en conviens. Mais je n'ai absolument rien à voir là-dedans. (Elle allongea doucement son bras sur le bras du fauteuil élégamment sculpté en un geste qui eût pu être gracieux si la manche de son peignoir n'avait été trop courte. Agatha possédait, en effet, des bras courts et dodus.)

– Votre ton manque de conviction.

– Oh, ne soyez pas stupide! Nous ne sommes arrivés à Spinney Abbey qu'hier... – avant-hier. Et nous ne connaissions personne avant de mettre les pieds à l'abbaye. Excepté moi. Je connaissais Charles Seaingham. (Comme il la fixait, elle s'empressa d'ajouter :) De vue. Et très peu. Je ne l'ai rencontré qu'une fois.

– Hum. Bon, bon. Ce que je veux, c'est connaître vos impressions. Savoir qui est susceptible d'avoir fait le coup, selon vous.

Elle se gratta la tête, ce qui n'arrangea guère sa coiffure.

– Je... je n'arrive pas à y croire. Elle était assise en face de moi au dîner. Et maintenant, elle est morte.

Jury baissa le nez et contempla son carnet.

– C'est moche, je sais. Je suis désolé. (Il reposa son calepin.) Peut-être est-il préférable que vous ne connaissiez pas ces gens. Cela vous permet d'être plus objective.

Se détendant un peu, elle s'appuya contre le dossier de son siège et croisa les chevilles. Ses pantoufles en tapisserie étaient, comme le peignoir, beaucoup trop vastes pour elle.

– Elle n'était pas très sympathique. Je dirais même qu'elle était carrément désagréable.

– Beatrice Sleight?

– Oui. Celle qui a été assassinée.

– Je sais. Mais elle portait la cape de Grace Seaingham.

Vivian se pencha soudain en avant.

– Ne me dites pas que quelqu'un cherchait à tuer *Grace Seaingham*?

— Ça m'en a tout l'air. Beatrice Sleight a été tuée d'une balle dans le dos alors qu'elle se promenait avec la cape d'hermine de Mrs Seaingham le long du passage menant à la chapelle.

— Mon Dieu, énonça Vivian d'une voix faible. Mais Grace est si... bonne. Presque une sainte.

— Peut-être. Vous n'avez rien entendu? Pas de détonation? Pas de vacarme, pas de cri, rien?

Vivian fit non de la tête.

— Les chambres sont de l'autre côté de la maison. Je ne vois pas Beatrice se promenant dans la neige. C'était une fille qui aimait son confort.

— Vous êtes tous allés vous coucher à la même heure?

— Oui. (Elle demeura un instant silencieuse, tortillant la ceinture du peignoir. Puis elle haussa les épaules.) Vraiment, je n'arrive pas à y croire. Je n'ai pas perçu la moindre antipathie dirigée contre Grace Seaingham. Au contraire. C'est une parfaite maîtresse de maison. Quand Beatrice Sleight a commencé à titiller Melrose au sujet de son titre... Au fait, ce sont ses pantoufles que j'ai aux pieds, ajouta-t-elle, sautant du coq à l'âne... Grace a réussi à la faire taire. Franchement, je ne sais que dire, je suis abasourdie. Vous devriez interroger Melrose, il a un œil de lynx. D'ailleurs, je ne vous apprends rien : il vous a plus d'une fois tiré d'embarras.

— C'est le moins qu'on puisse dire! Merci, Vivian. Vous feriez mieux d'aller prendre un peu de repos.

Mais au lieu de se lever, elle s'éclaircit la gorge :

— Vous ne voulez pas savoir pourquoi?

— Pourquoi quoi? (Il transperça un autre cœur d'une flèche.)

Ces deux mots parurent ulcérer la jeune femme.

— Pourquoi je ne me suis pas mariée. (Elle cligna des yeux et examina la cordelière de sa robe de chambre.)

L'air innocent, Jury s'enquit :

— Parce que cela a un rapport avec le meurtre? (Il se demanda d'où lui venait ce besoin de se venger : après tout, elle ne lui avait rien fait. *Tu es un sadique*, songea-t-il. Une folle envie de rire s'empara cependant de lui lorsqu'elle se leva et tenta d'effectuer une sortie digne dans sa robe de chambre et ses pantoufles démesurées.) Il avait pourtant l'air charmant, ce garçon. Évidemment, il m'est difficile de juger, je ne l'ai vu qu'une fois...

Il s'aperçut que c'était à la porte que s'adressait la fin de son petit discours. Celle-ci venait en effet de se refermer avec fracas.

Les autres étaient allés se coucher, Cullen ayant fini de les interroger et la police de Durham ayant emmené le corps.

— Je suis flapi, mon vieux. (Le sergent bâilla et s'enfonça dans un fauteuil du bureau de Seaingham.) Bon à ramasser à la petite cuiller. Alors, Trimm, qu'est-ce que ça donne, vos recherches?

Le constable était en train d'examiner le fusil de chasse décroché dans la petite pièce jouxtant le solarium, et où était rangé le matériel sportif.

— Ceci. (Il posa le fusil de chasse sur le bureau après avoir collé son œil au canon.)

— Envoyez-le à la balistique.

— C'est sûrement celui-là, affirma Trimm. C'est le seul qui corresponde à...

— Envoyez-le à la balistique.

— Ils n'ont...

— Bon Dieu, lâcha Cullen, fixant le plafond. Puisque je vous dis de l'envoyer...

Jury arriva au beau milieu de cette agréable passe d'armes.

— D'après l'expert de la criminalistique, le tueur était loin de la cible?

— Soixante centimètres au moins. (Cullen prit le rapport.) Un mètre vingt, un mètre cinquante au plus. La blessure était assez importante. Évidemment, la cape était épaisse. (Cullen haussa les épaules.)

— Le tueur s'est peut-être posté à l'entrée du solarium. Mais personne n'a entendu la détonation. Bizarre... Je sais bien que les chambres sont de l'autre côté mais tout de même...

— Silencieux, laissa tomber Trimm, laconique.

— Quoi? Pourquoi diable un silencieux...

— Seaingham a dit qu'il avait des problèmes avec les braconniers. Son garde-chasse a ramassé cet engin... (Cullen indiqua le petit cylindre posé sur la table) à l'endroit où le type a dû le laisser tomber. (Cullen soupira et se mit à mâchonner furieusement son chewing-gum.) Aucun d'entre

212

eux n'a de véritable alibi. Quant aux mobiles, le moins qu'on puisse dire, c'est qu'ils manquent de consistance... (Cullen ferma les yeux. Il avait l'air de tomber de sommeil.)

– En tout cas, on peut éliminer Plant, lady Ardry et Vivian Rivington...

Cullen rouvrit aussitôt les yeux :

– Ah oui? Et pourquoi ça?

– Parce que je les connais depuis des années. (Jury se garda de préciser que Plant l'avait dépanné en plusieurs circonstances. Il se dit que les détectives amateurs ne devaient pas avoir la cote avec Cullen.)

– Qui vous dit qu'ils n'ont pas changé? (Il referma les yeux.)

Jury ignora la remarque.

– Et le petit Whittaker, on peut l'éliminer aussi... Il était avec Plant. Pourquoi est-ce que vous faites non de la tête?

– Whittaker a eu dix minutes pendant lesquelles, ayant distancé votre ami Plant, il s'est retrouvé seul, déclara Cullen.

– Voyons, Roy, si vous arrivez à m'expliquer comment un type, skis aux pieds, aurait pu s'introduire dans l'armurerie, s'arranger pour que sa victime soit postée à l'endroit adéquat vêtue de la cape d'une autre, la descendre, remettre l'arme en place et buter sur le corps, toujours avec ses skis... (Jury laissa sa phrase en suspens.)

– Ça n'a pas de sens, fit Trimm.

Il était près de six heures mais il savait qu'il ne réussirait pas à dormir. Debout dans la mystérieuse lumière mauve de l'aube, Jury contemplait l'endroit où avait été retrouvé le corps de Beatrice Sleight. Seules les profondes empreintes laissées par les chaussures des hommes de Cullen attestaient qu'il s'était passé quelque chose d'extraordinaire. Jury franchit les quelques mètres qui le séparaient de la chapelle et poussa la lourde porte.

Le courant d'air fit vaciller la flamme des bougies, dont une ou deux s'éteignirent. Il pensa à Grace Seaingham, qui venait là tous les matins et tous les soirs comme on se rend à un rendez-vous.

Jury s'assit sur un banc et examina la Vierge de plâtre :

son teint cireux avait fini par déteindre sur Grace Seaing-ham comme finit par déteindre sur vous l'être dont vous partagez l'existence quotidienne.

Il songea au père Rourke et à son carré paradigmatique. Aux paires d'opposés et aux contradictions dont le prêtre lui avait parlé. De sa poche revolver, il extirpa la page de magazine sur laquelle le prêtre avait dessiné son carré, ce carré suffisamment universel pour rendre compte de tout. Il regarda le H qu'il avait inscrit dans un des coins de la figure géométrique. Il ajouta à deux des autres coins un D et un R. Helen, Robin, Danny. Il pensa à la jeune femme blonde de la photo que Robbie lui avait montrée et qui ne lui ressemblait absolument pas – ce n'était pas sa mère, il en aurait mis sa main au feu –, à l'école Bonaventure qui recueillait des enfants n'ayant nul autre endroit où aller.

Il regarda de nouveau le carré. C'était le quatrième coin qui lui posait un problème maintenant. Le meurtrier?

Combien de temps demeura-t-il assis sur ce banc d'église? Il eût été bien en peine de le dire. Mais lorsqu'il se décida à sortir de la chapelle, il faisait jour. Non loin de là, un mince rayon d'or pâle zébrait le sol immaculé; la neige que venait lentement frapper la lumière prenait peu à peu des tons lavande.

– Lève-toi, lança Jury d'un ton péremptoire en tendant une tasse de thé à Melrose Plant.

Se redressant en sursaut, Melrose jeta autour de lui le regard affolé d'un homme qu'aveugle la blancheur impitoyable de la neige.

– Me lever? Tu n'y songes pas! Je viens à peine de me coucher. Seigneur... (Il tourna la tête vers les fenêtres.) L'aube pointe à peine. (Il avala une gorgée de thé.) Ton truc est froid. Du thé froid aux aurores. Le peloton d'exécution est en place, j'imagine?

– Ruthven t'a trop chouchouté avec ses scones et ses bains chauds. Allons, debout, Melrose. Direction l'*Auberge de Jérusalem*.

Plant se laissa retomber en arrière, s'efforçant de s'enfouir dans ses oreillers.

— Tu es fou; cette fois, il n'y a plus de doute. Tu veux jouer au snooker à cette heure-ci, c'est ça? Laisse-moi te dire que tu as complètement perdu la boule. Tu n'as pas l'air de te rendre compte que tes deux inquisiteurs et toi, vous nous avez cuisinés jusqu'à cinq heures du matin, et qu'il en est à peine six maintenant. Et comme si ce n'était pas suffisant, tu trouves le moyen de m'apporter du thé froid. Je suis paralysé, mon vieux, incapable de mettre un pied devant l'autre.

— N'exagère pas : il est sept heures passées.

— Je ne sortirai de mon lit que lorsque j'aurai bu mon thé. (Melrose se redressa, se pencha et tira résolument sur le cordon de tapisserie faisant office de sonnette.) Il me faut du thé chaud. Après, on verra. Peut-être que j'arriverai à m'extirper du lit. Mais, dis-moi, comment te sens-tu après les événements de la nuit dernière? Et notre vieille Vivian, qu'est-ce qu'elle t'a raconté de beau? Pourvu qu'ils m'apportent des toasts avec mon thé.

Jury sourit. Melrose s'était arrangé pour glisser son allusion à Vivian comme un joueur glisse des pièces dans une machine à sous et tourne les talons en espérant avoir gagné le gros lot.

— Cette « vieille » Vivian a dix bonnes années de moins que toi et moi.

— Peut-être, mais je la connais depuis des lustres. Tu ne te demandes pas pourquoi elle n'a pas épousé cet « horrible » Italien, comme Agatha l'a baptisé? Tu te souviens certainement de lui : tu l'as rencontré à Stratford. Ce type qui avait des canines impossibles.

— Oui. (Il était inutile de bousculer Melrose, qui resterait allongé au fond de son lit tant qu'il n'aurait pas eu son thé.)

— Elle refuse absolument de m'en parler à *moi*. J'ai dans l'idée qu'elle va finir par renoncer à l'épouser.

Un coup fut frappé à la porte et une jolie petite bonne entra, portant un plateau. Voyant deux personnes dans la chambre alors qu'elle ne s'attendait à en trouver qu'une, elle s'excusa :

— Désolée, monsieur. Je vais aller chercher une autre tasse.

Jury s'éloigna de la porte-fenêtre, lui prit le plateau des mains et sourit :

— C'est inutile, Mr Plant n'en a pas besoin.

La jeune fille leva les yeux vers lui et, d'un geste

machinal, redressa sa coquette coiffe blanche. Elle sourit à son tour.

— Bien, monsieur. Merci, monsieur.

— Très drôle, décréta Plant après qu'elle se fut sauvée. Donne-moi mon plateau.

— Tu as dix minutes pour avaler cette saleté de thé, fit Jury, prélevant un toast sur le porte-toasts en argent. (Tout en le mâchonnant, il retourna près de la fenêtre.)

Ayant bu son thé dans un silence morose, Plant reposa sa tasse et regarda Jury.

— Tu m'as bien parlé de *l'Auberge de Jérusalem*? Mais, bon Dieu, ça n'ouvre pas avant onze heures!

— Je sais. Mais Robbie y sera. Il fait le ménage là-bas.

— Robbie?

— Robin Lyte, celui qu'Helen Minton devait chercher. Je crois que c'était son fils. Ç'a dû être un sacré choc pour elle.

Jury regarda la chapelle et se demanda quelle était la quatrième lettre.

20

Dans le petit village de Spinneyton – peut-être parce que c'était la veille de Noël –, tout le monde dormait. A l'exception d'un enfant crasseux qui s'employait à fabriquer un bonhomme de neige assez dégoûtant, lequel semblait avoir bien du mal à tenir debout.

La lande de Spinney Moor était lugubre et noyée de brume. Des bribes de brouillard flottaient encore au-dessus de la route.

Contemplant ce paysage désolé, Tommy ne put s'empêcher de frissonner.

– Je ne suis pas mécontent de vous accompagner, mais cela servira à quoi que je parle à Robbie?

– Vous lui apprenez à jouer au snooker, non? Alors, avec vous, il doit se sentir à l'aise, en confiance. Comme il n'est pas impossible qu'il se rappelle plus de choses qu'il ne se l'imagine, peut-être qu'il vous racontera ses souvenirs, à vous, expliqua Jury.

J'en doute. Pauvre Robbie... (Une fois de plus, Tom balaya la lande d'un regard circulaire et murmura :) On se croirait dans un endroit hanté.

– C'est bien possible, lança Melrose d'un ton ensommeillé depuis le siège arrière.

– Quel calme! C'est digne d'un cimetière, observa Tommy.

– Le village semble désert; les habitants de Spinneyton ont dû aller faire un tour dans les marécages. Leurs cadavres gorgés d'eau vont bientôt émerger des marais, errer – verdâtres– dans la campagne : ils vont venir nous

217

étrangler dans notre sommeil. Du moment qu'ils règlent son compte à Agatha, ce n'est pas moi qui m'en plaindrai.

— Tu es macabre! s'exclama Jury, freinant dans la cour de l'*Auberge de Jérusalem*.

Un rai de lumière fit soudain étinceler la neige qui tapissait le toit; celui-ci prit aussitôt des airs de pièce montée. Les petits carreaux étaient tartinés de givre. Derrière les vitres microscopiques, on apercevait – déformé par le verre au point de ressembler à une gargouille – le visage banal et sans histoire de Robbie. Lorsque Jury frappa, le visage disparut, le temps que Robbie se décide à venir ouvrir.

— Bonjour, Robbie, attaqua Jury. Je sais que le pub est fermé, mais il faut que nous ayons une petite conversation avec les Hornsby. (Jury lui fourra sa carte sous le nez.) Simple affaire de routine, mon garçon, ajouta-t-il pour le rassurer en voyant son air inquiet.

Jury crut distinguer de vagues souvenirs d'Helen dans les cheveux châtains – que l'adolescent rejeta en arrière –, les yeux marron et la physionomie qui lui avaient jusque-là paru dénués d'intérêt.

Nell Hornsby souleva le rideau de la pièce située derrière le bar et fit son apparition.

— Bonjour! Quelque chose qui ne va pas?

— Non. Je me demandais si je pourrais vous dire un mot.

— Oui. Un instant. Je vais chercher le porridge de Chrissie. (Elle souleva le rideau et disparut.)

Robbie – grande carcasse maladroite – se remit à balayer. Robin... Nom courant pour les criminels, les marginaux, les déracinés. Jury vit le visage de l'adolescent s'éclairer littéralement lorsque Tommy lui proposa de faire une petite partie de billard.

Allumant un cigare, Melrose s'enquit:

— Quel est le rapport? Entre ce jeune homme dégingandé et... le reste? Quel lien y a-t-il entre Helen Minton et tout ça?

— Frederick Parmenger, pour commencer.

— *Parmenger?* Comment cela, Parmenger?

— Je crois que c'est le père de Robbie. Aux dires d'une domestique qui a travaillé pendant des années chez les Parmenger, Edward Parmenger a piqué une véritable crise lorsqu'il a appris qu'Helen était enceinte. A mon avis, il devait savoir le nom du coquin. Et l'idée qu'Helen et son fils aient... ne lui a pas plu.

— Ce n'est guère étonnant. Tu t'attendais à ce que **Parmenger** senior saute de joie en apprenant la situation de sa pupille?

— Non, mais de là à avoir une réaction digne de l'époque victorienne! Nous ne sommes quand même plus au début du siècle. D'ailleurs, s'il était si furieux que ça, comment expliques-tu qu'il ait légué la maison à Helen et non à son fils? Dans un premier temps, il cherche à se débarrasser d'Helen; et puis il la reprend sous son aile. Bizarre, non?

Nell revint vers le bar.

— Je suis à vous. Qu'est-ce que vous voulez?

— Une pinte d'Old Peculier, dit Melrose, posant un billet d'une livre sur le comptoir.

La jeune femme eut l'air gêné.

— C'est que... ce n'est pas encore l'heure de l'ouverture. J'ai peur de ne pas pouvoir vous servir à boire... Enfin... à moins que... (Elle jeta un coup d'œil interrogateur à Jury.)

— Je ferme les yeux, allez-y.

Elle servit à Melrose un demi de bière brune.

— Parlez-moi un peu de Robbie.

Elle s'arrêta soudain alors qu'elle ôtait la mousse qui débordait du verre.

— Robbie? Que voulez-vous que je vous dise?

Jury sourit et lui offrit une cigarette:

— Tout ce que vous pouvez m'en apprendre.

Le sourire du commissaire la fit rougir légèrement alors qu'elle s'apprêtait à allumer sa cigarette.

— Il travaille au pub, en échange de quoi nous le nourrissons et lui fournissons de l'argent de poche. Pauvre gamin. Il a atterri ici à sa sortie de l'école, comme je crois vous l'avoir déjà dit. C'est un brave gosse. Nous l'avons pour ainsi dire adopté. Il vit à l'auberge maintenant.

— Il était à l'école Bonaventure?

— Oui.

— Il y a un Robert Lyte enterré au cimetière de l'église de Washington. Vous croyez que c'est un parent à lui?

Bien qu'il fût tôt, Nell Hornsby se servit un verre.

— Robert? Possible. Je n'en sais rien. Pourquoi vous intéressez-vous tant que ça à Robbie? Il n'a pas fait de bêtises au moins?

— Rassurez-vous, non.

Melrose, de meilleure humeur après avoir avalé quelques

gorgées de bière, laissa Jury bavarder avec Nell Hornsby et se dirigea vers la pièce du fond afin de regarder jouer Tommy Whittaker et Robbie.

Robbie tenait sa queue de billard avec la même maladresse que s'il s'était agi d'un balai, mais avec beaucoup plus de plaisir. Tommy joua de façon défensive, ne laissant qu'un coup long et relativement difficile sur une rouge à son adversaire, qui le manqua.

Comme tous les bons joueurs, Tommy perdait entièrement conscience du monde extérieur dès qu'il était en piste, ce qui – en l'occurrence – signifiait qu'il ne voyait plus rien ni personne. Pas même Robbie. Il pocha la rouge avec suffisamment d'effet pour que la blanche revînt en parfaite position par rapport à la noire.

Melrose, qui était absorbé par le jeu de Tommy, entendit soudain une petite voix derrière lui déclarer :

– Il a qu'à taper dans la noire.

Plant regarda autour de lui et ne découvrit l'auteur de la remarque qu'en baissant les yeux : c'était une fillette qui tenait dans ses bras une poupée presque aussi grande qu'elle. Il gratifia l'intruse d'un regard sévère, dans l'espoir de l'inciter à déguerpir. Mais au lieu de se laisser intimider, la petite fille récidiva :

– Pourquoi il tape pas dans la noire au lieu de taper dans la blanche, s'il veut que la noire tombe dans la poche? (Elle fronça les sourcils en fixant Melrose, comme s'il était responsable de ces complications ridicules.)

Melrose réfléchit. Comment une gamine de cinq ou six ans – tenant dans ses bras une énorme poupée – pouvait-elle se retrouver là, et se mêler de refaire les règles de ce sport ancestral?

– Parce qu'il y a des règles, rétorqua-t-il d'un ton sec. Et maintenant, file. Va habiller ta poupée.

– Elle *est* habillée, répliqua la fillette qui, semblant prendre sa réponse pour une invitation, se hissa à ses côtés sur le banc et ajouta d'un air énigmatique : J'ai dit « elle », mais c'est peut-être un garçon. (Elle jeta un regard interrogateur au gros poupon.)

Melrose regarda Tommy en pleine action et se maudit intérieurement de s'être laissé aller à faire cette remarque au sujet de la poupée. La petite, voyant qu'elle avait réussi à éveiller son intérêt, ne manquerait pas de profiter de la situation.

— Elle est jolie, sa robe, hein?

Malgré la musicalité de la voix, Melrose décida de ne pas se laisser piéger. Il garda donc les yeux braqués sur Tommy et s'interdit de répondre à l'enfant.

— Les langes le grossissent un peu, tu trouves pas?

Plant se dit que s'il pouvait supporter la conversation erratique d'Agatha, il devait pouvoir suivre celle de cette charmante petite.

— Je suis perdu, avoua-t-il sans détour tout en allumant un autre cigare dans l'espoir que la nicotine l'aiderait à surmonter les grisants effets de l'Old Peculier. Je croyais que c'était une fille.

— C'est une fille, confirma Jury, le rejoignant une pinte de bitter à la main après sa petite conversation avec Nell. (Il prit place sur le banc.) Et elle s'appelle Alice.

— Dis-moi, Alice. Pourquoi ta poupée change-t-elle de sexe tout le temps?

Les yeux marron de l'enfant se posèrent sur lui avec réprobation :

— C'est pas moi, Alice! C'est elle! (Elle lui fourra sa poupée sous le nez et ajouta d'un air énigmatique :) Ou lui, ça dépend. Mon nom à moi, c'est Chrissie.

Il eût été plus aisé de faire une série de cent quarante-sept points [1] que de suivre la conversation de Chrissie. Sa mère devrait quand même lui expliquer la différence entre les sexes, se dit Melrose tout en revenant à la partie.

Tommy aligna une série de cinquante points. Puis, se rendant soudain compte qu'il avait complètement oublié la présence de son ami, il rata exprès un coup facile et se recula pour laisser Robbie jouer, lequel manqua un point encore plus facile. Ils se mirent en devoir d'allumer des cigarettes prises dans le paquet que Tommy avait soutiré à Jury. Puis ils bavardèrent. Ou, plus exactement, Tom se mit à parler cependant que son ami écoutait.

— Qu'espères-tu apprendre? demanda Melrose à Jury tandis que Chrissie commençait à ôter sa robe à sa poupée sans aucun souci de la décence.

— Je ne sais pas. J'ignore s'il se souvient de Danielle Lyte. Elle est morte il y a déjà plusieurs années, si j'en crois une amie d'Helen Minton.

1. Nombre maximum de points que le même joueur peut marquer en une seule série. (N.d.T.)

La poupée, comme Melrose put en juger par lui-même, était enveloppée dans des bandes de chiffon. Sans doute la fillette considérait-elle ces bouts de chiffon comme des sous-vêtements. Toujours est-il qu'elle se mit en devoir de les rajuster.

— Je ne vois toujours pas le rapport avec les meurtres. Même en supposant que Robbie soit le fils de... (Melrose loucha vers Chrissie, persuadé que les enfants avaient toujours une oreille qui traînait. Aussi termina-t-il d'un ton circonspect :)... de ces deux-là. A supposer qu'il... (Melrose désigna Robbie du menton) pourquoi cela aurait-il entraîné la mort de... notre amie?

— Parce que c'était une méchante femme, déclara Chrissie d'un ton définitif.

Je l'aurais parié! songea Melrose. La petite avait bel et bien écouté toute la conversation, n'en perdant pas une miette.

— Quand je voudrai avoir ton avis, je te sonnerai, dit-il en faisant mine de ne pas voir le petit bout de langue qu'elle lui tirait.

Elle braqua son regard limpide vers Jury :

— Faut que je le remette en place?

Jury opina :

— Tu devrais. Marie et Joseph vont se demander où il est passé.

Marie et Joseph? Se sentant dépassé, Melrose décida de rester en dehors de la conversation. Chrissie prit sa poupée et, bousculant Jury au passage, elle sortit de la pièce en courant.

— Il faut que j'aille à Newcastle chercher Wiggins. Tu m'accompagnes?

— Le sergent Wiggins! Dans ces régions polaires? Est-ce qu'il se doute de ce qui l'attend, au moins?

— J'en ai peur, oui.

Tommy s'approcha de leur table et tendit une queue de billard à Melrose.

— Une petite partie? Qui sait, avec un peu de chance...

— Merci, fit Melrose, glacial, prenant la queue et se dirigeant vers la table.

Tommy s'assit à côté de Jury.

— Il ne se souvient pour ainsi dire pas de sa mère. Elle est morte quand il était tout jeune. Il ne sait même plus quel âge il avait. Il a une photo...

– Il me l'a montrée.

– Ses souvenirs sont très flous. (Tommy eut l'air triste.) Je suppose que je devrais m'estimer heureux, fit-il d'un ton dubitatif.

– Pourquoi ce conditionnel? Vous ne l'êtes pas?

– Non. Parce que je suis le dernier marquis de Meares. Si je ne me marie pas, si je n'ai pas d'enfants, le nom va s'éteindre avec moi. Alors tante Betsy – qui pense à tout – a déjà jeté son dévolu sur une fille de duc. Laquelle? Je l'ignore. Mais c'est sans importance car elles se ressemblent toutes. Laides comme des poux. Notez que je ne devrais pas me plaindre. Personne ne me dicte ma conduite : à l'exception de tante Betsy et de quatorze avocats... (Il n'y avait pas la moindre trace d'ironie dans la voix du jeune homme.) En d'autres termes, je jouis d'une liberté de mouvement satisfaisante.

– Je n'ai pas l'impression que vous soyez si libre que ça.

Tommy prit la défense de sa tante :

– Il ne faut pas lui en vouloir. Je déshonore déjà suffisamment comme ça le nom de la famille à St. Jude : j'échoue dans toutes les matières. Sauf en ce qui concerne la Mésopotamie : mon point fort. Autant dire que je n'ai pas l'occasion de briller très souvent. Je sèche les T.P. pour jouer au snooker. J'espère que, s'ils me prennent pour un idiot, ils me ficheront la paix. Sinon... je suis bon pour le collège de Christ Church... C'est là que finissent les types dans mon genre...

Jury éclata de rire :

– A vous entendre on croirait qu'il s'agit du quartier de haute sécurité d'une prison.

– Oxford est un endroit infect, déclara Tom en faisant tenir sa queue de billard en équilibre sur la paume de sa main. Il n'y a dans cette ville que des librairies et des magasins où l'on vend des écharpes aux couleurs des différents collèges. Je parie qu'on m'obligera à porter la bleue. Celle des rameurs. Moi qui ai horreur de l'aviron. Il n'existe même pas une seule salle de billard dans ce foutu bled. Je le sais : je me suis renseigné.

– Vous allez finir par faire tomber votre queue de billard par terre si vous continuez comme ça, remarqua Jury en empochant ses cigarettes et consultant sa montre.

– Moi? Je ne laisse jamais rien tomber. Vous vous rendez

compte que tante Betsy a demandé au maître d'hôtel de veiller à ce que le matériel de billard soit toujours sous clé? A croire que je suis un alcoolique à qui on doit confisquer ses bouteilles...

— C'est aller un peu loin.

— Notez que je la comprends. Je suis un obsédé du billard.

— Ce n'est quand même pas comme si vous étiez possédé du démon, sourit Jury.

Tommy fit passer sa queue d'une main dans l'autre.

— Vous savez comment je fais pour pénétrer dans la salle de jeux? J'attends l'heure des visites. Meares Hall est ouvert aux visiteurs plusieurs jours par semaine car ses jardins, notamment, sont extraordinaires. Je mets une vieille veste, un chapeau et des lunettes. Et lorsque le dernier groupe de visiteurs arrive, je me joins à eux en m'arrangeant pour rester à la traîne. Je me glisse dans un placard et j'attends qu'ils s'en aillent. De cette façon, j'arrive à m'entraîner une petite heure. Personne ne va jamais dans la salle de jeux. Puis je sors par la porte-fenêtre. Aucun domestique ne s'est encore demandé pourquoi la porte-fenêtre était ouverte certains matins.

— Seigneur, ça c'est de la détermination, fit Jury en riant.

Contre toute attente, Robbie avait réussi un superbe coup défensif et laissé la blanche collée contre la bande. Melrose mit du bleu. S'il ne faisait pas fausse queue — ce qui risquait de se produire —, il avait une chance de blouser la noire.

— Baissez le menton, lui conseilla Tommy, qui se tenait derrière lui.

Melrose se redressa en soupirant :

— Comme si j'avais besoin d'un public!

— Si tu veux disputer les championnats, tu as intérêt à t'y habituer, fit Jury avec un sourire. Dépêche-toi, il faut que j'aille à Durham.

— Alors laisse-moi me concentrer.

A peine avait-il fini sa phrase que deux yeux marron apparaissaient en face de lui au ras du plateau et venaient se braquer sur lui.

— Va-t'en! ordonna Melrose.

Chrissie ne bougea pas d'un pouce et continua de le fixer.

Il n'y avait rien à faire, sinon jouer. Il posa la main sur le rebord du billard.

— Tendez les doigts. Votre queue n'est pas en bonne position.

Qu'ils aillent se faire voir! Son bras se pétrifia et il se sentit soudain honteux de faire tout ce cinéma devant Whittaker qui, une nouvelle fois, lui conseilla de baisser le menton.

— Et ne regardez pas la poche, regardez la bille.

Comment diable avait-il réussi à s'apercevoir que Melrose avait louché vers la poche? Plant embrassa la blanche et la noire du regard. C'était un coup tout à fait faisable, à condition de ne pas faire fausse queue. Au moment précis où il s'apprêtait à frapper, la petite voix s'éleva:

— Pourquoi tu tapes pas dans la noire?

Il lâcha un juron. Le procédé ripa sur le sommet de la bille blanche, et la fillette apparemment satisfaite d'avoir réussi à lui faire faire une fausse manœuvre disparut, emportant Alice avec elle.

Jury sourit. Tommy compatit. Melrose fixa la blanche et la noire d'un air hébété. Il se redressa et regarda la porte par laquelle Chrissie avait disparu.

— Sacré bon sang de bonsoir, murmura-t-il. C'était *bien* Beatrice Sleight!

Il n'était peut-être pas de taille au billard mais dès lors qu'il s'agissait d'ôter à Jury l'envie de sourire bêtement, il se posait là.

Ils étaient dehors, devant la Granada que la police avait prêtée à Jury. Melrose, dans son chandail de pêcheur, courbait l'échine pour essayer de se protéger du froid.

— Tout a été fait pour qu'on pense que la cible visée n'était pas *Beatrice Sleight*. Un manteau a été étalé, au sens le plus littéral du terme, sur toute l'affaire pour jeter la confusion dans les esprits: la cape blanche de Grace Seaingham. C'est simple. Ce qui n'a pas dû l'être, ç'a sans doute été d'obtenir le concours de cette chère Bea. Pour en arriver là, le meurtrier a dû se donner un mal de chien.

Jury était appuyé contre la portière de la voiture et regardait les fenêtres du pub.

— Pas vraiment: il lui suffisait d'avoir un fusil de chasse à la main.

— Tu veux dire que quelqu'un a réussi à expédier Beatrice au solarium et lui a ordonné d'enfiler la cape?

225

– En gros, oui.

– Alors tu penses que j'ai raison?

– Et comment! C'est beaucoup plus vraisemblable que d'essayer d'expliquer le comportement de Beatrice Sleight. Qui n'était pas le genre de fille à aller à la chapelle. Et encore moins emmitouflée dans la cape de Mrs Seaingham. Autrement dit, il y a quelqu'un qui fait tout son possible pour empêcher la police de faire des rapprochements entre ces gens et Beatrice Sleight.

Melrose tira sur les manches de son pull afin d'avoir les mains couvertes. Le ciel était miraculeusement bleu; le soleil faisait fondre la neige; le vent était tombé.

– Personne ne pouvait la sentir. Et si la maîtresse de maison n'était pas la personne visée... Tu avoueras que Grace Seaingham avait de bonnes raisons de descendre Beatrice Sleight.

Jury fit non de la tête.

– Allons donc, tu la crois si parfaite, si bonne que tu refuses l'évidence.

– Ce n'est pas ça, rétorqua Jury. Suppose que Mrs Seaingham ait voulu la mort de Beatrice Sleight. Quelle raison avait-elle de tuer Helen Minton?

Melrose, qui sautillait sur place pour se réchauffer, s'arrêta net.

– Qui dit qu'il s'agit de la même personne?

Jury jeta son mégot par terre.

– Moi. (Il contempla le bleu couleur de marbre du ciel sans nuages.) Parmi les poisons, il y en a beaucoup qui ne sont pas fiables : au lieu de tuer ceux qui les absorbent, ils les rendent malades. C'est le cas de l'aconit : quand la dose ingérée n'est pas suffisante, la personne intoxiquée est incommodée mais elle n'en meurt pas. Le meurtrier s'est dit apparemment qu'avec Helen Minton il pouvait se permettre de prendre un risque, du moins en ce qui concernait le moment où elle allait avaler la dose fatale. Ainsi le poison aurait-il pu être mis dans son médicament par quelqu'un visitant le manoir d'Old Hall et la mort d'Helen aurait été mise sur le compte de ses problèmes cardiaques. C'est alors qu'Helen a découvert quelque chose à propos de Robin Lyte. Mais tout ça ne nous mène pas très loin...

– S'il est le fils de Parmenger...?

– Hum... C'est justement à cause de Parmenger que je

pense que c'est la même personne qui a tué les deux femmes. Parmenger les connaissait toutes les deux. Le trait d'union entre Helen et Beatrice, c'est lui.

— Helen Minton aurait-elle pu nuire à sa réputation en dévoilant la vérité au monde entier?

— Ça me semble peu plausible, compte tenu de leurs personnalités respectives. Je ne la vois pas dans ce rôle. Quant à lui, l'idée qu'elle pût faire des révélations de nature à lui nuire ne l'aurait sans doute guère ému. Parmenger est au-dessus de ce genre de choses. Quel autre suspect avons-nous? Lady St. Leger? Je la vois mal tuant une roturière sous prétexte qu'elle haïssait l'aristocratie...

— Il y a bien lady Ardry... suggéra Melrose.

— William MacQuade? poursuivit Jury. Il est d'un abord difficile et c'est un type qui a l'étoffe d'un survivant. Malheureusement il n'a pas de mobile.

— Il ne pouvait pas souffrir Beatrice Sleight. Elle n'arrêtait pas de faire des commentaires désagréables sur les auteurs « littéraires ». Et les Assington? Ils me paraissent bien en retrait dans cette affaire... Aucun mobile. Lui se pavane et pontifie, jouant les sommités médicales. Elle semblait terriblement impressionnée par les fadaises qu'écrivait Beatrice Sleight. Une vraie tête de linotte. Exactement la meurtrière qu'Elizabeth Onions choisirait pour *Le Troisième Pigeon*.

— Qu'est-ce que tu racontes?

— Rien. Je suis contre les meurtriers intellectuellement incompétents, pas toi? Ils ne sont pas responsables.

Jury monta dans sa voiture.

— Je file à Durham. Je me charge de Grace, tu prends Susan. (Il sourit et mit le contact.)

— Je préférerais prendre du cyanure.

Le moteur ronfla cependant que Jury continuait de contempler la façade du pub.

— Qu'est-ce que tu regardes? s'enquit Plant, se tournant vers les carreaux microscopiques. (Le nez de Chrissie s'écrasait contre la vitre.)

— Des yeux marron, dit Jury, adressant un signe de la main à la fillette avant de démarrer.

21

Par un jour semblable à celui-ci, vue de loin et à travers le brouillard, la cathédrale de Durham paraissait flotter comme par magie au-dessus de la péninsule, à l'endroit où la Wear dessinait un virage en épingle à cheveux.

La chapelle où Grace Seaingham s'était agenouillée pour prier était un peu plus loin sur la droite. Combien de temps une femme pouvait-elle demeurer immobile dans cette position? s'interrogea Jury. Debout, déjà, cela semblait long; mais à genoux, cela devrait être interminable.

Jury s'absorba dans l'étude des dessins géométriques qui ornaient les colonnes tout en l'examinant.

Elle finit par se relever et, après avoir longé le banc vide, déboucha dans l'allée. Les yeux à terre, elle ne vit Jury qu'une fois arrivée à quelques pas de lui. Lorsqu'elle le reconnut, elle remonta le col de son manteau de laine blanc comme si elle se trouvait en présence d'un courant d'air froid et importun. L'air impassible, elle le fixa.

— Désolé, madame Seaingham, n'allez surtout pas croire que je vous filais. (Il lui adressa un sourire qui lui parut artificiel comme chaque fois qu'il se trouvait en sa présence.) Je savais que vous aviez l'intention de venir ici et j'avais à vous parler... Écoutez, je suis certain que vous préféreriez poursuivre cette conversation ailleurs...

Le sourire de Grace Seaingham donna au commissaire l'impression d'être refait. De quoi? Il eût été bien incapable de le dire.

— Cela m'est égal. Si c'est de la mort que vous voulez me parler... (elle eut un léger haussement d'épaules)... pourquoi ne pas en parler ici? (Avec un geste de la main plein d'élégance, elle lui fit comprendre qu'ils pouvaient deviser tout en se promenant dans la cathédrale.)

Or dans la cathédrale, Jury se sentait en position d'infériorité. Et il n'avait pas envie d'être en position d'infériorité face à Grace Seaingham. Il se tourna vers elle, contemplant son profil serein, ses cheveux d'un blond si pâle. Elle s'était arrêtée devant la fresque de saint Cuthbert.

— Freddie Parmenger devrait y jeter un coup d'œil. Malheureusement, il n'est pas homme à raffoler des églises. Savez-vous que les moines ont transporté les reliques de saint Cuthbert d'un endroit à un autre pendant des siècles? D'abord inhumé à Lindisfarne, le saint a ensuite été transporté à Chester-le-Street. En fin de compte, c'est à Durham que ses cendres furent transférées. (Le visage toujours tourné vers la fresque, elle s'enquit :) Qu'aviez-vous à me dire?

— Ce n'était pas vous, madame Seaingham. Je me suis trompé. La personne visée *était* bien Beatrice Sleight.

Il l'entendit prendre une profonde inspiration. L'énorme édifice normand lui donnait l'impression d'être un alpiniste ou un randonneur maladroit alors qu'il levait les yeux vers les voûtes impressionnantes. Il éprouva soudain le besoin d'être rassuré, comme un enfant rétif, et il se sentit ridicule.

— Au nom du ciel, pourquoi Beatrice aurait-elle mis ma cape?

— Celui ou celle qui l'a tuée voulait que tout le monde croie que c'était vous qui étiez visée... (Il laissa sa phrase en suspens.) Je suis incapable pour l'instant de vous dire comment le meurtrier s'y est pris pour lui faire enfiler la cape et l'entraîner dehors. Sans doute lui a-t-il raconté qu'il leur fallait à tout prix avoir un «entretien» dans un endroit où ils ne risquaient pas d'être dérangés. A la chapelle peut-être...

Les yeux de Grace brillaient. Soulagement, larmes? Jury n'aurait su le dire.

— Alors ce n'était pas... (Elle s'interrompit abruptement, tourna la tête vers la fresque de saint Cuthbert.)

— Quoi? Ou qui?

Elle ne répondit pas.

— Votre mari? Je doute fort que ç'ait été lui.

— Ce n'est pas lui qui l'a tuée?

Jury laissa la question sans réponse et se borna à remarquer :

– S'il est vrai qu'elle était sa...

Grace eut un sourire glacial.

– Allez-y, dites-le. Sa maîtresse. Peut-être a-t-il eu peur que Beatrice ne me révèle tout? déclara-t-elle d'une voix tendue.

– Chantage?

– Charles ignorait que j'étais au courant.

Jury ne releva pas. Les premiers soupçons de Grace lui paraissaient autrement plus intéressants.

– Vous avez été soulagée d'apprendre que personne n'essayait de *vous* supprimer. Vous pensiez que c'était votre mari?

– Non, bien sûr que non, fit-elle un peu trop vite.

– Madame Seaingham, lorsque vous avez appris le meurtre de Beatrice Sleight, vous avez pensé que c'était vous qu'on avait essayé d'éliminer. Seule la police a eu la même idée. (La police et Melrose Plant, pensa Jury, gardant pour lui cette précision.)

– Eh bien... la cape... murmura-t-elle d'un ton dénué de conviction.

– Les événements vous ont donné raison. Mais sur le moment, votre supposition m'a paru bizarre. Pourquoi portez-vous toujours du blanc?

Elle sembla prise au dépourvu.

– Pourquoi... Je n'en sais rien. J'avoue ne jamais avoir réfléchi à la question. (Elle baissa les yeux et examina son manteau.)

– C'est un tort. Le blanc ne fait qu'accentuer la pâleur de votre teint. Vous devriez porter des choses plus colorées. Des tons pastel, par exemple. A l'évidence, vous ne voulez pas que les gens vous croient malade. Or vous êtes malade, n'est-ce pas?

Ayant recouvré son sang-froid, elle énonça :

– Oui. En fait, je me meurs.

– De quoi?

Un muscle tressaillit à la hauteur de sa joue tandis qu'elle secouait la tête :

– Je l'ignore. Et sir George également. Il y perd son latin : les examens ne donnent rien.

– Vous mentez, Grace. Vous n'avez pas passé d'examens. Vous refusez que votre médecin vous en fasse passer.

Son teint de porcelaine se colora légèrement tandis qu'elle lui jetait un long regard pensif :

– Si vous le saviez déjà...

– Vous avez peur que ce soit votre mari, n'est-ce pas? Certains poisons s'administrent à petites doses. L'arsenic, par exemple, ou l'aconit. Mais, avec l'aconit, la victime se rend compte tout de suite que quelque chose ne tourne pas rond. Car ce poison provoque engourdissement, fourmillements...

– Ne soyez pas ridicule! Comment pouvez-vous imaginer... fit-elle d'une voix lasse.

Jury lui prit le bras.

– Ce que vous avez pensé au sujet de Charles est faux.

Ne sachant que répondre à cela, elle revint à la fresque. Jury la trouva presque lumineuse, debout, devant cette pierre sombre.

– Saint Cuthbert était misogyne, commissaire. Le Galiléem – la chapelle dans laquelle vous m'avez trouvée – avait été construit à l'intention des femmes, car il ne voulait pas qu'elles approchent de son reliquaire. Il n'aimait pas du tout les femmes.

– Personne n'est parfait, fit Jury en souriant. Sortons.

La princesse s'était risquée hors de la tour où elle était enfermée afin de jeter un coup d'œil au monde réel. Ses cheveux, couleur d'argent au soleil, s'étaient en partie dénoués et de petites mèches folles lui caressaient les tempes. Ses joues n'étaient plus cireuses et sa peau avait presque pris la teinte de l'ambre sous la lumière qui flottait dans l'enceinte qu'entouraient les bâtiments abritant l'université de Durham.

Privée de ses moyens de défense et de ses maniérismes habituels – elle se mordait la lèvre, faisant disparaître le rouge presque imperceptible qu'elle utilisait pour se farder –, elle ressemblait à une ravissante jeune fille qui aurait eu les nerfs à fleur de peau. La bandoulière de son sac solidement accrochée à l'épaule, les bras résolument croisés sur la poitrine, elle se mit à raconter à Jury ses nausées, son refus d'absorber plus que le strict nécessaire, le soin avec lequel elle surveillait tout ce qu'elle buvait.

– Vous êtes amateur de vieux films?

– Il m'arrive d'en regarder à la télé, à l'occasion.

– Vous vous souvenez de *Soupçons*? J'avais l'impression

d'être Joan Fontaine quand Cary Grant monte l'escalier, le verre de lait à la main. (Elle lui adressa un vrai sourire; la violence de sa crise de larmes au sortir de la cathédrale semblait avoir effacé de son visage toute trace d'anxiété.) Les spectateurs avaient tous peur que le mari soit le meurtrier, n'est-ce pas? Mais, au fond, personne ne pensait vraiment que Cary Grant pût être coupable. Un type si charmant, ce Cary Grant. (Avec tristesse, elle regarda Jury :) Mon mari n'est pas Cary Grant.

— Non. Mais il n'est nullement en train d'essayer de vous empoisonner.

— Vous semblez bien sûr de vous!

— C'est simple : il vous aime.

Elle lui décocha un coup d'œil presque timide :

— Comment le savez-vous?

— Primo, il me l'a dit. Secundo, il n'aimait pas Beatrice Sleight. Tertio, il n'y a qu'à voir sa façon de vous regarder. Enfin, je ne peux pas imaginer qu'un homme comme lui — pour lequel son bureau était un sanctuaire — vous ait laissée en disposer le temps que Parmenger fasse votre portrait A moins d'avoir eu des motifs sérieux de vous céder le terrain.

Elle lui jeta un regard émerveillé, plein de jeunesse et de vulnérabilité, puis elle éclata de rire :

— Ou vous êtes un merveilleux policier ou vous êtes un incorrigible romantique.

— Les deux, fit-il en souriant. (Et, la prenant par le bras, il ajouta :) Venez, allons déjeuner.

Dans un minuscule restaurant bondé sis au cœur du vieux Durham, ils dégustèrent des nourritures succulentes — gratin de champignons baignant dans une sauce au vin; ragoût à base d'Old Peculier; Stilton et tarte à la groseille. Jury veilla à ce que Grace finît à chaque fois son assiette et elle ne se fit guère prier. Tout en mangeant, elle lui parla de Charles et d'elle-même. Elle lui expliqua qu'elle avait espéré que son « aventure » avec Bea ne serait qu'un accident de parcours, lié à l'âge. Elle lui avoua avoir toujours désiré avoir des enfants, malheureusement son vœu n'avait pas été exaucé.

— Et pourtant, Reeni – la mère de Tommy – n'arrêtait pas de me dire qu'ils étaient assommants. (Elle termina sa tarte et demeura un instant silencieuse.) J'observais Tommy quand il était avec sa mère. Il était en adoration devant elle : elle était très belle mais assez superficielle. Richard et Irene étaient tous deux des êtres superficiels. Ils étaient drôles, pleins de charme et pourris de fric, et... (Elle haussa les épaules et détourna la conversation). Il y a un vieux magasin non loin d'ici, où j'aime aller fouiner. C'est là que j'ai trouvé ce bijou... (Elle souleva le pendentif qu'elle portait autour du cou et qui ne la quittait pas.) Je me suis aperçue par la suite qu'il avait une certaine valeur. Le malheureux vieillard qui me l'avait vendu était loin de s'en douter : il me l'avait cédé pour une bouchée de pain, alors qu'il valait un bon millier de livres. (Elle laissa retomber le pendentif.) Croyez-vous que nous pourrions aller y faire un saut après le déjeuner?

— Bien sûr.

Jury régla l'addition et ils sortirent, remontant la rue pavée en direction de la boutique préférée de Grace.

— Ravi de constater que vous n'êtes pas parfaite.

— Que voulez-vous dire?

— Le brocanteur. Vous l'avez refait de mille livres, remarqua Jury en éclatant de rire.

Elle s'arrêta net.

— Pas de conclusions hâtives, monsieur Jury : je suis retournée lui verser son dû.

— Diable! Et moi qui commençais à croire que tout espoir n'était pas perdu vous concernant!

Elle le gratifia d'un vaste sourire :

— Mais je ne lui ai donné que la moitié de la somme. Je ne suis pas parfaite, vous le voyez.

— Vous avez bien failli m'avoir.

Ils rirent ensemble.

Mais, alors qu'ils pénétraient de concert dans le petit magasin poussiéreux, Jury était loin d'avoir envie de rire. Car si ce n'était pas son mari qui essayait d'empoisonner Grace Seaingham, qui était-ce?

22

— Eh bien, Ruthven, qu'est-ce que vous en pensez? questionna Melrose.

Le maître d'hôtel, qui était en train de brosser la veste de Melrose, s'interrompit et prit l'air de quelqu'un qui va s'efforcer de résoudre une énigme planétaire.

— Avez-vous remarqué comment Mr Marchbanks s'y est pris pour décanter le bordeaux, hier soir, milord?

Chez tout autre que Ruthven, les événements de la veille auraient provoqué des réactions bien différentes. Connais-sant la passion maladive de son maître d'hôtel pour tout ce qui touchait à l'étiquette, Melrose songea toutefois qu'il n'y avait pas lieu de s'étonner.

— Il ne l'a pas laissé respirer suffisamment, c'est ça?

Debout devant une psyché, Melrose s'observait d'un œil d'autant plus critique que cet examen n'avait rien à voir avec la vanité. Plant cherchait, en effet, à détecter les signes de décrépitude annonciateurs d'une fin précoce, se demandant — ce qui lui arrivait de plus en plus souvent ces derniers temps — s'il réussirait à convaincre quelque jolie jeune femme de partager Ardry End avec lui. Il soupira en pen-sant à Polly Praed et à sa lettre ridicule. (*Votre Grâce!!!*)

— Je parlais de ce qui est arrivé à miss Sleight, Ruthven. Pas de la maladresse de Marchbanks.

— C'est terrible, milord. Cela m'a tellement secoué que c'est à peine si j'ai fermé l'œil de la nuit.

Melrose ôta un minuscule grain de poussière de la veste que Ruthven venait de brosser avec soin et l'enfila, souhai-tant en son for intérieur que le maître d'hôtel cessât de lui donner du *milord*. Il avait depuis longtemps renoncé à corriger Ruthven, pour lequel un comte de Caverness restait un comte de Caverness, même s'il avait renoncé à ses titres. Plant se dit que Ruthven devait avoir du mal à digérer que les comtes prissent rang plus bas dans la hiérarchie nobiliaire que les marquis. Surtout quand lesdits marquis n'étaient que des adolescents.

Frottant avec une mâle énergie les bottes déjà astiquées par le valet de chambre des Seaingham, Ruthven soupira tout en murmurant :

— Pauvre Mrs Seaingham.

Surpris, Melrose se détourna du miroir devant lequel il s'efforçait – sans succès – de dompter l'épi qui rebiquait au sommet de son crâne.

— Pourquoi « pauvre Mrs Seaingham » ?

— Ces bottes n'ont pas été cirées correctement, milord.

Aux yeux de Melrose, les bottes en question avaient l'aspect rutilant du cuivre poli. D'un ton patient, néanmoins, il reprit :

— « Pauvre Mrs Seaingham. » Pourquoi « pauvre » ?

— Hélas, elle semble bien malade, milord. C'est à peine si elle mange : elle ne touche pour ainsi dire pas à son assiette. Remarquez que cela ne m'étonne qu'à moitié. Pour des gens habitués comme nous le sommes à la cuisine de Mrs Ruthven...

— Vous pouvez dire Martha, Ruthven. Je l'ai toujours connue aux fourneaux, chez nous, alors inutile de faire des chichis.

— Bien, milord. Merci, milord. Ce que je voulais dire, c'est qu'habitué à manger de la bonne cuisine, je ne suis pas surpris de voir Mrs Seaingham chipoter. Franchement, milord, la sauce Cumberland parvenait tout juste à dissimuler l'excès de cuisson du rôti. (Une grimace dédaigneuse tordit le visage de Ruthven, qui était généralement de marbre.) Quant à la béarnaise...

— Mon cher Ruthven, je doute que les sauces aient joué un rôle quelconque dans ce qui s'est passé hier soir à Spinney Abbey.

— Vous avez raison, milord, convint Ruthven sans se troubler. Le problème ici, c'est plutôt les gens, n'est-ce pas ?

— Exactement. (Melrose alluma son cigare et regarda Ruthven poser les bottes par terre avec un triste hochement de tête, comme s'il estimait qu'elles étaient, elles aussi, vouées à connaître une fin prématurée.)

— Ils ne seront plus jamais les mêmes, milord, c'est certain.

— Les souliers ? Ou les gens ? Car vous désapprouvez les deux, si je comprends bien.

— Je n'ai pas à juger, milord. Mais il est évident que certains des invités ne sont pas à la hauteur. Enfin, milord, vous avez vu lady Assington au moment où on a fait passer le Stilton ?

— Qu'a-t-elle fait ? Elle l'a flanqué par terre ?

L'espace d'un instant, Ruthven ferma les yeux, comme pour montrer à son jeune maître — aux yeux de Ruthven, Melrose demeurerait éternellement jeune — qu'il était prêt à supporter ses facéties avec patience.

— Non, elle s'est servie avec une pelle à fromage, milord. Je veux bien que les parvenus utilisent ces instruments ridicules, mais...

— Ce ne sont pas les Seaingham que vous traitez de « parvenus », j'espère ? D'ailleurs, s'ils mettent des pelles à fromage sur la table... Ruthven, cette conversation ne nous mènera nulle part ! Dites-moi plutôt ce que leurs domestiques pensent des Seaingham.

Ruthven eut l'air choqué.

— Je ne m'abaisserai pas à rapporter les ragots des étages inférieurs.

Au loin, une cloche tinta, bruit qui n'était pas sans rappeler une vache dans un pré.

— Voilà l'heure du déjeuner, Ruthven. Ne faites pas l'enfant... (Melrose éternua dans son mouchoir.)

— J'espère que vous n'avez pas pris froid la nuit dernière. Vous n'êtes guère en condition pour pratiquer les sports d'hiver, milord, fit Ruthven qui était passé maître dans l'art de manier la litote.

— Pas plus les sports d'hiver que les autres. Je suis un riche oisif.

— Ce n'est pas vrai. Vous avez vos cours à l'université.

— Vous avez bien dû apprendre quelque chose. Vous n'êtes pas resté à l'office tout ce temps-là sans grappiller des nouvelles.

Tout en se mettant en devoir de rebrosser la veste impeccable de Melrose, Ruthven laissa tomber :

– J'ai entendu dire que les Seaingham s'étaient disputés à plusieurs reprises, et qu'*il* voulait divorcer. Mrs Seaingham, qui est très croyante et très pratiquante, ne veut pas en entendre parler. (Il marqua une pause et ajouta d'un ton pensif :) Vous avez remarqué Mr MacQuade, milord, hier soir à table?

– Remarqué quoi? Il a l'air de s'intéresser à Mrs Seaingham.

– Ça, je ne sais pas. Tout ce que je peux vous dire, milord, c'est qu'au lieu de faire *glisser* le porto, il a soulevé la bouteille.

Ayant lâché cette bombe, Ruthven sortit dignement de la pièce.

Melrose trouva Susan Assington en robe vert foncé dans la bibliothèque où elle errait, telle une feuille que le vent aurait entraînée loin de son arbre. A en juger par la vague stupeur qui se peignait sur ses traits à mesure qu'elle tournait les pages de l'ouvrage qu'elle avait en main, on eût dit que, pour elle, l'imprimerie était une invention qui datait de la veille.

– Vous cherchez de la lecture, lady Assington?

De toute évidence, il l'avait surprise, car elle s'empressa de remettre sur l'étagère le volume qu'elle feuilletait.

– Je consultais un traité de jardinage.

Difficile de l'imaginer une binette à la main... Melrose poursuivit néanmoins et, tenant à bout de bras *Le Troisième Pigeon*, observa :

– Je vous recommande Elizabeth Onions, si vous aimez le polar assaisonné d'un zeste de chasse au gibier à plume.

– Je déteste les romans policiers. Et je ne comprends pas comment vous pouvez plaisanter sur un sujet pareil... (Elle semblait au bord des larmes.) Parce que c'est un foutu gâchis, si vous voulez mon avis. (Sous le coup de l'émotion, lady Assington retrouvait le vocabulaire de la petite vendeuse qu'elle avait été.)

– Désolé. Je ne l'ai pas fait exprès. Une cigarette? (Melrose lui tendit son étui en or, espérant qu'elle se laisserait tomber dans l'un des vieux fauteuils de cuir pour bavarder tranquillement.)

– Volontiers, fit-elle avec une moue en s'asseyant.

Melrose prit place dans le fauteuil qui faisait face au sien, alluma leurs deux cigarettes et la regarda faire joujou avec la sienne au lieu de la fumer vraiment.

— Coincée dans cette maison... j'ai l'impression d'être en prison. Quand la police va-t-elle nous laisser tous partir ? George s'est rendu à Londres – où il avait une réunion – et il m'a plantée là...

Au-dessus du pied élégamment chaussé de Susan Assington, Melrose crut reconnaître une des petites robes sans prétention que dessinait Laura Ashley. Robe qui avait dû coûter quelque cent livres et était destinée à donner à sa propriétaire l'air rustique d'une fille de ferme. Or Susan n'avait pas du tout le genre laitière.

— Vous la connaissiez bien ?

— Qui ça ? fit-elle en jetant sa cendre dans l'âtre.

Ou elle était débile ou elle était très forte.

— Beatrice Sleight.

— Oh, murmura-t-elle comme si la victime avait autant d'importance que les pigeons d'Elizabeth Onions. Il nous arrivait de la rencontrer de temps en temps. C'était une sacrée garce. George avait beau être persuadé du contraire, je n'en pensais pas moins. « Ce n'est pas une garce ? » que je lui disais. « Comment expliques-tu qu'elle écrive des trucs aussi infâmes, alors ? » Notez bien que je ne lisais pas ses bouquins, ajouta-t-elle en hâte.

Du salon de musique s'échappaient les sons cacophoniques d'un piano que Tommy Whittaker martyrisait consciencieusement.

Susan Assington porta à son front une main chargée d'émeraudes.

— Si seulement il pouvait cesser... Je me demande pourquoi sa tante le croit doué pour la musique. (Elle feuilletait un magazine de mode sur papier glacé et le tendit à Melrose comme si ce dernier eût été son coiffeur.) Comment trouvez-vous cette coiffure ?

Faisant preuve de patience, Melrose sortit ses lunettes et examina la photo. Le mannequin avait les cheveux hérissés sur le sommet de la tête. L'œil égaré ourlé de noir, le modèle donnait l'impression d'avoir rencontré le monstre de Spinney Moor.

— Pas pour vous, lady Assington. La vôtre est beaucoup plus seyante.

Avec soin, elle passa la main sur le casque de cheveux sombre et lisse qui épousait son crâne.

— Vous ne devriez pas porter de lunettes. Vous avez des yeux superbes. Verts, ajouta-t-elle pour le cas où il aurait oublié.

Melrose la remercia et rempocha ses lunettes. Laissant de côté ses problèmes de haute coiffure, Susan se pencha en avant et plongea le regard dans les yeux de son vis-à-vis.

— C'est drôle que vous soyez célibataire.

— Je n'en suis pas vraiment un : je n'ai pas encore décidé de sauter le pas, nuance. (Il écouta Tommy faire des gammes. Les sons émanant du piano allaient se détériorant. Tout comme l'accent de Susan. Essayant de ramener la conversation sur le meurtre, il dit :) Vous avez dû apprécier les événements de la nuit dernière. (Susan fronça les sourcils d'un air étonné.) Ne disiez-vous pas qu'il ne nous manquait plus qu'un meurtre ?

— Je plaisantais, rétorqua-t-elle d'une voix d'enfant apeuré.

— Bien sûr, opina Melrose, rassurant. Comment avez-vous fait la connaissance de Beatrice Sleight ?

— C'est bizarre, à vous entendre, on dirait presque que vous êtes de la police, fit-elle, faisant preuve d'une intuition qui étonna Melrose. Au cours d'une séance de dédicaces. Dans une librairie. George avait pensé que ce serait amusant de lui en demander une. Il la connaissait, voyez-vous. Superficiellement.

« Superficiellement », tel était en effet l'adverbe que sir George avait utilisé lorsque les policiers de Northumbrie l'avaient interrogé. Sa femme semblait accepter la formule.

— Mais c'est Grace Seaingham qui était visée, non ? ajouta-t-elle en posant sur Melrose un regard d'une étonnante perspicacité. Et c'est vers le mari que doivent s'orienter les recherches lorsqu'un problème de ce genre surgit.

— Les Seaingham semblent former un couple bien assorti et fort uni.

— Il ne faut pas toujours se fier aux apparences, observa Susan. Ce que je ne comprends pas, c'est que la police fasse comme si le coupable était l'un d'entre *nous*. Alors que ce devait être un cambrioleur ou un vagabond surpris par Beatrice. Quelque chose dans ce goût-là. (Elle laissa tomber son journal de mode, se préparant à se lever et à quitter la pièce.)

Melrose décida d'y aller doucement :

– C'est peu probable. Les conditions météo...

Devant son air ahuri, Melrose se vit contraint de préciser sa pensée :

– Nous étions bloqués par la neige.

Elle le dévisagea comme si elle avait affaire à un demeuré :

– Nous ne pouvions pas sortir. Mais qu'est-ce qui aurait empêché un rôdeur d'entrer ?

– Sois gentil, viens faire le mort, Melrose, dit lady Ardry, posant une carte sur la table au moment où Melrose pénétrait dans la salle de jeux. (Agatha, lady St. Leger et Vivian étaient plongées dans une partie de bridge à trois.) Tu n'auras rien à faire, rassure-toi. Je sais que les cartes n'ont jamais été ton fort.

Apercevant un exemplaire du Debrett [1] sur une table près d'Agatha, Plant se dit que ces dames auraient sans doute mieux fait de jouer à la Galerie des Ancêtres.

– Bien que très sensible à votre invitation, Agatha, je vous dis non. De toute façon, si vous faites un bridge à trois, vous n'avez pas besoin de mort.

– On ne sait jamais, fit Vivian avec un petit sourire. (Elle ramassa un pli.)

– Vous semblez prendre les événements d'hier soir avec flegme. Félicitations.

Sous sa fine couche de poudre, lady St. Leger rougit imperceptiblement, comme prise en faute.

– Nous essayons de nous changer les idées, de ne plus penser à cette affreuse affaire.

Lorsqu'il était entré, Melrose l'avait surprise en train de vanter les mérites de Miln et d'Abbisferd.

– Des endroits impossibles, avait aussitôt rétorqué Agatha, piquée au vif. (Elle était installée près de la table à thé.) C'est plein de singes qui courent partout, grimpent sur les voitures... Si tu ne joues pas, Melrose, pourquoi restes-tu planté là ? Tu nous empêches de nous concentrer.

Des *singes* ? s'étonna Melrose intérieurement.

– Je croyais avoir laissé mon livre ici. J'attends le commissaire Jury. (Il décrocha une queue de billard au

---

1. Almanach recensant les familles nobles de Grande-Bretagne. *(N.d.T.)*

râtelier et fit le tour de la table afin de jeter un coup d'œil au jeu d'Agatha. Il avait déjà joué aux cartes avec elle auparavant.)

Ses cartes déployées en éventail contre sa poitrine, elle lui fit comprendre qu'il ferait mieux d'aller patienter ailleurs.

— Ce ne sont pas mes affaires, dit-elle en jouant un atout sur le roi de Vivian et ramassant le pli, mais qu'est-ce que Jury est venu fabriquer par ici? En quoi la mort de Beatrice Sleight concerne-t-elle Scotland Yard? (Elle ébaucha une grimace en voyant qu'Elizabeth St. Leger entamait d'un carreau.) La police de Northumbrie ne lui a pas demandé son aide, que je sache?

— Qu'est-ce que c'est que cette histoire de singes? s'enquit Melrose.

— De quoi parles-tu? fit Agatha. (Prise d'une soudaine quinte de toux, elle tira un mouchoir de sa manche et en profita pour faire glisser sur ses genoux un roi de cœur; ce détail n'échappa pas à Melrose, qui la tenait à l'œil. Agatha toussa de nouveau, remit son mouchoir en place et expliqua :) Nous parlions des moyens auxquels certains membres de l'aristocratie doivent recourir pour entretenir leurs résidences. (Elle mit le roi de cœur sur la reine du quatrième joueur fictif.) Un manoir de taille modeste comme Ardry End ne pose pas autant de problèmes d'entretien que Meares Hall.

C'était bien la première fois que Melrose l'entendait qualifier Ardry End de « modeste ».

— Je ne sais pas, fit Melrose, fasciné par la façon dont sa tante battait les cartes. (Il l'avait vue escamoter au moins deux cartes du bas du paquet.) Ce n'est pas aussi vaste que Spinney Abbey, mais...

— Ce n'est pas comparable! s'exclama Agatha en déployant ses cartes. (Elle les examina et joua un valet de carreau. Puis, se rappelant in extremis qu'elle risquait fort d'hériter d'Ardry End, elle ajouta :) Ardry End est l'un des plus jolis manoirs campagnards qui existe. Et nous n'avons pas besoin de recevoir des touristes pour l'entretenir.

Melrose se retint de lui faire remarquer qu'*elle* n'en avait pas besoin du fait qu'il ne lui appartenait pas. Et il se demanda ce qu'elle allait faire de l'as qu'elle avait sur les genoux.

Elizabeth St. Leger ne se laissa pas prendre au piège. Après avoir joué, elle observa :

– Vous avez bien de la chance, Agatha. Nous... (Melrose sourit, sachant que lady Ardry ne ferait jamais partie de ce club fermé)... sommes presque tous obligés d'accueillir des visiteurs afin de payer les frais d'entretien. D'ailleurs, je ne m'en plains pas. Je suis ravie de voir les gens s'extasier sur les jardins. Car j'ai moi-même une véritable passion pour le jardinage... *Encore* un as, Agatha ?

Laissant cette question sans réponse, Agatha enchaîna :

– Nous avons de beaux jardins, nous aussi. Mais nous en profitons en toute tranquillité. Je trouve lamentable que la noblesse soit obligée de s'abaisser de la sorte. Regardez Woburn Abbey. C'est bourré de gargotes, de stands d'antiquaires et je ne sais quoi encore. Et Bath. (Lady St. Leger joua son dernier atout – un cinq de trèfle.) C'est là que se trouvent les singes auxquels je faisais allusion tout à l'heure, ajouta lady Ardry à l'adresse de Melrose. A Longleat [1]. Avec les lions et le reste. Cet endroit est un zoo, une véritable horreur. (Tout en s'adressant à Melrose, elle fut prise d'une nouvelle quinte de toux et coupa le cinq du valet.) Je ne peux que compatir quand j'y pense, ajouta Agatha.

Voilà qui est nouveau... songea Melrose.

– Il y a des moments où il faut savoir faire des sacrifices. Je suis certaine que Melrose pense comme moi.

– Absolument, dit Melrose, regardant Agatha ramasser le dernier pli avant de tendre une main avide vers l'assiette à gâteaux.

Fatiguée des cartes sans doute ou de la façon de jouer de son amie, Elizabeth St. Leger était allée s'asseoir près de la cheminée du salon afin de travailler à sa broderie.

Melrose, qui attendait Jury, ne put dissimuler sa stupéfaction en voyant Agatha tirer d'une corbeille à ouvrage – probablement empruntée à son hôtesse – un cerceau à broder.

– Vous brodez, Agatha ? C'est bien la première fois que je vous...

– Bien sûr que je brode. Tu le saurais, si tu avais pensé à me poser la question, fit-elle avec la logique imparable qui était la sienne. Je suis en train de te confectionner un cadeau de Noël, si tu veux tout savoir.

Voilà qui était encore plus ahurissant. Sa tante, pour

_____

1. Manoir élisabéthain, résidence du marquis de Bath. (*N.d.T.*)

autant qu'il s'en souvînt, ne lui avait jamais fait le moindre présent. Il s'approcha et se pencha par-dessus son épaule. L'ouvrage était à peine entamé et il était difficile de voir ce qu'il représentait.

– On dirait une souris.

Plantant son aiguille dans le tissu crème, elle laissa tomber :

– Ne sois pas ridicule. C'est une licorne.

– Moi je trouve que ça ressemble à une oreille de souris.

– Pas du tout, c'est une corne de licorne.

– Et pourquoi brodez-vous des licornes ?

– Je ne peux pas te le dire, je veux que tu aies la...

Voyant qu'elle ne demandait qu'à parler, Melrose s'empressa de lui couper la parole :

– Pas un mot, Agatha. J'aime mieux avoir la surprise.

Et il orienta la conversation vers les roses qui s'épanouissaient dans un vase non loin de là.

– Quel bouquet ravissant, remarqua-t-il en s'adressant à Elizabeth St. Leger, spécialiste en jardinage. C'est vraiment agréable d'avoir des fleurs blanches en cette saison.

– C'est vrai qu'elles sont jolies, fit lady St. Leger en contemplant le vase. *Helleborus niger*, ellébore noir. Curieux nom pour une fleur dont les pétales sont blanc rosé. Ce doit être à cause de sa racine qu'on a baptisé ainsi la rose de Noël. Celle-ci est noire et extrêmement vénéneuse. (D'un coup de ciseau décidé, elle coupa un bout de fil vert foncé.) C'est Susan qui les a apportées, c'est vraiment gentil de sa part : je ne l'aurais pas crue capable d'une attention pareille.

Gentil de la part de Susan, en effet, songea Melrose en examinant les bouquets. Au moment où il se replongeait dans ses réflexions, Elizabeth St. Leger porta les mains à ses oreilles.

– Seigneur, le voilà qui remet ça !

Elle regarda Melrose.

– Ne pourriez-vous le persuader de s'arrêter de jouer quelques instants, monsieur Plant ? Je suis sûre que tout le monde serait soulagé. En tout cas, moi je le serais.

Melrose réfléchit un instant et dit avec un sourire :

– Je pourrais lui demander de m'accompagner à Durham, maintenant que les routes sont redevenues praticables.

Lady St. Leger enfila une autre aiguille et remarqua :

– Où le commissaire Jury a-t-il emmené mon neveu ce

matin ? Tom n'a rien voulu me dire, hormis le fait qu'il s'agissait d'une affaire de routine. Et pendant que j'y suis, savez-vous si nous pouvons partir ? Avec tous ces policiers qui traînent partout...

Ce n'était pas tout à fait exact. Il n'y avait dehors que deux constables, qui battaient la semelle autour de la chapelle. Plant fut heureux qu'elle lui ait posé une seconde question, ce qui lui évitait de répondre à la première.

— Je suis sûr que rien ne nous oblige à demeurer ici, lady St. Leger. Nous pouvons parfaitement quitter l'abbaye, si nous restons dans le pays. (Il s'était approché d'Agatha par-derrière afin de surveiller les progrès de son travail.)

— Durham ? s'étonna lady Ardry. Qu'est-ce que tu vas fabriquer là-bas ?

Certain que sa tante préférerait rester tranquillement au chaud en compagnie de sa grande amie plutôt que d'aller visiter un superbe monument normand, Melrose répondit :

— J'ai envie de voir la cathédrale.

— Excellente idée, fit-elle comme s'il avait besoin de sa permission. J'attendrai ton retour en travaillant. C'est fou ce que c'est long, la broderie. (Sans doute s'attendait-elle à ce qu'il la remercie du temps qu'elle lui consacrait. Comme il ne soufflait mot, elle enchaîna :) Au cas où cela t'intéresse-rait, mon petit Melrose, ce sont les armoiries des Caverness que je suis en train de broder.

Il ne put s'empêcher de hausser les sourcils.

— Voyons, ma chère tante, nous sommes à la veille de Noël ! Vous ne pensez pas avoir fini d'ici demain ?

— Un ouvrage d'une telle difficulté ? Sûrement pas. Il te faudra patienter pour avoir ton blason. Deux lions hermi-nés, une licorne armée et onglée.

Elizabeth St. Leger se mordit la lèvre.

— Onglée, Agatha.

23

Un chrétien rassemblant tout son courage avant que les Romains ne lâchent les fauves dans l'arène n'aurait pu contempler les lions avec plus de détermination que le sergent Wiggins n'en mettait à examiner la gare de New-castle avant de descendre du train.

Le bâtiment n'était pourtant pas plus laid que Victoria, King's Cross ou St. Pancras. Mais s'il était archi-tecturalement intéressant, il n'avait cependant pas l'« allure » – mot que n'aurait jamais songé à utiliser le sergent Wiggins – de St. Pancras qui, de toutes les gares lon-doniennes, était peut-être la plus ébouriffante.

La gare de Newcastle offrait pêle-mêle aux regards l'assortiment habituel et banal de voies ferrées, de vaga-bonds, de fumée et de friands, lesquels étaient servis dans une gargote sinistre. Wiggins avait toujours eu le sentiment que les gares n'étaient que des poubelles géantes, qu'il fallait éviter à tout prix. Il pensait la même chose – en pire – du métro londonien qu'il ne pouvait malheureusement pas évi-ter, vu que c'était le moyen de locomotion le plus rapide pour se rendre de son appartement de Lambeth à Scotland Yard. Jury se rappelait le soulagement qu'avait éprouvé son subordonné, un an auparavant, lorsqu'il avait découvert qu'une voiture spécialement conçue à cet effet sillonnait les tunnels du métropolitain afin de les nettoyer. Lui-même empruntait la ligne de Bakerloo, que Wiggins considérait comme la plus crasseuse de tout le réseau.

Incapable de fonctionner sans sa tasse de thé de l'après-midi, Wiggins se résigna à l'aller boire dans le triste boui-

boui et s'assit devant une table jonchée d'emballages de chips, qu'il s'empressa de nettoyer à l'aide de serviettes en papier.

Jury laissa le sergent sacrifier en paix aux divers rituels destinés à se concilier les bonnes grâces du dieu Allergie avant de se risquer à le questionner. Il avait pour principe de ne jamais bousculer son subalterne, sachant que cela lui faisait perdre ses moyens, qui étaient considérables. Wiggins n'avait effectivement pas son pareil pour aller à la pêche aux renseignements, qu'il consignait avec un zèle et une efficacité dignes d'un Boswell. Il réussissait à noter des détails si ténus que le plus puissant des télescopes n'aurait pu les distinguer dans le ciel nocturne saupoudré d'étoiles. Certains des menus faits qu'il couchait dans son calepin étaient cependant d'une valeur inestimable et Jury avait appris à les repérer et les extraire de la Voie lactée que constituait la conversation de Wiggins.

Son thé à portée de main, Wiggins ouvrit le fameux calepin qu'il avait posé à côté d'une tranche de tarte aux pommes à l'air tristement spongieux.

— Annie Brown, commença-t-il à lire. Née à Brixton en 1925... c'était avant les émeutes, mais l'endroit était déjà assez sordide. (Suivit une description détaillée du foyer des Brown et de la ville de Brixton). Études sommaires... n'a jamais été plus loin que la première partie du baccalauréat. (Jury eut droit à un compte rendu minutieux du travail scolaire fourni par Annie.) Obtient un premier poste dans un collège d'enseignement général ; déménage pour aller s'installer à Dartmouth, où elle s'occupe d'élèves de sixième dans une école de jeunes filles appelée Beedle. Finit par atterrir à Laburnum School. (Wiggins s'essuya la bouche à l'aide d'une serviette en papier.) Selon la directrice de Laburnum School, le travail d'Annie donnait satisfaction. Formule destinée à me faire comprendre que c'était plutôt limite. Un beau jour, Brown s'est précipitée dans son bureau pour lui donner sa démission, lui déclarant qu'elle avait trouvé mieux ailleurs.

— Je suggère que nous nous dépêchions de quitter ce café sordide pour essayer d'apprendre la suite de la bouche de l'intéressée. Vous avez fait du bon boulot, Wiggins. (Jury jeta un regard écœuré à l'infâme part de tarte.) J'espère que vous survivrez pour pouvoir raconter vos exploits à Maureen.

La fille qui leur ouvrit la porte de l'école Bonaventure était l'adolescente lourdement charpentée que Jury connaissait déjà. L'accueil des visiteurs devait faire partie de ses fonctions. Encore que le mot fût mal choisi.

L'attitude de miss Hargreaves-Brown, assise derrière son bureau avec la mine de quelqu'un à qui on fait perdre son temps, manquait elle aussi d'enthousiasme. Elle consentit à se lever lorsque Jury lui présenta le sergent Wiggins. Mais l'accueil qu'elle réserva à Wiggins ne fut guère plus chaleureux que celui auquel Jury avait eu droit deux jours plus tôt.

Elle portait la même robe de gros lainage. Un morceau de son mouchoir blanc dépassait de sa manche. Elle avait des bas foncés et des chaussures à bout arrondi. Ses yeux étaient durs et plats, comme des pièces de monnaie qui ont beaucoup circulé.

Sous ses airs froids, Jury crut toutefois sentir une certaine tension. En se trouvant en face non plus d'un mais de deux policiers elle devait se dire que, cette fois, on allait passer aux choses sérieuses.

Ce que fit Jury, d'ailleurs.

— Si nous sommes ici, miss Brown, c'est à cause d'Helen Minton et des relations que vous avez eues avec elle. Vous vous appelez bien Brown tout court, n'est-ce pas?

Les mains de la directrice se crispèrent, mais elle ne broncha pas, se contentant de diriger ses regards vers la haute fenêtre donnant sur la cour d'où ne montait pas le moindre bruit.

— Les enfants, dit Jury, doivent être en classe. Le peu que vous avez, du moins.

Lentement, elle tourna la tête, le regard soudain fiévreux.

— Vous auriez bien aimé faire de cet endroit un autre Laburnum School, j'imagine. Mais ici... (Jury haussa les épaules. Elle continuait de se taire. Jury sortit son paquet de cigarettes, en alluma une et fit signe à Wiggins de le relayer.)

Calepin en main, le sergent débita d'une voix monocorde les renseignements qu'il avait lus à Jury en buvant son thé au café de la gare. Les noms, les dates.

— ... et vous avez quitté Laburnum School en même temps que miss Helen Minton. Le notaire de Mr Parmenger, après

247

s'être un peu fait tirer l'oreille... (Wiggins gratifia la directrice de son petit sourire habituel)... m'a déclaré que son client avait fait un legs annuel de quelque mille livres à l'école Bonaventure. C'est peu pour une grande baraque comme ça. Le chauffage à lui tout seul doit vous coûter une fortune.

Comme si le seul fait de parler chauffage eût suffi à faire naître dans le cerveau de Wiggins la vision de colonies de virus, le sergent sortit de sa poche une boîte de pastilles pour la toux au réglisse, dont il se mit en devoir de retirer l'emballage de cellophane.

Jury prit le relais.

— C'est Edward Parmenger qui vous a trouvé ce poste. Ou plus exactement qui vous l'a acheté. Pour vous faire taire.

La directrice s'efforça de se remettre dans la peau du personnage de miss Hargreaves-Brown, mais visiblement sa superbe en avait pris un coup.

— Je n'ai rien fait d'illégal, se borna-t-elle à déclarer.

— C'est à voir.

— J'ignore de quoi vous parlez.

— Je pensais à Robin Lyte.

— Robin ? Qu'est-ce qu'il vient faire là-dedans ? (Son visage était figé, tel un masque grec.)

— C'est le fils d'Helen Minton. Et vous êtes le professeur auquel — manque de chance — Helen est allée se confier. Vous n'avez rien eu de plus pressé que d'avertir Edward Parmenger. Or Parmenger était un puritain, qui cherchait à protéger son fils. Que sa pupille tombe enceinte, c'était déjà moche. Mais enceinte de son propre cousin...

Annie Brown éclata d'un rire convulsif.

— Cousin ! reprit-elle. Vous n'y êtes pas, commissaire. C'était beaucoup plus incestueux que ça : ils étaient demi-frère et demi-sœur. (Avoir réussi à faire la pige à Scotland Yard semblait lui procurer un plaisir non dissimulé.) Vous n'êtes pas au courant de *tout*, à ce que je vois.

— Nous serions ravis que vous éclairiez notre lanterne.

Avec un calme non dénué d'affectation, elle se plongea dans l'examen de ses ongles.

— Pour ce qui est de l'argent, de l'école et de la confiance, vous avez raison. Je parle de la confiance qu'Helen et son père avaient mise en moi...

248

– « Son père »... vous voulez parler d'Edward Parmenger ? dit Jury.

– Évidemment. Ni Helen ni Frederick n'étaient au courant de la liaison d'Edward Parmenger avec sa belle-sœur. Vous comprenez pourquoi Mr Parmenger s'est mis dans un état pareil lorsqu'il a appris que son fils et Helen...

– Parmenger vous a parlé de sa liaison avec sa belle-sœur ? Mais pourquoi ?

– Monsieur Jury, je ne suis pas une imbécile...

– Je vous crois volontiers, dit Jury d'un ton sec.

Ou elle n'avait pas remarqué la froideur du commissaire ou elle n'en avait cure, en tout cas elle poursuivit :

– Quand je l'ai averti de la situation dans laquelle se trouvait Helen...

– Vous l'avez « averti ».

– Bien sûr. Helen ne pouvait pas rester plus longtemps à Laburnum School. La famille devait être prévenue.

– N'était-ce pas à la directrice de l'école de s'en charger ?

Annie Brown sembla réfléchir un instant à la question.

– Normalement, oui. Mais je me suis dit qu'il fallait que j'essaie d'éviter des ennuis à la jeune fille...

– Vous avez également dû vous dire qu'une occasion pareille ne se présenterait pas deux fois... Et c'est alors qu'Edward Parmenger vous a appris quels étaient les liens qui unissaient Helen et Frederick ? J'ai du mal à le croire !

Miss Brown se borna à hausser les épaules.

– Peut-être qu'il a été pris par surprise, déstabilisé. Et puis je suis le genre de femme qui attire les confidences. Helen s'était déjà confiée à moi.

En effet, songea Jury, se disant que miss Brown était décidément une comédienne hors pair, qu'elle devait être capable à l'occasion de faire le chien couchant.

– J'ai eu l'impression que Mr Parmenger n'avait qu'une envie : se débarrasser du problème. Ce n'était pas un homme de caractère. Il est entré dans une rage folle quand je lui ai appris la nouvelle, évidemment. Celui qui avait une forte personnalité dans la famille, c'était son fils Frederick. Ce garçon semblait prêt à tout pour parvenir à ses fins. (Elle se laissa aller contre le dossier de son vieux fauteuil, qui protesta.) D'ailleurs, il a fait son chemin.

– Effectivement, miss Hargreaves-Brown, dit Jury, jouant la carte de la diplomatie. Mais j'espère pour vous que vous ne songez pas à faire chanter Frederick Parmenger : il n'est pas homme à se laisser intimider.

Les yeux de la directrice se durcirent.

— Je vous demande pardon ?

— Poursuivez.

— Eh bien... j'avais toujours désiré avoir un poste de directrice d'école. Tout ce que l'on me demandait en échange, c'était de garder Helen ici jusqu'à la naissance de l'enfant, trouver au bébé des parents adoptifs et renvoyer Helen.

Comme un vulgaire colis, songea Jury.

— Pas étonnant qu'elle soit venue ici.

— J'étais dans tous mes états, je vous assure. Il était convenu qu'elle devait rester à l'écart. Juste après, Mr Parmenger l'envoya faire le tour du monde.

— Le monde est petit quand on est malheureux.

Miss Hargreaves-Brown haussa les épaules.

— Helen était une sotte. Elle aurait dû se marier et avoir des enfants.

— Elle en avait déjà un. Vous avez refusé de lui dire quoi que ce soit lorsqu'elle vous a questionnée, je suppose ?

— C'est exact. Vous me prenez pour un monstre, n'est-ce pas ? Mais croyez-vous que ç'aurait été gentil de lui apprendre que son enfant était... retardé ? Les tares génétiques résultant des liens étroits de parenté entre...

— Des histoires de bonnes femmes.

— Les histoires de bonnes femmes sont parfois vraies, fit-elle d'un ton sec.

— Et Danielle Lyte, dans tout ça ?

Elle tressaillit. Et Jury eut l'impression de reprendre l'avantage.

— C'était une jeune femme – nantie, comme je l'ai découvert trop tard, d'un mari alcoolique – qui était disposée à prendre Robin. Moyennant... un dédommagement financier.

— C'est comme cela qu'elle s'est procuré l'argent avec lequel son mari a décampé ? Et vous avez repris le petit à la mort de Danielle. Les enfants passent de main en main par ici, dites donc !

Le menton sur ses mains, elle eut un sourire :

— Je ne suis pas un monstre. Bien sûr que nous l'avons repris. Qui d'autre s'en serait chargé ? Nous l'avons gardé ici jusqu'à l'âge de seize ans. C'est l'âge limite. Sauf cas exceptionnel.

– Et le cas de ce gamin n'était pas exceptionnel?

– J'ai vraiment beaucoup à faire, dit-elle en se levant. Avez-vous d'autres questions à me poser?

– Pas pour le moment, fit Jury.

– Allons boire quelque chose aux *Cross Keys*, décida Jury tandis qu'ils approchaient du portail de fer. J'ai bien besoin d'un petit remontant.

Il y eut un déclic et la porte s'ouvrit. Après quoi, un bruissement de branches se fit entendre.

– Au revoir, dit l'Arbre. Que Dieu te bénisse.

– Qu'est-ce que c'est que ça? s'étonna Wiggins, regardant autour de lui.

– Les arbres d'ici ne ressemblent pas à ceux de Londres : ils parlent. (Jury sortit de sa poche un petit sac en papier, vérifia qu'il était bien fermé et s'écria à l'adresse de l'Arbre :) Attrape!

Wiggins rentra la tête dans son cache-col et fixa son supérieur, qui regardait disparaître le sac blanc dans les branches.

– Au revoir. Que Dieu te bénisse.

Après avoir quasiment flanqué dehors les deux jeunes femmes au teint brouillé qui occupaient la meilleure table près du feu, Wiggins – attablé devant son sandwich et sa bière – parut retrouver quelque entrain.

– Je ne vois personne qui ait eu une meilleure raison...

– D'empêcher Helen Minton de parler? Eh bien, laissez-moi vous dire une bonne chose, Wiggins. Miss Brown a peut-être l'étoffe d'un meurtrier. Mais dans ce cas précis, je la vois plutôt essayant de faire chanter Helen. Seulement pour empêcher qui de découvrir la vérité?

– Mmmmm, délicieux ce sandwich, apprécia Wiggins. Frederick Parmenger, peut-être?

– Elle aurait toujours pu tenter le coup; il ne lui aurait pas donné un centime. Elle ne nous a pas dit toute la vérité au sujet de Danny Lyte. Danny n'est pas tombée du ciel, comme ça. Je vais passer le cottage d'Helen Minton au peigne fin et je veux que vous retourniez au poste de police de Northumbrie vous renseigner sur cette femme. Elle travaillait chez une certaine Isobel Dunsany. Miss Dunsany m'a confié qu'elle travaillait bien et avait d'excellentes références. Je me demande si ces références ne venaient pas d'Edward Parmenger.

Wiggins nota tout ceci dans son calepin et s'attaqua de nouveau à son sandwich.

– Vous ne mangez rien, monsieur? Ça vous ferait du bien d'avaler quelque chose de solide.

– Je ne mange que des pois cassés, décréta Jury en finissant son demi.

24

La nuit commençait à tomber. Une lumière sourde brillait à la fenêtre du rez-de-chaussée du cottage d'Helen Minton. La porte était grande ouverte.

Un verre à la main, Frederick Parmenger examinait la gravure représentant le manoir d'Old Hall, qui était suspendue au-dessus de la cheminée. En entendant la voix de Jury, Parmenger pivota sur ses talons et regarda le policier comme s'il s'était attendu à le trouver là, ou comme s'il lui était égal qu'il fût dans la pièce. Du menton, il désigna la cheminée.

– Elle a décroché mon tableau.

– Peut-être n'aimait-elle pas se regarder.

Parmenger demeura silencieux un instant.

– Qu'est-ce que je suis censé faire de tout ça? fit-il d'un ton morne en contemplant le séjour.

Jury alla prendre un gobelet dans le placard et s'installa dans le fauteuil qui faisait face à celui du peintre.

– Reservez-vous, suggéra-t-il. (Et il remplit leurs deux verres.)

Mais Parmenger n'était pas homme à se confier à la police sous l'influence de l'alcool.

Le silence s'abattit donc sur le séjour, tel le crépuscule hivernal sur le jardin d'Helen. Jury constata que le froid avait donné aux tiges des dahlias l'apparence de bouts de bois et déposé une pellicule de givre sur les fleurs des champs. La vieille horloge fit entendre son tic-tac pendant une bonne minute sans qu'aucun des deux hommes se décidât à parler. Le silence de Parmenger était plus impressionnant que des gestes de colère : le peintre agrippait son gobelet comme s'il s'apprêtait à le lancer avec violence sur la gravure. Et c'est tout juste si Jury n'entendit pas le fracas du verre brisé lorsqu'il finit par questionner :

— Vous l'aimiez beaucoup, n'est-ce pas?

— Si je l'aimais? Oui, avoua Parmenger d'une voix atone. (Il avala la moitié de son whisky et sombra de nouveau dans le mutisme.)

— Mais vous ne la voyiez pas souvent?

— Helen ne tenait pas particulièrement à me voir. (Tendant le bras vers la bouteille, il se resservit.) Helen ne m'aimait pas tellement. (Là-dessus, il regarda Jury et sourit.) Vous croyez que je suis ivre? Ça m'arrive de l'être. Assez souvent, même, je l'avoue. Vous vous figurez sans doute qu'étant dans les vignes du Seigneur, je vais vous déballer mes petits secrets? (Il s'enfonça dans son fauteuil.) En tout cas, je dois vous rendre cette justice : votre technique est moins brutale que celle du sergent Cullen.

Jury ne souffla mot.

Parmenger braqua sur Jury l'œil lucide et impitoyable de l'artiste.

— Vous pourriez poser pour une allégorie de la patience. Vous ne me flanquerez pas de coups sur la tête, vous attendrez que je me décide à parler, c'est cela? (Il se versa de nouveau à boire.)

— Si seulement je savais ce que j'attends.

— C'est tout le problème. Aucun de nous ne sait ce qu'il attend. (Ce fut dit simplement, d'un ton dénué d'amertume. Et surtout, sans la moindre ironie.) Du boulot d'amateur. (Il désigna de la tête la gravure représentant le manoir d'Old Hall.) Je n'ai jamais réussi à comprendre Helen. Et pourtant, j'étais censé être un type intelligent. Certains prétendent même que je *suis* un génie. (Il remplit de nouveau son verre. Plus il buvait, moins il avait l'air ivre.)

— Vous dites ça sur un ton... Cela ne vous fait donc ni chaud ni froid?

— Je répète ce que disent les critiques. (Il regarda Jury, un petit sourire aux lèvres.) Si Seaingham n'est pas fichu de distinguer les peintres géniaux des minables, comment diable voulez-vous que je m'y retrouve? (Changeant soudain de ton, il ajouta :) Charmant garçon, ce Charlie.

— Helen Minton aimait votre travail. (Jury tourna les yeux vers la petite toile abstraite.) Comment se fait-il que quelqu'un de si doué pour le portrait soit apprécié surtout pour ses peintures abstraites...

— Vous ne connaissez foutre rien à la peinture, commissaire, coupa Parmenger sans s'énerver. Comme la plupart des gens que je fréquente, d'ailleurs. Et comme mes confrères, également.

— Votre père était un ami de Rudolph St. Leger, m'a dit sa femme. Vous le connaissiez?

— Je me souviens vaguement de lui. C'était un âne, qui se prenait pour un nouveau Whistler. Il peignait des paysages glauques pleins d'arbres, de prairies et de vaches. De pâles copies sentimentales des romantiques de la fin du dix-neuvième. Rudy détestait mon travail. Au point qu'il a essayé de m'empêcher d'entrer à l'Académie. Il me prenait pour un arriviste. Pauvre garçon, il était infichu de peindre une vache. Il ne serait pas arrivé à grand-chose sans sa femme : elle avait de la fortune, une brillante position sociale, des relations. Et non contente de financer ses expositions, elle forçait les critiques à assister aux vernissages et à écrire des articles de complaisance. Seaingham est le seul qui ait refusé de se prêter à cette comédie; jamais il n'a daigné écrire une ligne sur la production de Rudolph. Preuve de tact de sa part. Pour être juste, je dois reconnaître que ce vieux Rudy avait quand même suffisamment de technique pour que son œuvre ne soit pas carrément dégueulasse. Je veux dire par là que si on lui avait collé une arme sur la tempe, il aurait réussi à peindre un bœuf à peu près ressemblant. Des gens comme vous – ne vous vexez pas, commissaire – auraient trouvé ses vaches et ses chevaux... passables. Mais Elizabeth St. Leger, elle, était persuadée que son Rudy avait du talent. Je me demande si c'est si bon que ça d'avoir des admirateurs inconditionnels dans son entourage proche. Les gens qui vous aiment vous mentent toujours. Pas délibérément peut-être. Seulement parce qu'ils sont incapables de faire la différence. Mais je me demande ce qui me prend tout d'un coup, il y a des années que je n'avais pas pensé à ce brave Rudy.

— Continuez, ça m'intéresse.

Parmenger jeta un coup d'œil acéré à Jury.

— Je n'en doute pas. Au fond je le plains, le pauvre. Je sais ce que c'est que d'avoir constamment quelqu'un après soi... Je vous ressers ? (Il attrapa la bouteille de whisky, sans se rendre compte que Jury avait à peine touché à son verre. Jury lui tendit néanmoins son gobelet pour qu'il le remplisse. Et Parmenger poursuivit :) Mon père a tout fait pour me dégoûter de la peinture. Une fois même, il est allé jusqu'à jeter mon matériel par la fenêtre, tellement il était fumasse. Il a refusé de me donner de l'argent pour que j'aille étudier aux Beaux-Arts. Il a peut-être bien fait. Il voulait que je prenne sa succession, que je me consacre à des choses sérieuses, au lieu de « barbouiller » des toiles pour reprendre son expression. (Parmenger sourit non sans tristesse.) Un jour qu'il était dans une colère noire, il a jeté par la fenêtre mes pinceaux et mes tubes de gouache.

Jury lui rendit son sourire.

— Tommy Whittaker me semble être un garçon coriace, capable de se défendre. J'imagine que vous avez dû ruer dans les brancards, vous aussi ?

— Je n'avais pas le choix ! J'ai fait tant et si bien que mon père n'a jamais réussi à me mater. Mais il a réussi à venir à bout d'Helen. La pauvre, je ne vois pas comment elle aurait pu lui tenir tête... (Il posa son verre par terre, près du fauteuil dans lequel il s'était enfoncé.)

— Il lui a quand même légué une grosse somme d'argent et la maison. Il devait se sentir coupable.

— L'argent n'est pas tout dans la vie. Helen avait une grande énergie créatrice, seulement elle n'a jamais trouvé à l'employer. Je lui ai appris tout ce que je savais. Nous allions peindre dans le grenier. J'ai toujours eu du goût pour l'art ; dès l'instant où j'ai su tenir un crayon, j'ai réagi en artiste. (C'était à lui que Parmenger semblait s'adresser et non à Jury.) Même si j'avais voulu m'orienter dans une autre voie, je n'y serais pas arrivé... Mais c'est idiot. La volonté et le talent doivent marcher de pair, n'est-ce pas ? Ce grenier... (Il leva les yeux au plafond comme s'il était toujours là, intact, dans ce cottage.)... Certains après-midi lorsqu'il faisait beau, le grenier était inondé de lumière. Nous nous asseyions devant la fenêtre. C'était une fenêtre cintrée, ressemblant un peu à celles qu'on voit dans les églises gothiques ; les petits carreaux rouges de la partie supérieure avaient l'aspect d'un vitrail. Lorsque le soleil brillait au travers, nos visages et nos bras étaient dégoulinants de rouge. Je regardais souvent

Helen tandis qu'elle essayait de peindre, l'air concentré, sa figure pâle mouchetée de rouge. Nous peignions ce que nous apercevions de notre poste d'observation, les cimes des arbres d'Eaton Square, les jardins, les gens assis sur les bancs publics. (Il s'interrompit.) C'était il y a bien longtemps.

Jury le laissa plonger en silence dans le passé puis il remarqua :

— Vous avez dit qu'elle ne vous aimait pas. A vous entendre, on ne le dirait pas.

Parmenger termina son verre et le posa sur le sol près de lui.

— C'est venu plus tard. Nous nous sommes disputés.

— A quel sujet ?

— Est-ce que cela vous regarde ? (Parmenger s'extirpa de son fauteuil et alla se planter devant les portes-fenêtres, d'où il contempla le jardin enfoui sous sa croûte de givre.)

— Au sujet de quelque chose de pas très joli qu'elle avait découvert. Peut-être connaissez-vous... miss Hargreaves-Brown ?

Frederick Parmenger mit une fraction de seconde pour nier :

— Jamais entendu ce nom-là. Où voulez-vous en venir, commissaire ?

— Selon moi, elle ne voulait pas poser de questions abruptes. De peur de mettre quelqu'un dans l'embarras. Spéculation intéressante.

— Je ne trouve pas.

— Je crois qu'elle avait trouvé la personne qu'elle cherchait.

— Qui ça ?

— Son fils.

Parmenger pivota lentement. On sentait chez cet homme dont les sens étaient pourtant émoussés par le whisky une force proprement colossale. En le voyant changer d'expression, Jury pensa à une tempête sur le point d'éclater, à un ciel prenant la teinte du plomb. Parmenger avait l'air terrifié.

— Son fils, et le vôtre. Je suis au courant. Asseyez-vous, vous allez tomber.

Parmenger se laissa choir dans le fauteuil et se cacha le visage derrière ses doigts croisés.

— Je ne le savais pas à cette époque. Helen était... (Incapable de poursuivre, il s'arrêta net.)

— Votre demi-sœur. Je sais cela, aussi.

Parmenger se releva, s'approcha du petit bar.

— Vous ne savez foutre rien, commissaire.

— Miss Hargreaves-Brown... ou plutôt Annie Brown m'a tout raconté.

Le visage de Parmenger était d'un blanc crayeux.

— La garce... Mon fumier de père l'avait pourtant payée pour qu'elle la boucle.

— Ce n'est pas quelqu'un de très sympathique; sur ce point, je suis d'accord avec vous. Comment avez-vous découvert que votre père avait eu une liaison avec sa belle-sœur?

— L'un de ses collègues était censé m'apprendre la bonne nouvelle à la mort de mon père. Pour me flanquer les jetons, je suppose, au cas où j'aurais eu envie de faire des projets d'avenir avec Helen...

Il s'interrompit et balaya la pièce noyée d'ombre d'un regard égaré.

— Ma sœur... (Il y avait dans sa voix comme une pointe d'hystérie, qu'il s'empressa d'étouffer. Jury songea qu'il devait être capable de refouler toute émotion indésirable lorsque c'était nécessaire.)

— Pourquoi vous accabler? Vous ne...

— Allez vous faire voir avec vos condoléances. J'ai brisé la vie d'Helen.

— N'est-ce pas plutôt elle qui aurait pu briser la vôtre?

A ces mots, il se calma.

— Où voulez-vous en venir? s'enquit-il d'un ton presque menaçant.

— Vous auriez préféré que la vérité éclate au grand jour?

Parmenger enveloppa Jury d'un regard méprisant:

— Ne soyez pas ridicule. Jamais Helen n'aurait parlé. De toute façon, ma réputation, je m'en fous. Il n'y a que les critiques qui s'intéressent à ce genre de choses. C'est même leur seule raison d'être. (Son verre à la main, il se mit à faire les cent pas dans le séjour, prenant puis reposant à tour de rôle des objets ayant appartenu à Helen, comme si le fait de les toucher pouvait le rapprocher de leur propriétaire.)

— Quelqu'un essaie de tuer Grace Seaingham, dit enfin Jury.

— Ce quelqu'un s'y prend comme un pied, commenta Parmenger en vidant son verre.

— Je ne parle pas de l'agression fatale dont Beatrice Sleight a été la victime : il ne s'agissait pas d'une erreur mais d'une manœuvre de diversion. Car la personne visée par le meurtrier était bel et bien Beatrice Sleight. Non, je vous le répète, quelqu'un essaie de supprimer Grace Seaingham.

Parmenger éclata de rire.

— C'est grotesque. (Toutefois, il changea rapidement d'expression.) Pourquoi ? Vous n'allez pas me dire que Charles Seaingham... ?

— Vous croyez que Mr Seaingham chercherait à...

— Non. Tout ce que je sais, c'est que Grace n'acceptera jamais de divorcer...

— Tout le monde savait que Seaingham était amoureux de Beatrice Sleight, alors ?

Parmenger cessa de déambuler à travers la pièce.

— Non. J'étais au courant. Mais sans doute est-ce parce que je suis observateur... Comment diable en êtes-vous arrivé à ces brillantes déductions, commissaire ? Il n'est rien arrivé à Grace, que je sache.

Jury ne répondit pas directement :

— Helen Minton, Beatrice Sleight, Grace Seaingham... Helen ne connaissait aucune des deux autres femmes.

— « Helen » ? Vous l'appeliez par son prénom ? s'étonna Parmenger dont le visage s'assombrit.

Jury ne put s'empêcher de songer au personnage de Browning, Ferdinand, que dévorait une jalousie maladive et qui préférait voir sa sœur morte plutôt qu'heureuse en compagnie d'un autre homme.

— J'ai eu l'occasion de passer un après-midi avec elle. Quelle importance maintenant ?

Parmenger ne répondit pas. Les yeux rivés sur la gravure représentant le manoir d'Old Hall, il semblait consterné par tant de médiocrité.

— Helen a reçu un visiteur une semaine avant sa mort. (Jury sortit son carnet et le feuilleta.) « ... Une dispute monstre. » C'est ce que m'a dit sa voisine, Nellie Pond. « Des éclats de voix terribles. » Ce visiteur, c'était vous, n'est-ce pas ?

— Encore une de vos brillantes déductions, commissaire ? Non, ce n'était pas moi.

— Brillante ? Dites plutôt logique. Vous vous êtes demandé

tout à l'heure pourquoi elle avait décroché votre tableau. Comment pouviez-vous savoir que son portrait – peint par vous – se trouvait au-dessus de la cheminée si vous ne l'aviez pas vue depuis des mois?

Les yeux toujours braqués sur la gravure, Parmenger soupira :

– Très bien. Je suis venu voir Helen, en effet. Nous nous sommes disputés, c'est vrai. Je voulais qu'elle arrête.

– Comment ça, qu'elle arrête?

– De chercher. Je savais qu'elle viendrait fouiner dans le secteur. Maureen... la gouvernante d'Helen...

– Je sais.

Parmenger se tourna vers Jury mais toute trace de rancune semblait avoir disparu de son visage.

– Y a-t-il quelque chose que vous ne sachiez pas, commissaire?

– Des tas de choses, lui assura Jury en allumant une cigarette. (Parmenger fit non de la tête lorsque le policier lui tendit le paquet.)

– Eh bien, ne comptez pas sur moi pour éclairer votre lanterne. Maureen m'a dit qu'elle comptait venir jusqu'ici. Il y a plusieurs semaines de cela. Vous ne croyez tout de même pas que c'est uniquement pour peindre le portrait de Grace que je suis resté pendant tout ce temps chez les Seaingham, n'est-ce pas?

– Continuez.

– Mais je n'ai rien de plus à vous dire. Helen avait entrepris cette quête et je voulais qu'elle y mette fin.

– Pourquoi?

Parmenger marqua une pause :

– J'avais peur, déclara-t-il simplement.

– Des responsabilités qu'il allait vous falloir assumer?

– Inutile de prendre ce ton moralisateur! Peut-être avais-je peur de ce qu'elle allait découvrir... Peur de savoir à quoi ressemblait l'enfant.

Si Parmenger connaissait Robin Lyte, il se garda bien de le dire à Jury.

– N'était-ce pas faire preuve de superstition? Les unions consanguines ne donnent pas forcément des enfants dérangés... Antigone était loin d'être déséquilibrée.

Parmenger feignit l'étonnement :

– Et fin connaisseur de la littérature grecque, avec ça.

Que de talents, commissaire! (Changeant de ton, il ajouta :) Helen culpabilisait suffisamment comme cela. (Il secoua lentement la tête comme pour chasser la poussière et les toiles d'araignée du vieux grenier où, côte à côte, près de la fenêtre, ils s'asseyaient pour peindre la cime des arbres d'Eaton Square.)

Jury regarda Parmenger, qui s'était levé pour arpenter de nouveau la pièce. Il songea au père Rourke et à son étude des Évangiles. Il pensa à Isobel Dunsany, à Annie Brown, aux tubes de gouache qu'Edward Parmenger avait jetés par la fenêtre, et plus particulièrement à l'*Auberge de Jérusalem*.

25

Nell Hornsby astiquait les verseurs lorsque Jury entra. Lui ayant adressé un vaste sourire, elle lui servit un demi de bière de Newcastle.

— Joyeux Noël.

— Merci, Nell. Il n'y a pas foule ce soir, dites donc.

— C'est parce que nous venons à peine d'ouvrir. Rassurez-vous, les clients ne vont pas tarder à arriver. La veille de Noël, les affaires marchent bien.

Il n'y avait que les vieux sur le banc. Marie et Frank étaient joue contre joue. Le type à l'anorak, accompagné de son whippet à l'air craintif, lisait dans un coin.

— Où est Robin? s'enquit Jury.

— Robbie? La dernière fois que je l'ai vu, il était dans la salle du fond. (Comme elle désignait ladite salle de sa main qui tenait une serviette, Jury aperçut un pan de jupe qui filait par la porte menant à l'appartement qu'occupaient les Hornsby au premier.)

— Chrissie! s'écria Nell. Viens un peu par ici! (N'obtenant pas de réponse, elle poussa un soupir :) Pas moyen de lui faire lâcher sa poupée.

Jury sourit.

— Ne vous inquiétez pas, elle la remettra en place le moment venu. Elle a dû aller lui donner un bain.

Nell secoua la tête et se tourna vers les leviers de la pompe à bière, qu'elle se mit à essuyer avec soin. Jury prit son verre et s'approcha de la table qui était près de la cheminée. Pour l'instant, il ne désirait qu'une chose : réfléchir.

Il aurait été bien incapable de dire depuis combien de

temps Chrissie était plantée près de lui, tenant dans ses bras Alice enveloppée dans une couverture à laquelle étaient restés accrochés des bouts de paille.

— Maman a dit que je pourrais la reprendre après-demain.

— Très bien. Tu es contente que ce soit Noël?

— Moui. Je vais avoir une poupée Barbie, des albums à colorier et une robe neuve. (Chrissie s'assit sur une chaise et s'employa à rajuster la couverture de sa poupée.)

— Tu sais déjà ce que tu vas avoir comme cadeaux?

— Ben, oui. Les cartons sont en haut dans le placard : je les ai ouverts. Et pis j'ai refait les paquets. (Elle regarda Jury bien en face.) Tu vas le répéter à maman?

— J'ai la tête de quelqu'un qui rapporte?

— Je sais pas, fit-elle en haussant les épaules. Peut-être que non. (Elle l'observa soigneusement.) C'est vrai que t'es de la police?

— Parfaitement. Et dans la police, on tient sa langue. Les policiers sont des gens qui savent se taire : on ne peut pas les faire parler.

Ses cheveux fraîchement lavés lui encadraient le visage comme des feuilles mouillées. Ses yeux marron étaient braqués sur Jury.

— Je lui ai enlevé ses langes. Ils étaient sales. Et je l'ai entortillé dans cette couverture. Tu penses que ça ira? (Chrissie ne semblait nullement gênée par ces changements de sexe, qu'elle prenait avec beaucoup de sérénité.)

— Bien sûr, lui affirma Jury. Je ne crois pas que Marie et Joseph se formaliseront. L'essentiel, c'est qu'ils récupèrent leur bébé.

La tête inclinée, elle déclara :

— Faut qu'ils soient drôlement godiches pour pas s'être rendu compte que c'était Alice.

Sur cette remarque sacrilège, elle descendit de sa chaise et, passant sous la corde, alla fourrer la poupée dans le berceau.

Jury resta un moment à contempler la crèche. Il se demanda comment il se faisait qu'ayant entendu la même chose à plusieurs reprises il n'y ait pas prêté attention plus tôt...

Au même instant, Melrose Plant posa la main sur l'épaule de son ami et se mit à le secouer.

– Où étais-tu passé, Richard? Tommy est là-bas... (Melrose désigna du menton la pièce du fond.)... En train de les battre à plate couture. Il joue avec une rapidité... J'ai bien envie de le prendre sous mon aile et de lui servir de manager. Tu m'écoutes? Pourquoi est-ce que tu regardes la Nativité avec ces yeux-là?

– Faut-il que je sois godiche pour ne pas m'être rendu compte que c'était Alice... (Jury se leva et se dirigea vers le téléphone qui était près du bar.)

– Qu'est-ce que tu racontes?

Jury pivota:

– Je vais appeler Grace Seaingham et lui demander de m'inviter à dîner. Et je ferai attention à ce que je mange, fais-moi confiance.

Ayant fini de passer son coup de fil – que Plant trouva bien long –, Jury regagna sa table avec sa chope et un demi d'Old Peculier.

– Dieu merci, ils ont de l'Old Peculier à la pression dans ce pub, remarqua Plant. Qu'est-ce que tu bois?

– De la bière brune de Newcastle. C'est costaud.

– J'ai suivi tes instructions : j'ai eu un petit entretien avec Susan Assington. Et je me suis documenté sur les poisons.

Jury contemplait la crèche minable, la cervelle pleine de skis, de prêtres et de pinceaux.

– Qu'as-tu découvert d'intéressant?

– J'ai d'abord pensé au fait que nous avions été bloqués par la neige. Que le meurtrier d'Helen Minton ne pouvait appartenir à notre joyeuse petite bande. Puis j'ai pensé au ski de fond. Et à MacQuade. Capable de survivre dans les bois pendant des semaines avec une carabine...

– Le *héros* de son roman en est capable. Mais lui...

Melrose haussa les épaules et leva son verre :

– A la vie, qui n'est qu'un roman. (Il poursuivit.) Mais après m'être documenté sur les propriétés de l'aconit, j'en ai déduit que primo, celui qui l'avait empoisonnée avait fait ça très progressivement. Et que secundo, il n'avait pas besoin d'être là quand elle a avalé la dose fatale.

– Je sais. J'ai parlé à Cullen.

– Lorsque la dose n'est pas fatale, elle est éliminée très rapidement. C'est sans doute ce qui provoquait chez elle ces

264

effets secondaires. Le poison aurait très bien pu être mis dans son médicament, non?

— C'est de cette façon qu'un dénommé Lamson s'est débarrassé de sa victime. C'est ce que je me suis dit au début. Continue.

Melrose s'amusa à dessiner des ronds sur la table avec sa chope humide.

— Autrement dit, on peut éliminer MacQuade. Il n'a pas eu la possibilité d'agir. Et il n'avait pas de mobile. (Secouant la cendre de son cigare, Melrose enchaîna :) Maintenant examinons le cas de Grace Seaingham. Selon elle, quelqu'un essaie de l'empoisonner.

— Tu crois qu'elle ment?

— Elle refuse qu'Assington lui fasse passer des examens, n'est-ce pas?

— Très juste. Pourtant elle *est* malade.

— Dans certains cas, les gens s'administrent le poison à eux-mêmes en doses infimes... Histoire de détourner les soupçons. Mais laisse-moi continuer... (Melrose coinça son cigare dans sa bouche, posa le livre sur la table et l'ouvrit à une page marquée d'une fleur blanc rosé.) Comme disait le poète américain Robert Frost : « Si cette fleur est blanche, en quoi est-ce qu'elle est responsable? » *Helleborus niger*, ellébore noir, plus communément appelé rose de Noël. Sa racine est extrêmement toxique. Or l'abbaye en est pleine. Et c'est Susan Assington qui les a apportées! Mais oui!

— Et comme l'aconit provient également d'une fleur, tu t'es dit que...

— Ne me fais pas dire ce que je n'ai pas dit. Sir George et Beatrice Sleight. Sir George et – qui sait – Grace Seaingham? Dans l'esprit de notre petite Susan, du moins.

— Et quel est le rapport entre Susan Assington et Helen Minton?

— Aucune idée. Mais c'est exactement le genre de fille que Polly Praed aurait choisie. Quand je pense à la comédie qu'elle m'a jouée, à son numéro d'ancienne petite vendeuse écervelée... Tout ça pour camoufler une personnalité d'une instabilité pathologique...

Jury sourit.

— Je préfère ne pas me prononcer. (Prenant son verre, il annonça :) Allons voir Whittaker.

— Je me suis longuement entretenu avec le père Rourke,
fit Jury, regardant jouer l'adversaire de Tommy. C'est le
prêtre de Washington et il connaissait Helen Minton. Le
père est structuraliste...

— Vraiment? Je préférerais être manager.

— ... et il m'a parlé de certaines façons d'interpréter les
Évangiles. Fascinant. J'aurais dû écouter avec plus d'attention.

Plant alluma un cigare.

— Je suis heureux que tu n'en aies rien fait: nous ne
serions pas près de sortir d'ici. Mais continue.

— En y repensant, je me suis souvenu de son développement sur l'interprétation « psychologique » : il me parlait de
l'enfant prodigue et de ses implications œdipiennes.
(L'adversaire de Tommy réussit à faire une ouverture tradi-
tionnelle mais ne parvint pas à placer la blanche derrière
une couleur.)

— L'enfant prodigue. Ah oui, je vois. La parabole qui
t'amène à te dire que tu ferais mieux de quitter la maison.

— Ce n'est pas ça, c'est le fait qu'il ait mentionné Œdipe.

— Œdipe aurait mieux fait de rester tranquillement à la
maison, pauvre garçon.

— Il n'avait guère le choix, fit Jury en regardant Robin
Lyte, qui rôdait autour de la table, une queue de billard à la
main, l'air impatient.

Regardant toujours Robin, Plant dit :

— C'est vraiment très triste. C'est moche qu'elle ait découvert ça... Je parle d'Helen Minton.

Ils restèrent silencieux un instant, observant Tommy qui
blousa superbement une rouge.

— Imagine l'astuce dont ce garçon a dû faire preuve pour
réussir à s'entraîner comme ça, laissa tomber Jury. Il faut
qu'il soit fichtrement roublard.

— Roublard? Ce n'est pas le mot que j'emploierais, protesta Plant, prenant la défense de Tommy.

— Inutile de prendre la mouche, Melrose, sourit Jury. Il
est bigrement intelligent quand même, ce garçon. J'aurais
dû le voir tout de suite.

— Voir quoi?

— Je repensais à Œdipe : il fallait qu'ils s'en débarrassent, n'est-ce pas? Le roi de Thèbes ne pouvait pas garder à ses côtés quelqu'un qui allait lui régler son compte.

— D'abord Alice, maintenant Œdipe. Je suis perdu. Je nage.

— Laissons cela. Je me suis fait inviter à dîner à l'abbaye avec Wiggins. (Jury consulta sa montre.)

— Tu es resté drôlement longtemps au téléphone avec Grace. Tu sais qui est le coupable, hein, c'est ça?

Jury éteignit sa cigarette dans un vieux cendrier en fer-blanc. Il n'y avait plus une seule bille rouge sur la table.

— Je crois que le meurtrier va essayer, comme dirait Tommy, de mettre quelqu'un dans une position de snooker impossible.

— Qui?

— Grace Seaingham.

Regardant Tommy réussir un coup particulièrement délicat, Plant déclara :

— C'est aussi mon avis.

— Pourquoi? fit Jury, se tournant vers lui.

— A cause de la méthode utilisée.

— De quoi parles-tu? Du poison ou de l'arme à feu?

— Selon moi, la méthode du meurtrier, c'est le poison. L'arme à feu n'a été employée que parce qu'il fallait réduire Beatrice Sleight au silence le plus vite possible. Les poisons sont d'un maniement difficile, à moins d'employer du cyanure. Ou une substance qui permet d'éliminer la victime très rapidement. (Plant ouvrit le livre à une page marquée à l'aide d'une allumette et désigna du doigt une illustration.) Comme celle-ci, par exemple.

Jury écarquilla les yeux.

— Sacré nom d'un chien! Voilà qui est astucieux.

Il lut les deux paragraphes qui accompagnaient le dessin et secoua la tête avant de rendre le livre à Plant.

Tommy Whittaker empocha la dernière boule, la noire, avec un brio éblouissant et, tirant sur son gilet, fit un pas en arrière.

— Tommy a fait place nette, commenta Jury. Et tu m'as ouvert des horizons. Merci, Melrose.

— Qu'est-ce que tu attends pour me rendre la pareille? Tu ne peux pas me confier le nom du malade qui s'en prend à toutes ces femmes? Helen Minton, Beatrice Sleight, et maintenant Grace Seaingham. Un de ces misogynes enragés, non? Si tel est le cas, je parie pour Parmenger.

— Tu ne m'en voudras pas si je garde le silence pour l'instant?

— Non. (Plant désigna Tommy de la tête.) Je lui ai préparé une surprise pour Noël. Je me suis donné autant de mal que ma tante avec sa broderie, mais j'y suis arrivé.

— Parfait. Il va en avoir besoin, fit Jury après un instant de silence.

VI

Fin de partie

26

En entendant Grace Seaingham annoncer soudain – à l'heure des cocktails – que Scotland Yard dînerait à l'abbaye en cette veille de Noël, Vivian Rivington renversa la moitié de son martini sur son corsage. Son fourreau vert jade à col officier lui donnait davantage l'air d'une geisha que d'une future comtesse italienne.

Les autres invités s'étaient également mis sur leur trente et un. Lady St. Leger était tout satin gris et dentelle. Lady Ardry disparaissait sous des flots d'une étoffe indéfinissable. Susan Assington triturait l'ourlet d'une robe coupée dans une mousseline arachnéenne d'un brun terreux. Melrose ne put s'empêcher – en la voyant – de penser à un champ de blé desséché tant le ton de la mousseline contrastait avec les couleurs chaudes arborées par Grace Seaingham. De fait, autant Susan semblait se faner, autant Grace paraissait s'épanouir.

À l'énoncé de la venue imminente du Yard, les invités changèrent d'expression et de position, comme obéissant aux directives de quelque photographe. MacQuade prit l'air intrigué, Parmenger l'air ennuyé. Tommy, s'imaginant sans doute en train de réaliser un coup fumant, se mit à fixer Grace intensément.

Charles Seaingham, lui-même, parut surpris.

– Tu ne m'en avais pas soufflé mot, ma chère.

– Non, mais j'ai prévenu la cuisinière, répliqua Grace avec douceur. (Elle lui sourit comme pour lui rappeler qu'il y avait des priorités.)

Délaissant le blanc, Grace avait opté ce soir-là pour le

271

rose-thé. Couleur flatteuse qui avait eu l'heur de plaire à Parmenger, lequel ne cessait de répéter que le rose mettait son teint et sa chevelure en valeur. Vibrant et vibrionnant, le peintre s'était mis à tourner autour de son modèle comme s'il envisageait de refaire son portrait toutes affaires cessantes. Grace l'avait gentiment remercié de ses compliments.

Après avoir fait observer que sa robe s'harmonisait à merveille avec les roses de Noël, la maîtresse de maison en avait pris une dans un vase de cristal et l'avait glissée dans l'échancrure de son corsage. Puis elle avait adressé un chaleureux sourire à Susan Assington, qui s'était empressée de détourner les yeux.

Grace Seaingham semblait être – en dehors de Frederick Parmenger, lady St. Leger et lady Ardry – la seule à ne pas avoir l'air gênée. Les deux imposantes ladies étaient assises, tels deux rocs, de part et d'autre de la cheminée, dûment munies de leurs cerceaux à broder.

Melrose se dit que Grace mijotait décidément quelque chose lorsqu'il l'entendit répondre aux divers *Ma chère, vous avez l'air beaucoup mieux* de ses invités :

– Je me sens nettement mieux, en effet. Ce doit être le merveilleux déjeuner que j'ai fait en compagnie du commissaire Jury à Durham aujourd'hui.

Le « merveilleux déjeuner » fut alors décrit avec force détails par la maîtresse de maison. Melrose n'eut pas l'impression que ce couplet gastronomique passionnait les amis de Grace, car ils reprirent presque tous un autre apéritif.

– Quoi qu'il en soit, ma chère, déclara Charles Seaingham, nous commençons à en avoir soupé, de la police. Imagine-toi qu'il y a encore des policiers qui battent la semelle dehors avec des lanternes et des torches. Je les ai suffisamment vus comme cela et je ne me sens pas d'humeur à m'asseoir en face d'eux pour dîner.

Tandis que Marchbanks ouvrait avec onction la porte à deux battants, Grace quitta son siège et dit dans un sourire :

– S'asseoir pour dîner n'est pas un problème dans cette maison. Le problème, c'est de se lever. Si nous passions à table?

Déjà mortifiée de devoir dîner dans une robe dont le corsage s'ornait d'une énorme tache, Vivian Rivington se sentit encore plus mal à l'aise en constatant qu'on lui avait donné pour voisin le commissaire Jury. Ce dernier, qui était arrivé juste après le consommé, avait été gratifié de regards peu amènes par l'ensemble des invités.

Jury ne se formalisa pas de cet accueil. Après s'être excusé de son retard – il avait été retenu au commissariat de Northumbrie –, il s'attaqua à la succulente salade d'huîtres chaudes, s'extasiant sur le velouté de la sauce au champagne et la finesse du meursault qui accompagnait le plat. Après les huîtres, il y avait de la selle d'agneau. Et Jury et Grace s'étonnèrent de concert que l'on pût se procurer de l'agneau de lait en plein mois de décembre.

A l'évidence, Grace Seaingham et Richard Jury s'amusaient comme des petits fous, parlant gastronomie, vins, poisson, gibier. C'est ainsi qu'ils tombèrent d'accord pour déclarer que le saumon abondait à Pitlochary, regrettèrent que la chasse au faisan ait été plutôt médiocre cette année, vantèrent les mérites respectifs du saint-émilion et du corton-charlemagne, entreprirent de comparer l'hôtel *Brown's* au *Ritz*, et le Boodle's au Turf Club.

Melrose savait pertinemment que Richard Jury n'avait jamais fréquenté aucun de ces deux clubs. A moins qu'il ne s'y fût rendu pour affaires – ce qui restait à démontrer. Melrose se demandait, en effet, quelle raison aurait bien pu pousser Scotland Yard à se risquer dans ces vénérables établissements fréquentés par des octogénaires figés, tels des pains de glace, derrière un exemplaire de *Punch* ou du *Guardian*...

Le manège de Grace Seaingham et de Jury semblait mettre les nerfs des autres convives à rude épreuve. Personne n'arrivant à comprendre pourquoi ce bon vivant de commissaire avait été invité à dîner à l'abbaye, tout le monde avait l'air coupable. A l'exception d'Agatha, qui s'efforçait – sans succès d'ailleurs – de reprendre le contrôle de la conversation. Pourtant celle qui semblait le moins à l'aise dans tout ça, c'était encore Vivian qui, complètement déboussolée, ne savait quelle contenance adopter.

Le sorbet avalé, les invités firent preuve d'une étonnante grossièreté.

Incapable d'attendre que la maîtresse de maison se fût

levée, Frederick Parmenger s'empressa de quitter la table pour filer jeter un coup d'œil au portrait de Grace.

Charles Seaingham s'éclipsa pour aller faire décanter une bouteille de vieux porto.

Lady St. Leger, se plaignant d'une horrible migraine, gagna ses appartements afin d'y prendre un médicament.

Tommy Whittaker murmura qu'il avait à faire dans le salon de musique et s'en fut.

Susan Assington, que les propos de lady Ardry sur le jardinage semblaient avoir rendue toute chose, décréta qu'il lui fallait se reposer quelques instants dans sa chambre.

Tant et si bien qu'il ne resta plus à la table de Grace Seaingham que Vivian – qui réussit à renverser à nouveau son verre –, Agatha, Melrose, Jury et MacQuade.

– Eh bien, voilà, dit Jury à Grace.

« Voilà quoi? » se demanda Melrose tandis que Grace se levait de sa chaise et qu'ils l'imitaient.

Ils prirent le verre de l'après-dîner dans le salon, comme à l'accoutumée. Marchbanks faisait le service. Jury dégustait l'excellent armagnac de Charles Seaingham tout en fumant un de ses non moins excellents cigares.

Melrose remarqua que les autres buvaient leur mixture habituelle. Crème de violette innommable pour Agatha. Rémy Martin pour Parmenger et MacQuade. Cognac pour Vivian, qui avait dû se dire qu'un verre ballon se renverserait moins facilement qu'un verre à vin. Crème de menthe pour lady Assington et lady St. Leger. *Sambuca con Mosca* pour Grace Seaingham. Et pour Tommy, rien, comme d'habitude.

Jusqu'au moment où Grace Seaingham, se tournant vers lui, lui offrit sa *Sambuca*, au grand étonnement de sa tante.

– Oh, laissez-le donc, Betsy, fit Grace en souriant. Ce n'est pas très alcoolisé.

Elizabeth St. Leger intercepta cependant fort adroitement le petit verre destiné à son neveu en disant :

– Tom doit avoir suffisamment l'occasion de se dévergonder en pension. (Elle eut un rire un peu contraint.) Inutile de le tenter ici, ma chère Grace.

Tandis que lady St. Leger s'apprêtait à restituer son verre à sa propriétaire, elle heurta le vase de roses au passage et le verre se renversa.

— Excusez-moi. Décidément, c'est à qui sera le plus maladroit ce soir.

Jury se précipita afin d'éponger la liqueur avant que lady St. Leger ait eu le temps de sortir son mouchoir de dentelle pour réparer les dégâts.

Grace eut un sourire compréhensif.

— Ne vous excusez pas, Betsy. (Elle posa le verre vide sur une table.) C'est ma faute ; je suis désolée. (Elle éclata de rire.) Franchement, j'ai du mal à imaginer Tommy se dévergondant ! (Toujours souriant, elle se tourna vers Jury, qui remettait son mouchoir dans sa poche.)

Ce que Melrose admira par-dessus tout – dans cette pièce où, eux quatre exceptés, personne n'avait la moindre idée de ce qui se passait –, ce fut le sang-froid ahurissant avec lequel lady St. Leger se leva et déclara qu'elle devait se coucher de bonne heure.

Une fois ce cliché fatidique lâché, elle ajouta qu'elle souhaiterait vivement s'entretenir avec le commissaire avant de se retirer dans ses appartements.

Elle ne parut pas se formaliser de la présence de Melrose Plant dans le bureau de Charles Seaingham. De toute évidence, Elizabeth St. Leger en était au stade où rien ne semblait plus avoir d'importance pour elle.

Melrose se sentit tout penaud de ne pas l'avoir prise davantage au sérieux. Sans doute était-ce parce qu'Agatha avait si bien réussi à faire ami-ami avec « Betsy » qu'il n'avait pas songé à dissocier les deux femmes, les considérant comme un couple anodin de vieilles dames tout juste bonnes à broder, jouer aux cartes et jacasser.

Il l'examina, campée devant la cheminée, car elle avait insisté pour rester debout, refusant énergiquement de s'asseoir. Au temps de sa jeunesse, lady St. Leger avait dû être ce qu'il est convenu d'appeler une belle femme. L'ossature délicate de son visage, son teint clair l'attestaient d'ailleurs encore aujourd'hui. Ses cheveux gris et bien brillants lui faisaient comme une couronne, ses yeux – gris aussi – luisaient d'un éclat quasi métallique que rehaussait encore sa robe en satin ardoise et dentelle. Plant perçut tout à coup la froideur qui se cachait sous cette carapace de soie. Elizabeth St. Leger lui parut ressembler à une pièce de monnaie frappée pour commémorer quelque événement notable puis retirée de la circulation parce que présentant quelque menu défaut.

– Intéressant, votre petit manège, commissaire, dit-elle avec un sourire ironique comme si sa vie ne dépendait ni de ladite comédie ni du livre que Plant avait montré à Jury au pub un peu plus tôt, et qui était resté ouvert sur une table. (Elle effleura les pages du regard et esquissa un imperceptible haussement d'épaules.) J'avoue ne pas avoir été mécontente d'apprendre que Susan Assington avait du goût pour le jardinage. (Son regard abandonna le livre pour se darder sur Melrose.) Vous m'avez inquiétée, monsieur Plant, quand vous vous êtes mis à parler des roses de Noël. Tout comme l'aconit, elles appartiennent à la famille des renonculacées. Il s'en est fallu d'un cheveu que vous ne découvriez la vérité. Vous n'êtes vraiment pas passé loin, monsieur Plant.

– Je ne sais pas si c'est le moment de faire assaut de compliments, lady St. Leger, rétorqua Melrose avec un sourire empli de mélancolie. Mais je reconnais que vous avez fait preuve d'une étonnante maestria en m'aiguillant vers Susan Assington.

Elizabeth St. Leger haussa de nouveau les épaules.

– Je suis étonnée qu'elle songe à se débarrasser des ancolies.

Sortant son mouchoir de sa poche et le dépliant avec soin, Jury remarqua :

– Peut-être pourrions-nous commencer par ceci. Ce sont des graines de ricin. *Ricinus communis*. Il suffit de mordre dans l'une de ces graines pour que cela provoque un choc anaphylactique. Cette substance est mortelle. Vous avez pris un sacré risque ce soir, en essayant de tuer Grace Seaingham.

– Je n'avais pas le choix, monsieur Jury. J'étais aux abois, il me fallait agir.

– Grace Seaingham est femme à garder un secret. Jamais elle n'aurait révélé à quiconque...

– Pour vous inviter à dîner ici, il fallait bien qu'elle ait une idée derrière la tête. En outre, sa peur de manger et de boire l'avait abandonnée et elle avait l'air positivement... épanouie, si je puis me permettre ce jeu de mot d'un goût douteux. Mais à force de parler botanique...

– Et comme elle était la seule ici à boire de la *Sambuca* avec des grains de café, vous avez profité du moment où vous montiez dans votre chambre chercher votre médicament pour procéder à la substitution. En redescendant, vous avez déposé les graines de ricin sur le plateau. Il ne vous est pas venu à l'idée qu'elle aurait pu m'avoir déjà confié ce qu'elle savait?

– Cela aurait pu se faire, évidemment, mais je me suis dit que non. En revanche, j'étais certaine qu'elle vous parlerait avant la fin de la soirée.

– Où vous êtes-vous procuré ces graines?

– Ce sont des graines très répandues. Il en existe de plusieurs formes et de plusieurs tailles... (Lady St. Leger s'exprimait d'un ton monocorde comme si elle parlait prosaïquement chiffons.) Certaines sont mouchetées, d'autres grises. Bon nombre d'entre elles n'ont aucune ressemblance avec des grains de café. Mais celles qui poussent dans les jardins de Meares se trouvent être petites et foncées. Et elles ressemblent étrangement aux grains de café. Je ne peux malheureusement pas vous dire quel goût elles ont, poursuivit-elle. Je sais seulement qu'il faut mordre dedans. Quand on les avale sans les mâcher, on n'a rien à craindre, curieusement. Je savais que Grace adorait mastiquer ses grains de café.

– Dommage que Beatrice Sleight n'ait pas bu de *Sambuca*...

Elizabeth St. Leger se hérissa.

– Quelle horreur, cette femme! Elle était plus dangereuse que les autres et je ne la connaissais même pas.

– Affaire de chantage? s'enquit Jury.

– De chantage... Vous voulez dire d'argent? Ne soyez pas ridicule. C'était son nouveau *roman à clef* qui m'inquiétait. Vous ne vous figurez pas que je l'aurais laissé faire? Après tout le mal que je m'étais donné, concernant Grace et Helen Minton – qui étaient moins dangereuses. Des quantités négligeables comparées à Beatrice Sleight. Imaginez-vous qu'elle est venue me trouver après que les autres furent montés se coucher.

– Charles Seaingham et vous, avez pas mal chassé ensemble dans le temps, je crois. Le faisan, le coq de bruyère, sans parler du reste. L'armurerie n'avait pas de secrets pour vous et vous saviez vous servir d'un fusil.

Elle hocha la tête avec raideur. Son visage avait perdu toute couleur. Après avoir tâtonné de la main à la recherche d'un siège, elle finit par s'y laisser tomber.

– Il fallait à tout prix empêcher la police de faire le rapprochement entre les romans de Beatrice Sleight et... la personne qui voulait la dissuader de rédiger son dernier ouvrage. En revanche, je n'avais aucune raison de vouloir éliminer Grace Seaingham. Aucun mobile.

Elle prit une profonde inspiration.

– L'enfant est né lors d'un voyage d'Irene et de Richard au Kenya. N'allez surtout pas vous imaginer que ces safaris étaient des expéditions dangereuses où l'on risquait sa vie. Ils se déroulaient sous la conduite de guides expérimentés et étaient ponctués de somptueux dîners ressemblant à de véritables banquets... (Elle parlait sur un ton de mépris évident.) Quoi qu'il en soit, Irene s'empressa de me passer un coup de fil ; elle avait piqué une crise de nerfs lorsque les médecins lui avaient annoncé la nouvelle. Irene était une idiote, elle a toujours été incapable de se débrouiller seule. Et Richard n'était guère plus malin, il faut bien le reconnaître. Je les ai calmés et je leur ai promis de m'occuper de tout.

– Vous avez une façon bien spéciale de vous occuper des autres, n'est-ce pas, lady St. Leger ?

Elle vira au cramoisi.

– Il se trouve que j'aime mon neveu. Vous ne me croyez peut-être pas capable d'éprouver de l'affection pour quelqu'un et pourtant c'est la stricte vérité.

Jury ne releva pas.

– Par quel hasard êtes-vous tombée sur Helen Minton ?

– En visitant le manoir d'Old Hall à Washington. Elle ne m'avait jamais rencontrée ; mais moi je l'ai tout de suite reconnue pour l'avoir vue en photo chez Edward. Sur le moment je n'en crus pas mes yeux. Et puis je me suis dit que si elle était venue à Washington, c'était pour glaner des renseignements sur son enfant. Je... j'ai décidé de l'aider...

Un froid polaire descendit sur le bureau de Charles Seaingham. D'un ton encore plus glacial, Jury laissa tomber :

– Drôle de façon de s'y prendre. Quelle variété d'aconit avez-vous utilisée ? Celle qui pousse communément dans les jardins ? Le tue-loup ? Le capuce de moine ? Ou le pied-d'alouette ? La racine ressemble à du raifort. Ou à un navet.

Helen avait une passion pour les condiments. Comme le raifort, justement.

— Je sais. Je lui en ai apporté un pot lors d'une de mes visites.

— Alors ce n'était pas son médicament qui...

— Oh, non. Pas plus que celui de Grace, d'ailleurs. L'aconit a un goût plutôt sucré qui peut parfois virer à l'âcre. Grace se servait de saccharine en poudre. Le problème, c'est que ce n'est pas facile à doser. Pour Helen Minton, je me suis servie d'une autre variété que j'avais rapportée d'un de mes périples en Inde... Du Népal, me semble-t-il. (Elle prit un air lointain comme pour évoquer les jours anciens passés à voyager.) C'est cela, du Népal. Les indigènes l'appellent *nabee*. Le nabee renferme de la pseudo-aconitine. C'est l'un des poisons les plus redoutables qui existent. Pardonnez-moi cet exposé indigeste sur la toxicologie...

— Je vous en prie, lady St. Leger, dans mon métier, il ne faut jamais négliger une occasion de s'instruire. Helen Minton souffrait de fibrillation ventriculaire. Et si elle n'était pas morte au manoir, le médecin aurait conclu à une mort naturelle.

Elizabeth St. Leger ne fit aucun commentaire et se contenta de questionner, un peu étonnée :

— Vous la connaissiez donc ?

Jury, qui sortait des papiers de sa poche et ôtait le capuchon de son stylo, se borna à répondre :

— Oui, je la connaissais.

— Je suis désolée, dit-elle simplement avec la plus grande sincérité.

— Comme c'est Noël, je veux bien conclure un marché avec vous, fit Jury avec un faible sourire. Signez ceci et nous attendrons pour la suite des opérations que les fêtes soient finies. Ça va être un sale coup pour Tom.

— Merci, dit-elle comme s'il lui passait un plateau chargé de rafraîchissements. (S'aidant de son pince-nez, elle parcourut rapidement la feuille, adressa un petit sourire à Jury et signa.)

Jury remit le capuchon de son stylo et dit :

— Il va falloir que j'envoie un policier du commissariat de Northumbrie à Meares Hall pour... jeter un œil.

— Je comprends. Puis-je regagner ma chambre maintenant? Je vous promets de ne pas essayer de filer par la fenêtre. Où voulez-vous que j'aille, d'ailleurs, commissaire? fit-elle d'une voix soudain lasse.

— Faites.

Elle prit sa canne et s'appuya dessus.

— Vous êtes très intelligent, commissaire. Vous aussi, monsieur Plant, ajouta-t-elle en fixant Melrose. Puis-je vous demander comment vous en êtes arrivé à penser que Tom...?

— Frederick Parmenger, répondit Jury. Son caractère, sa détermination. Son désir farouche, alors qu'il était encore tout jeune, de suivre la voie qu'il s'était tracée... Vous connaissiez son père...

— Oh, oui. Pour tenir tête à Edward, il fallait être déterminé.

— Et pour vous tenir tête à vous, lady St. Leger, il faut l'être davantage encore.

Du bout de sa canne, elle s'amusa à suivre les contours d'un motif du tapis. Puis elle releva les yeux :

— Bonsoir, commissaire. Bonsoir, monsieur Plant, fit-elle en quittant la pièce.

— C'est trop fort! s'exclama Melrose une fois que la porte se fut refermée sur elle. Tous ces discours fumeux à propos d'« Alice », c'était donc ça. Le petit Jésus d'origine ayant été cassé, on en a mis un autre à sa place.

— Le pauvre Robin Lyte ne pouvait décemment pas être marquis de Meares. Alors l'enfant handicapé fut confié à Danielle, femme de chambre de la marquise. Pas étonnant qu'après cela elle ait été en mesure de fournir d'excellentes références à Isobel Dunsany. L'autre enfant – fils d'Helen et de Frederick Parmenger – fut expédié à Meares Hall. Edward Parmenger et Elizabeth St. Leger se chargèrent de procéder à l'échange. Et Danny Lyte et Annie Brown leur servirent d'intermédiaires.

— Si tel est le cas, comment se fait-il que la directrice de l'école Bonaventure n'ait pas été éliminée en priorité?

— Est-ce qu'elle savait où était passé le fils d'Helen Minton? Tout ce qu'elle a fait, ç'a été de recueillir un enfant à Bonaventure comme s'il s'était agi d'un enfant trouvé. Si Danny est arrivée peu de temps après avec une importante somme d'argent et une offre... Quel lien rattachait Danny aux St. Leger, aux Parmenger et aux Meares? Miss Hargreaves-Brown avait déjà démontré par le passé qu'elle n'était pas insensible aux propositions, ajouta sèchement Jury. Oh, elle se doutait bien qu'il y avait quelque chose de louche là-dessous... Elle savait bien que Robin Lyte n'était pas le fils d'Helen Minton. Mais, des années auparavant, elle avait réorganisé son fichier. Aussi est-ce le dossier de Robin sur lequel Helen tomba qui l'amena tout naturellement à conclure qu'il s'agissait de son fils. C'est Robin qu'elle trouva à l'*Auberge de Jérusalem*. Et la fidèle domestique, Danny Lyte, qui a le cœur plus tendre que ses patrons, s'avise d'adopter Robin. Comme le bon berger de Sophocle.

— Bon sang de bonsoir! Alors si je comprends bien, les enfants, ça s'achète! fit Melrose, tendant son verre de whisky que Jury remplit à ras bord. Et maintenant? Que vas-tu faire en ce qui concerne Tommy?

— Rien. Il continuera d'être marquis de Meares.

Plant, qui buvait, faillit s'étrangler.

— Eh là, une minute, veux-tu! Qu'est-ce que tu comptes lui dire lorsque ces deux joyeux drilles de Cullen et Trimm rappliqueront à l'abbaye pour embarquer sa grand-tante Betsy?

L'air absent, Jury se mit à battre un jeu de cartes qu'il avait ramassé sur une table.

— Inutile de t'inquiéter, cela ne risque pas de se produire. (Il retourna une carte. C'était une reine.)

— Cela ne risque pas de se...? C'était ça que tu avais en tête quand tu parlais de la laisser retourner à Meares Hall! *Une fois que je serai là-bas, où voulez-vous que j'aille, commissaire?*

Jury ne souffla mot et se contenta de rebattre les cartes tout en contemplant les flammes bleutées du feu qui se mourait lentement.

— Mais enfin, mon vieux, s'indigna Melrose, c'est contraire à toute éthique, cette façon d'agir!

— En effet, renchérit Jury. Si Racer savait ça, il piquerait une crise.

— Tommy a quand même le droit de savoir, non?

Jury leva le nez des cartes qu'il battait consciencieusement.

— Bon sang, Melrose, je vais finir par penser que tu es

obsédé par la vérité! Tu crois que ça aiderait Tommy de savoir que sa tante a assassiné deux femmes et tenté d'en supprimer une troisième?

Plant rougit légèrement.

— Certainement pas. Mais quelle solution préconises-tu? Il faut bien que quelqu'un lui apprenne qu'il n'est pas l'héritier légitime.

D'une voix sans timbre, Jury laissa tomber :

— Je ne vois pas pourquoi.

— Enfin, Richard! Pour commencer, il ne veut pas être marquis. Tout ce qui l'intéresse, c'est jouer au snooker.

— Rien ne l'en empêche.

— Tu crois ça? S'il devait... arriver quelque chose à sa tante Betsy, il se sentirait horriblement coupable, déclara Plant, s'échauffant sous la double influence de la discussion et de l'alcool. Il serait capable de mettre ses queues de billard au râtelier.

Jury déploya ses cartes en éventail sur la table et avala une lampée de whisky.

— Ne sois pas mélodramatique. Il est de la même trempe que Parmenger : il ne renoncera pas aussi facilement. Prends donc une carte.

— Non.

— Oh, ne te fais pas prier. Tu verras, tu te sentiras mieux. C'est un tour de cartes. (Le sourire de Jury s'évanouit lorsqu'il évoqua le portail de l'école Bonaventure.) Peut-être pas génial, mais un tour quand même.

— Je ne vois pas comment tu peux imposer ça à Tommy Whittaker...

— Rassure-toi, il s'en remettra. Je lui fais confiance.

Plant demeura silencieux, son verre à la main, contemplant le feu et fronçant les sourcils comme s'il cherchait un autre biais, une autre façon d'aborder le problème.

— Et moi qui croyais que tu voulais que ces femmes soient... vengées?

Jury, qui allait porter son gobelet à ses lèvres, s'interrompit net :

— Dans le genre vieux jeu et barbare, tu ne pouvais pas trouver mieux! Vengées! Tu as vu la mine de lady St. Leger tout à l'heure? Si c'était la vengeance que je voulais, je suis servi!

— Je parle de la justice.

— Avec un J majuscule, bien sûr, grogna Jury, sarcastique. (Songeant qu'ils commençaient à avoir un sacré coup dans l'aile, il se dit qu'il ferait mieux d'appeler Cullen. Et Racer. A cette pensée, il se resservit un autre verre et fit glisser la bouteille vers son ami.)

— Que tu te désintéresses de la petite Sleight, passe encore. Mais Helen Minton? Je croyais que tu... Enfin, non, rien.

Jury baissa le nez et fit tourner son verre de whisky entre ses mains, provoquant la formation de minuscules vagues ambrées. Il songea à Isobel Dunsany, qui vivait au bord de la mer du Nord, perdue dans le souvenir d'une époque élégante et révolue.

— Je n'ai passé que quelques heures en sa compagnie, précisa Jury, comme si cela pouvait expliquer son calme apparent. (Il évita soigneusement le regard pensif de Melrose Plant.)

Melrose se borna à remarquer :

— Tu avais de la sympathie pour elle, non?

— J'ai eu de la sympathie pour des tas de femmes, fit Jury d'un ton insouciant, espérant donner de lui l'image d'un policier coriace, habitué à évoluer au milieu d'un bataillon de beautés. Mais je ne suis pas le seul dans ce cas, ajouta-t-il en fixant Melrose.

— Ne détourne pas la conversation.

C'est pourtant ce que fit Jury, peu soucieux de poursuivre sur ce terrain.

— Une question m'a tracassé pendant un moment : celle de savoir pourquoi le marquis et la marquise ne s'étaient pas contentés d'*adopter* un héritier – au lieu d'en *subtiliser* un en quelque sorte.

— C'est parce qu'un enfant adopté ou un enfant dont les origines sont douteuses ne peut pas hériter d'un titre de noblesse. (Melrose fixa l'extrémité rougeoyante de son cigare, tel l'oiseau de la fable qui se laisse hypnotiser par le serpent.) Tu n'as jamais entendu parler de ce bon Needwood, vicomte Dearing? Il avait essayé de prouver que l'enfant mis au monde par la vicomtesse n'était pas de lui. Et tenté de prouver qu'il y avait au moins trois douzaines de personnes complices de l'adultère. Seulement, comme la vicomtesse était aussi prolixe sur toutes les questions touchant à sa vie privée que si elle avait eu un sparadrap sur la bouche, le tribunal fut force de conclure que l'enfant était bien celui du vicomte ou alors qu'il était né par l'opération du Saint-Esprit. (Melrose jeta son cigare dans l'âtre et s'accouda à la cheminée.) Autrement dit, mon vieux, il faut que les parents soient nobles, sinon il n'y a pas mèche. (Il eut un petit sourire.) J'ai du mal à imaginer qu'on traîne le nom de quelqu'un dans la boue comme ça, surtout si c'est quelqu'un de sa famille, pas toi?

Jury lui jeta un coup d'œil.

— Non. Je suppose que ça doit marcher dans l'autre sens, non? Quand il y a adultère et que la famille étouffe l'affaire.

— Sans doute, fit Plant qui se rassit et se resservit à boire. J'ai l'impression qu'on va être fin soûls à ce rythme-là.

— Moi aussi.

Plant consulta sa montre.

— Il va falloir que nous continuions à boire au pub, parce que ça va être le moment d'y aller.

— Comment cela?

— Ne t'inquiète pas. Appelle Cullen. Je vais aller chercher Tommy. Je ne pense pas, fit-il non sans tristesse, que sa tante s'oppose à ce qu'il aille faire un dernier tour à l'*Auberge de Jérusalem*.

Melrose leva son verre.

— Joyeux Noël, Richard.

Les verres tintèrent tant et si bien que Melrose renversa un peu de whisky sur sa cravate.

— Je suis pire que Vivian. (Il brossa les gouttelettes.) Je me demande ce que notre bonne vieille Viv compte faire au sujet du comte Dracula. (Il se laissa glisser dans son fauteuil.) Polly Praed, quand j'y pense...

— Tu es un imbécile, Melrose. Tu t'en rends compte?

Plant fronça les sourcils :

— Qu'est-ce que tu veux dire par là? Enfin, quoi qu'il en soit, joyeux Noël.

— Joyeux Noël, mon vieux, fit Jury.

Leurs deux verres s'entrechoquèrent.

VII

L'Auberge de Jérusalem

— Bon sang, qu'est-ce que c'est que ça ? s'enquit Melrose Plant en montant avec Tommy dans la voiture de police de Jury où se trouvaient déjà deux paquets, un gros et un plus petit.

— Un cadeau pour les Hornsby, répondit Jury. Que je suis allé chercher à Durham aujourd'hui. (Entendant un froissement de papier à l'arrière, il poursuivit :) Ça ne t'est pas destiné, Melrose, alors ne t'avise pas de l'ouvrir.

L'euphorie qu'éprouvait Tommy Whittaker à faire partie de l'équipée vespérale était teintée d'une certaine inquiétude pour lady St. Leger.

— Vous savez ce qu'a tante Betsy ? Elle n'avait pas l'air dans son assiette quand elle est montée.

Il y eut un instant de silence. Puis Jury remarqua :

— C'est une vieille dame, Tommy, qui a des ennuis de santé. Et après tout ce qui s'est passé...

— Vous avez raison. Au fait, votre enquête, ça avance ? Le sergent Cullen me soupçonne toujours ?

— Vous n'êtes pas sur la liste des suspects, Tommy.

Le jeune homme poussa un soupir de soulagement.

— Il est possible que cette affaire ne soit jamais élucidée, vous savez, observa Jury.

— Sans blague ? s'étonna Tommy, encore suffisamment jeune pour croire que Scotland Yard résolvait toutes les affaires de meurtre.

— Eh oui, ce sont des choses qui arrivent. Pour l'instant, la question que je me pose, c'est de savoir si notre ami Plant va réussir à ouvrir le paquet destiné aux Hornsby, fit Jury en entendant des bruissements de papier venant de la banquette arrière.

Le paquet avait été ouvert et le roi mage qu'il contenait – aux couleurs un peu passées car il n'était plus de la première jeunesse – avait été rejoindre les deux autres devant la crèche. Quant au petit paquet – confié à Chrissie –, il s'avéra renfermer un Enfant Jésus, qui fut déposé sur la paille.

Tenant Alice dans ses bras, Chrissie examina la Nativité dont les rangs se trouvaient maintenant grossis de deux unités. Sourcils froncés, elle laissa tomber :

– Ton roi fait une tête de moins que les deux autres et il apporte de l'or, comme lui. (Sa poupée vêtue d'une robe contre la poitrine, Chrissie désigna d'un doigt vengeur le roi mage jouxtant celui que Jury avait offert aux Hornsby et qui était plus petit.) Je crois que c'est le même que le nôtre. Et il y a pas de Noir. (Elle jeta à Jury un regard désapprobateur, songeant sans doute que ses connaissances laissaient à désirer en matière de légende chrétienne.)

Élevant la voix pour couvrir le bruit que faisaient les deux bonnes douzaines d'habitués qui depuis la fin de l'après-midi se mettaient en condition pour fêter dignement Noël, Jury concéda :

– Tu as raison. Mais ils n'avaient que celui-là, dans la vieille boutique où je l'ai trouvé ainsi que l'Enfant Jésus. C'était tout ce qui leur restait. (Sentant que ses explications ne convainquaient guère la fillette, il sourit.) C'est difficile à trouver, les rois mages...

Chrissie lissa la robe d'Alice.

– Sûrement. C'est gentil d'y avoir pensé. (Le ton manquait de conviction.) Mais tu as vu... l'Enfant Jésus, il a pas de langes. (Au milieu du bruit ambiant – les uns chantaient des cantiques, d'autres commandaient bruyamment à boire – ils étaient comme dans un îlot de silence, debout devant la Nativité.) Tu crois que Marie et Joseph se sont rendu compte de son absence?

– Oui. Mais maintenant il est revenu. C'est l'essentiel, non?

La poitrine de Chrissie se souleva lorsqu'elle poussa un profond soupir de résignation.

– Va falloir que je lui fabrique des langes.

Melrose et Tommy avaient réussi à se frayer un chemin jusqu'au bar, se glissant entre Nutter et un étranger aux boucles blondes porteur – lui aussi – d'un anneau à l'oreille, mais du côté suggérant qu'il n'était décidément pas le type de Nutter. Si Tommy ne s'était pas faufilé entre eux à ce moment-là, il est probable que l'électricité qui flottait dans l'air aurait considérablement augmenté.

Tommy donna de la voix pour commander à boire à Hornsby, qui était à l'autre bout du comptoir. Et il sourit à Dickie qui avait noué un ruban rouge autour de son poireau géant. Dickie lui adressa un sourire en retour, l'accompagnant d'une phrase incompréhensible. La salle était pleine à craquer d'habitués et de clients de passage venus fêter Noël.

Un étranger brun, en chemise grise et gilet noir, debout près de Tommy et Melrose, fumait une cigarette en buvant de la *lager*. Il ressemblait un peu à Tommy – ou plutôt à un Tommy qui aurait eu vingt ans de plus. Il gratifia Plant d'un hochement de tête amical, que Plant lui retourna.

– Sacrée ambiance, dans ce pub! fit-il, renvoyant en arrière ses cheveux noirs et raides et dégageant ainsi un front haut.

– N'est-ce pas? Je vous offre à boire?

– Ma foi, volontiers. (Il fit glisser son verre sur le comptoir et, désignant du bout de sa cigarette l'étui à hautbois coincé entre Tom et le bar, s'enquit :) Qu'est-ce que vous trimbalez là-dedans de si précieux? Vous vous y cramponnez comme si vous aviez peur que le diable se jette dessus.

– Ça? Oh, c'est la mallette où je range ma queue. (Le regard de Tom se fit plus aigu.) Vous êtes déjà venu ici, n'est-ce pas?

– Non. Ce n'est pas sur mon chemin, fit l'homme en riant. Vous jouez au billard américain? Je ferais bien une petite partie.

– Au snooker.

– Ah bon! J'y joue aussi. (Le nouveau venu tendit la main.) Je m'appelle Alex. Alors, on en fait une?

Tommy en laissa tomber sa mallette par terre. Il se baissa vivement pour la ramasser et se redressa en secouant la tête.

Nutter, qui ne ratait jamais une occasion de jeter de l'huile sur le feu, assena une tape sur l'épaule du jeune homme.

– Vas-y, mon grand. On ne va tout de même pas se laisser marcher sur les pieds par un étranger, gronda-t-il en se retournant d'un air agressif vers Alex qui, imperturbable, n'en continua pas moins de siroter sa bière.

– Désolé, fit Tommy qui, son étui serré contre la poitrine, regagna les rangs des spectateurs.

Pour la première fois, Jury lui trouva l'air d'un gamin angoissé et solitaire.

– Alors, personne n'a envie de pousser la bille? Même à cinquante livres la partie?

L'envie que Nutter éprouvait de casser la figure du type à la boucle d'oreille s'évanouit devant la perspective de ramasser quelques sous.

– Clive. A cinquante livres la partie, ça intéressera Clive à tous les coups.

Alex esquissa un sourire.

– J'aurais pourtant juré qu'à vous tous vous n'auriez pas réussi à réunir une malheureuse livre.

Dickie se mit à fouiller fébrilement dans ses poches tandis que Melrose sortait sa pince à billets.

– C'est Dickie qui gardera les mises, fit-il en tendant plusieurs billets au susdit.

Clive éclata de rire.

– Peu m'importe qui garde le fric, pourvu que ce soit moi qui le ramasse.

Non seulement Clive ne ramassa rien, mais il ne joua en tout et pour tout que quelques secondes.

Après le tirage au sort qui le désigna pour ouvrir, il frappa si fort le triangle de rouges qu'il laissa les billes éparpillées sur le billard, ce qui permit à Alex de faire une série de quatre-vingt-un points et de faire table rase en un quart d'heure.

Clive fixait le tapis d'un regard incrédule, comme s'il espérait que les boules allaient sortir des poches et revenir en jeu.

Comme il fallait s'y attendre, Melrose s'acquit une popularité immédiate pour sa folle générosité. Tous les joueurs de snooker présents au pub se précipitèrent dans la salle du fond en réclamant le droit de se mesurer au vainqueur.

– Ils sont tous malades, souffla Tommy, qui s'était fondu dans la foule, sa pinte de bière à la main.

– Pourquoi? Puisqu'ils jouent avec l'argent de Plant!

— Alors, c'est lui qui est malade, répliqua le jeune homme. Vous ne savez donc pas qui est ce type?

En l'espace d'une demi-heure, Alex, qui en était déjà à trois parties, avait réussi deux extraordinaires séries de quatre-vingt-dix et cent dix points. Aucun des joueurs ne lui arrivait à la cheville, et il acheva le Tatoué par une série de coups spectaculaires.

— Mais qui est ce type? s'interrogea Jury.

— Tu ne t'intéresses donc qu'aux faits divers? répondit Plant en lui fourrant sous le nez le *Guardian* ouvert à la page des sports.

Jury examina une photo, puis Alex, et s'exclama :

— Dieu du ciel!

Nutter était tellement saoul qu'il décida de tenter sa chance lui aussi. Mais il mit tant d'effet en tête pour briser le triangle de billes rouges qu'il en fit sauter la blanche hors du billard.

Devant ce coup d'exception, l'assistance tout entière lui adressa des applaudissements bien mérités, à l'exception toutefois d'Alex dont le fair-play lui interdit de se joindre à la meute.

— Dis donc, vieux, c'est pas sur le plancher que tu vas trouver les poches, lança Dickie qui aurait pris un grand coup de queue sur la tête si Alex n'avait pas eu la présence d'esprit de barrer la route à Nutter.

Et cinquante livres de plus changèrent de mains.

— Écoutez, intervint Melrose, si je vous en donnais mille d'un coup? Ça m'éviterait de sortir ma pince à billets à tout bout de champ.

— C'est contre mes principes, répondit Alex. Je n'accepte que l'argent que je gagne. Mais dites-moi, il paraît qu'un jeune homme vient de flanquer une raclée au champion local. (De toute évidence, il avait repéré Tommy.) Où est donc cette merveille?

— Ici, lança Tommy qui se redressa en gardant néanmoins le regard rivé au sol, chose que Melrose ne l'avait jamais vu faire auparavant. C'est moi.

— Vous me semblez bien jeune, pour être aussi fort qu'on le dit. Quel âge avez-vous? Vingt ans?

— A peu près, fit Tommy en haussant les épaules.

— C'est comme ça, Whittaker, commenta Melrose. Vous allez devoir passer le reste de votre vie dans la même position que Gary Cooper dans *Le train sifflera trois fois*. Assis face à la porte.

Alex rit. Melrose rit. Mais Tommy ne rit pas.

Le tirage au sort le désigna. Le jeune homme commença par pocher trois rouges et trois noires – ce qui lui valut vingt-quatre points – tout en laissant les autres billes rouges en essaim serré. Puis, il blousa la bleue tout en ramenant la blanche en deçà de la ligne de départ, ce qui le contraignit à tenter un coup long pour briser la grappe de rouges. Mais il fit fausse queue.

Un murmure de déception s'éleva dans la pièce et Dickie se sentit fondé à reprendre le contrôle de la situation. Il leva les bras et lança un énergique « Je vous en prie, mesdames et messieurs. Silence, s'il vous plaît. »

Les deux joueurs, quant à eux, étaient si absorbés qu'ils n'eussent même pas entendu un coup de tonnerre. Alex s'approcha de la table. La blanche était maintenant de l'autre côté du billard, mais dans une position impossible, collée contre la bande. Avec une précision diabolique, le joueur réussit néanmoins à éviter la noire et à blouser la rouge dans la poche de coin, tout en remettant la blanche en bonne position par rapport à la verte. Il empocha alors la bille verte et renvoya la blanche à l'autre extrémité de la table, en excellente position par rapport aux dernières boules rouges.

Dickie remit la bille verte en place sur sa mouche.

– Pourriez-vous nettoyer la blanche ? lui demanda Alex.

Dickie se pencha pour examiner la bille et secoua la tête.

– Elle n'a pas l'air sale, fit-il.

Alex fusilla l'arbitre du regard.

– Peu importe, énonça-t-il sèchement. J'ai tapé fort, pour le dernier coup. La moindre saleté sur la blanche peut avoir des conséquences imprévues sur le jeu et sur les nerfs.

– La cale, Dickie, je t'en supplie, chuchota Tommy.

Dickie jeta un regard circulaire pour chercher la petite cale de placement [1] noire et, ne la trouvant pas, posa le poireau sur le tapis, le bout bien coincé contre la bille de choc qu'il souleva avec précaution et nettoya consciencieusement.

– La voilà propre comme un sou neuf, commenta-t-il, en remettant la blanche en place.

---

1. *Cale de placement* : sorte de petit trépied que l'on coince contre la bille blanche et qui permet de la remettre exactement en place lorsque l'on veut la nettoyer des marques de bleu et autres salissures. (*N.d.T.*)

D'un petit coup de queue sec, Alex expédia le légume par terre.

— Désolé, marmonna Dickie, qui réclama une nouvelle fois le silence.

Alex se mit à jouer à un rythme endiablé, comme s'il avait déjà répété des centaines de fois tous les coups qu'il exécutait. A plusieurs reprises il blousa une rouge suivie d'une noire, à une telle vitesse que Dickie eut à peine le temps de sortir la noire de la poche et de la remettre sur sa mouche.

Au terme de cette série, Alex empocha la dernière rouge et fit revenir – après quatre bandes – la blanche derrière la ligne de départ, en magnifique position pour la verte. Il empocha cette dernière sans coup férir, laissant la bille bleue tout juste à deux centimètres de la bande. D'un coup superbe, il décolla la bleue qui revint au centre du tapis, tandis que la blanche venait mourir quelques millimètres derrière la rose.

Tommy, en position de snooker, ne pouvait pas s'en tirer. Il essaya un coup impossible en faisant trois bandes avant pour atteindre la bille jaune, mais échoua.

Alex reprit la main et, tel un robot impitoyable, nettoya la table de toutes les boules restantes.

L'assistance, subjuguée, retenait son souffle.

— On fait une autre partie? demanda Alex en mettant du bleu.

Tommy ouvrit la bouche. Mais, incapable d'émettre un son, il en fut réduit à hocher la tête pour accepter.

Melrose lui administra une tape amicale sur l'épaule. Toutefois le jeune homme était si abattu que ce petit geste d'encouragement le propulsa presque contre le billard. Se reprenant, il mit du bleu. Une détermination nouvelle se peignit sur son visage. On eût dit un Parmenger dont on aurait jeté les pinceaux par la fenêtre.

Il perdit de nouveau.

Tout réussit à Alex : les rétros, les coulés, les carambolages, les coups défensifs, tout. Non seulement Alex était un champion, mais il était aussi plus rapide que Tommy. A eux deux, ils faisaient un tourbillon aussi impressionnant qu'un rapide traversant Stevenage.

— Incroyable, souffla Jury. Pour quelqu'un qui est tombé par hasard sur *l'Auberge de Jérusalem*! Ça t'a coûté combien?

— Quelques livres.

— Quelques livres? Tu parles! Combien?

Melrose resta muet.

— C'est un cadeau, que tu lui fais?

Alex venait de nettoyer le tapis pour la seconde fois. La troisième partie allait commencer.

— Drôle de cadeau, reprit Jury avant d'avaler une gorgée de bière. Et à moi, qu'est-ce que tu m'offres? Un bocal plein d'aspics?

— Arrête, fit Melrose en riant. Tommy est aux anges. Il doit se sortir les tripes. Enfin, il a trouvé un adversaire digne de lui. Et pas n'importe qui.

— Comment diable as-tu réussi à le faire venir ici la veille de Noël? Tu ne vas pas me dire que ce type n'aurait pas préféré rester chez lui, avec sa femme et ses enfants...

Melrose lança à Jury un regard plein de commisération.

— Et toi alors, pourquoi ne te maries-tu pas? Je te signale en passant qu'il est irlandais.

— Ah bon! s'exclama Jury, comme si ce détail expliquait tout. Du Nord ou du Sud?

— Ne pinaille pas.

Tommy avait laissé trois billes rouges sur la ligne de départ, ce qui interdisait à Alex tout jeu défensif. Il dut donc se contenter de jouer un coup qui lui permit d'envoyer la blanche à l'autre extrémité de la table, ce qui obligea Tommy à tenter un coup long. Le score était de 29 à 30. Alex, qui menait, était dans un état de concentration extrême. Il restait un maximum possible de 59 points sur le tapis.

— Du grand art, commenta Melrose.

Tommy mit dans la blanche un effet considérable qui envoya la rouge dans la poche à l'autre bout du billard et plaça la blanche en bonne position pour la bleue. Il blousa cette dernière, trois rouges, la verte et la jaune.

A une extrémité du tapis, il ne restait plus qu'une rouge et la noire. Il lui fallait jouer un coup qui le mît en bonne position pour la noire.

Mais il mit trop de bille. L'assistance lâcha un « Oh » de déception que Marie assaisonna de quelques jurons bien sentis, ce qui mit Robbie dans l'obligation de réclamer le silence.

La rouge était très difficile. Alex écrasa son mégot, et se leva pour venir jouer. Grâce à un coup d'effet extraordinaire, il parvint à empocher la rouge. Puis il blousa la bille noire avec une facilité déconcertante. Mais comme il n'avait pas réussi à revenir vers les billes de couleur alignées sur la ligne de départ, il fut contraint de jouer un coup défensif.

Quelques bravos s'étant fait entendre au fond de la pièce, Nutter prit une chaise pour courir sus aux traîtres, mais Clive l'arrêta dans son élan.

Tel un maître de chapelle qui, les yeux fermés, attend que ses choristes veuillent bien faire silence, Dickie leva les bras :

— Mesdames et messieurs, je vous en prie...

Il prit avec soin la bille de choc et se mit en devoir de la polir consciencieusement. C'est alors qu'il perdit connaissance. C'était chez lui une habitude aussi régulière que pour Alex de faire nettoyer la blanche.

— Robin, prends sa place, ordonna Tommy.

Robin Lyte eut l'air horriblement embarrassé. Mais Tommy lui adressa un chaleureux sourire d'encouragement, de la même façon que Jury et Plant lui avaient souri à lui.

— Nouvel arbitre, Robbie, annonça Tommy. Tu connais les règles.

Pour connaître les règles, Robbie les connaissait. Car lorsque Tommy, trop concentré, laissa filer sa queue un peu trop loin et poussa la bille, Robbie intervint sur-le-champ.

— Faute!

Un murmure réprobateur s'éleva. Nutter se précipita sur Robbie, mais ce dernier n'était plus désormais que l'incarnation du règlement du snooker. Il plaqua sa main droite contre la poitrine de Nutter et le repoussa fermement.

Robbie avait raison. Tommy venait bel et bien de commettre une faute. Il fut donc dûment pénalisé et la main passa à Alex, pour qui blouser les billes restantes fut un jeu d'enfant.

Les deux hommes se serrèrent la main sous un tonnerre d'applaudissements. Jury observa Tommy. Le jeune homme était radieux – il était vraiment bon perdant. Plant avait donc raison. Néanmoins, d'un autre point de vue, il avait tort. Tommy Whittaker n'était peut-être pas d'origine noble, mais il avait ce que Plant avait appelé « de l'étoffe ».

Robin Lyte semblait aussi heureux que si c'était lui qui avait organisé la rencontre.

Les spectateurs voulaient tous offrir à boire aux joueurs et leur demandaient de continuer.

Mais Alex refusa. Il était désolé, il devait partir.

— A votre âge, jeune homme, j'étais loin d'être aussi bon que vous. Mais je suis deux fois plus vieux que vous, c'est un avantage, non? Essayez de ne pas trop accompagner la bille, quand vous jouez. C'est ce qui vous est arrivé, au dernier coup. Et ne retenez pas trop vos coups non plus.

Alex sortit son paquet de cigarettes, en offrit une à Tommy et alluma la sienne.

— Vous reviendrez? demanda le jeune homme.

Vous reviendrez? Jury trouva cette question d'une infinie tristesse.

— Ici? Ça m'étonnerait. (Alex sourit, jaugeant son adversaire.) Mais nous nous retrouverons, j'en suis sûr. (Il enfila son manteau dont il releva le col et ferma sa mallette. Puis, se tournant vers Melrose Plant, il lui tendit la main.) Ravi de vous avoir rencontré.

— Vous ne pouvez vraiment pas rester? Juste un petit peu? supplia Tommy.

— Je voudrais bien. Mais j'ai un match demain. Je vous ai dit que j'avais un avantage. Je suis professionnel...

— Je sais, fit calmement Tommy.

Professionnel? pensa Jury. *Ça alors!*

— ... et j'ai un second avantage, ajouta Alex, qui, en route vers la porte, dut hurler pour couvrir les voix de Nutter, du Tatoué et du garçon à la boucle d'oreille qui s'étaient mis en devoir d'interpréter une version avinée de *Douce Nuit*. (Il éclata de rire.) Je suis irlandais.

Tommy, bouche bée, la queue contre l'épaule, suivit du regard le champion qui se frayait un chemin dans la foule venue fêter Noël.

— C'était bien lui.

Jury eut l'étrange impression que Tommy avait mis une majuscule en prononçant ce « Lui ».

Alex leur adressa un dernier signe de la main en s'enfonçant dans les ténèbres des rencontres qu'il allait disputer, une fois franchi le seuil de *l'Auberge de Jérusalem*.

Table

Table

COLLECTION « NOIR »
CHEZ POCKET

COLLECTION « THRILLERS »
CHEZ POCKET

Achevé d'imprimer sur les presses de

BUSSIÈRE
GROUPE CPI
à Saint-Amand-Montrond (Cher)
en juin 2002

POCKET - 12, avenue d'Italie - 75627 Paris Cedex 13
Tél. : 01-44-16-05-00

— N° d'imp. : 23493. —
Dépôt légal : mars 1995.

Imprimé en France